제2판

교육학의 이해

고전 · 김민호 · 서명석 · 송재홍 지음

개성넘친 너는 아름답다. 후박나무 어린 잎처럼…

아카데미프레스

2판 서문 ···

이 책은 교원양성기관 재학생들을 위한 교육학 입문서로서, 교직 이론 교과목인 『교육학개론』 강의용 교재로 개발되었다. 이 입문서는 지난 2011년 2월에 학지사에서 『교육학개론』(김민호 · 강대옥 · 고전 · 서명석 · 송재홍)으로 간행된 바 있었다. 이후 공동 강의자의 조정에 따라 체제와 내용을 달리하여 2015년 2월에 (주)아카데미프레스에서 4인 공저 『교육학의 이해: 교육을 바라보는 시선과 풍경』(고전 · 김민호 · 서명석 · 송재홍)으로 재간행되었다.

이번에는 『교육학의 이해』 2판으로 최초 교재를 개발한 지 8년여 만에 개정판을 내게 되었다.

제1부(서명석 교수)는 교육과 교육철학, 그리고 교육과정에 대한 이해를 담고 있다. 1장에서는 교육에 대한 개념 이해를 위하여 주요 개념 및 이론과 쟁점을 살펴보았고, 2장에서는 교육철학의 중요성을 개념 및 이론 이해를 바탕으로 교육철학함의 실례를 기술했다. 3장은 교육과정에 관한 철학으로서 국가 수준의 교육과정과 교사교육권 문제를 살펴보았다.

제2부(송재홍 교수)는 교육과 심리학에 대한 이해를 담았다. 4장은 교육심리학의 학문적 배경과 주요 연구방법을 소개하였고, 5장은 인간의 행동과 정신과정에 대한 기본 개념을 바탕으로 인간의 발달과 학습을 다루었다. 6장은 수업과 교실관리, 그리고 평가를 교육심리학적 관점에서 검토하였다. 특히 2판에서는 학습자 특성과 교실 현장에 대한 교사의 이해를 돕기 위해 각 장과 절의 내용을 충실히 보완하였으며 개론서의 성격에 맞도록 표현을 쉽게 가다듬었다.

제3부(김민호 교수)는 교육사회학과 평생교육을 다루었다. 7장에서는 교육의 사회학적 토대로서 교육사회학에 대한 소개를, 8장에서는 사회에 대한 교육학적 접근으로서 평생교육의 필요성과 주요 접근 및 쟁점을 다루었다. 9장에서는

교육복지에 관하여 새롭게 추가했는데, 교육복지의 개념, 수혜 대상, 교육에의 적용, 국가의 개입, 그리고 주체 문제를 다룬 것이 이번 2판의 특징이다.

제4부(고전 교수) 교육행정학과 교육정책은 교육행정에 대한 오해에 대한 바른 이해를 바탕으로 교육행정학의 개념 및 학문 동향을 개관한 후, 중앙과 지방의 교육행정 체제와 현황, 그리고 교육정책과 교육개혁 등을 논의했다. 2판에서는 그동안의 학교교육 현황 변화 및 교육행정 체제상의 변화를 최신 것으로 수정하였으며, 문재인 정부의 주요 교육개혁 정책과 교직단체들의 반응을 다루었다.

모쪼록 이 책이 교육과 교육학을 이해하고자 하는 교원양성기관 재학생들과 이들을 가르치는 대학의 강학제현들에게 작으나마 도움이 되기를 기대해 본다.

이번에 채산성을 가늠하기 어려운 상황에서도 기꺼이 이 책의 출간을 맡아 준 (주)아카데미프레스 구본하 대표께 사의를 표하며, 저자만큼 애정을 가지고 이 책을 잘 다듬어 준 김재석 실장을 비롯한 편집실 식구들에게도 공저자와 함께 감사의 뜻을 전한다.

2019년 1월 사라교육관에서
공저자들의 뜻을 모아
고　전

1판 서문 ∙∙∙

#1.

우리는 안다. 인간이 발명해 낸 가장 위대한 문명적 장치가 교육이라는 것을 말이다. 이렇게 교육이라는 위대한 장치가 있었기에 현재 이 자리에 우리가 있다. 그러므로 교육을 떠나서 한시라도 우리 삶을 우리가 거중 조정한다는 것은 사실상 불가능하다.

- □ 식물은 '재배'에 의하여 자라고,
- □ 동물은 '사육'에 의하여 커 가지만,
- □ 인간은 오로지 '교육'을 통하여 인간으로 성장한다!

이름하여 인간은 '교육적 존재^{Homo educandus}'다. 인간은 오로지 교육을 통하여 인간다운 인간으로 자라난다. 이것이 교육을 통한 '인간의 / 인간에 의한 / 인간을 위한' 존재-증명이자 교육의 근원적 자리-지평이리라. 그러한 지평의 길을 이 책이 능치게 낸다.

#2.

질문　이것은 어떤 책입니까?

대답　예, 좋은 질문입니다. 이를 한마디로 줄여서 말하면, 이것은 교육학^{Studies of Education}의 세계로 처음 입문하려고 하는 이들을 위한 길 안내의 책입니다. 아주 흔한 표현으로 이 책이 교육학개론이란 말이지요.

질문　그런데 책 이름을 왜 '교육학개론'이라 하지 않고 『교육을 바라보는 시선과 풍경』으로 하였나요?

대답   (……)

이제 '(……)'에 대한 풀이를 더 해야 할 것 같다. 나는 현재 제주대학교 교육대학 교육학과에 소속되어 있으면서 교육학을 가르치는 소임을 맡고 있다. 그런데 내가 속한 학과에는 동료 교수가 나를 포함하여 네 사람이 있다. 한데 그들의 학문적 관심 영역은 모두 다 다르다. 四-人-四-色! 이런 표현이 아주 적실한 방식이겠다. 이들은 교육학이라는 큰 영역에서는 만나지만, 교육학의 세부에서는 모두 갈라선다. 그러므로 그들이 그려 내는 교육학의 풍경은 다를 수밖에 없다. 왜냐하면 그들이 바라보는 교육학에 관한 시선이 너무나 다르기 때문이다. 따라서 이 책은 교육학자 네 사람이 교육을 바라보는 자신의 시선에 기반하여 각자 교육에 대한 그들만의 풍경을 독자에게 선사하게 되리라.

- 시선과 풍경 1: 교육철학과 교육과정에 대한 풍경-틀. 이 책의 1, 2, 3장으로, 서명석 교수가 글을 썼다.
- 시선과 풍경 2: 교육심리학과 상담에 대한 풍경-틀. 이 책의 4, 5, 6장으로, 송재홍 교수가 글을 썼다.
- 시선과 풍경 3: 교육사회학과 평생교육에 대한 풍경-틀. 이 책의 7, 8, 9장으로, 김민호 교수가 글을 썼다.
- 시선과 풍경 4: 교육행정학과 교육정책에 대한 풍경-틀. 이 책의 10, 11, 12장으로, 고전 교수가 글을 썼다.

이렇게 넷이 쓴 글을 모아 한 권의 책으로 엮었다. 그런 다음 이 책을 가지고 제주교대에 들어온 신입생들에게 교육학개론을 팀티칭으로 가르치고 있다. 그렇다고 해서 이 책이 꼭 교대생만을 위한 것은 아니다. 초등학교는 물론 유치원이나 중등학교에서 장차 교사가 되기를 꿈꾸는 학생들이라면 이 책을 한 번쯤 읽어 보기를 적극 권장한다.

#3.

이 책을 주 연료로 해서 가르치는 자는 배우는 자를 교육적으로 눈뜨게 해주라. 배우는 자는 가르치는 자의 도움을 받아 교육학을 학문적으로 연소시키는 땔감으로 이 책을 사용하라. "나는 가르친다. 그러므로, 나는 존재한다.", "나는 배운다. 그러므로, 나는 존재한다." 이렇게 가르치는 자와 배우는 자의 존재-위상-구조가 다르지만, 나는 이 책을 통하여 가르침과 배움이 옴살스럽게 되는 그 날을 숨죽이며 희망한다. 다음과 같은 발터 벤야민의 희망가를 부르면서 말이다. "오로지 희망 없는 자들을 위해 우리에게 희망이 주어져 있다!"

2014년 7월 18일
네 명의 글쓴이를 대신하여
보랏빛-노을-산-사람[紫-霞-山-人]

차례

제2부   교육과 심리학

제4장   교육과 심리학 ·· 91

제5장   인간의 발달과 학습 ··· 117

제6장   수업, 교실관리, 평가 ······································· 147

제3부   교육사회학과 평생교육

제4부 교육행정학과 교육정책

교육과 교육철학 그리고 교육과정

서 명 석

제1장

교육이란 무엇인가?

1. 들머리

> 인간은 오직 교육을 통해서만 인간이 될 수 있다.
>
> (Der Mensch kann nur Mensch werden durch Erziehung./
>
> Man can only become man by education.)
>
> —Kant, 1960: 6

이렇게 볼 때 과연 교육이란 무엇인가? 이런 물음을 던져 볼 수 있다. 이런 원초적인 물음에 대하여 이 장은 해명하는 길을 낸다. 그러나 그런 물음은 너무 근원적인 물음인데도 불구하고 섣불리 대답하기 어렵다. 이런 난점 때문에 몇 가지 관점으로의 압축이 필요하겠다. 먼저, 교육을 고려의 대상으로 넣기 전에 교육에서 만남의 진정한 의미는 무엇일까? 동양과 서양은 어원적으로 무엇을 교육으로 설정하고 있는가? 교육이란 근본적으로 어떤 구조로 되어 있는가? 교육을 개념화한다는 일은 무엇인가? 이런 물음들에 대하여 화답하는 기회를 여기서 제공하게 되리라. 그럼 이제부터 그러한 교육여행을 지며리 떠나 보자.

2. 주요 개념 및 이론

1) 교육으로 들어가기 전의 예비적 전주곡

"나는 너와 만나고, 너는 나와 만난다. 그러므로 우리는 존재한다." 이 명제를 풀기 위하여 우리는 다음의 두 글을 먼저 음미해 보도록 하자.

> 우리 삶은 숱한 만남과 헤어짐의 연속이다. 만남은 하나의 점에서 시작한다. 그리고 그것은 선으로 이어지다가 어느 순간 끊어져 버린다. 우리 삶은 그런 점들과 끊어진 선들의 얽힘이다. 그리고 그 점과 선의 얽힘은 기억이라는 면을 만든다. 그 기억의 면으로부터 누구도 자유롭지 못하다. (한국예술종합학교 정진홍 교수)

> 진정한 만남은
> 상호 간의 눈뜸이다.
> 영혼의 진동이 없다면
> 그것은 만남이 아니라
> 하나의 마주침이다. (법정 스님의 『오두막 편지』 중에서)

위의 정진홍 교수의 글은 만남을 헤어짐과 대비시켜 그려 준다. 아래 글에서 법정 스님은 만남을 더욱 의미 있게 풀어 준다. 하여간 두 글 모두 잔잔한 음미가 필요한 것들이다. 그런데 뜬금없게도 왜 만남이 이토록 중요한 것일까? 왜냐하면 만남이란 인간이 인간 속에서 살아-있음을 원초적으로 증거하는 원형적 방식이기 때문이다. 그래서 교육으로 들어가기 전에 만남이 얼마나 우리에게 중요한지 포착하려고 하는 것이다.

이 지점을 바로 간파한 볼로브O. F. Bollow는 이렇게 말한 적이 있다. "만남은 교육에 선행한다Begegnung geht vor Bildung." 왜 볼로브가 이런 명제를 교육에 앞서서 던지고 있을까? 우리에게 만남이란 인간이 사회적으로 실존하는 필연적 광장이다. 이 광장에 우리가 지금 참여하고 있다. 그런데 만남이라는 것은 나와 타자 사이에 일어나는 실존-역사적인 사건이다. 이를 통하여 내남이 사회적으로 살-아-

있-음live-li-ness을 증거한다. 그래서 '만남'은 단순한 형식적/기계적 결합으로서의 '스침'이 아니라 존재(＝나)와 존재(＝타자) 사이에 창조적-공진화(＝줄탁동시의-계기성)가 일어나기 때문에, 바로 이 '만남'이라는 계기를 통하여 나를 또 다른 삶의 지평으로 데려간다. 그러므로 인간에게서 만남이란 실존적-역사함to historicize/ herstoricize of being이며, 나와 타자 사이에 공유하는 실존론적 처해-있음이다. 이때 처해-있음은 둘 사이의 만남을 주선하는 근원적 분위기나 상황을 말한다. 위에서 법정 스님이 말하는 하나의 마주침이 이를테면 '스침'이다. 이 '스침'은 우리가 생명론적으로 죽어 있다는 것이 아니라 실존론적/존재론적으로 죽어 있다는 뜻이다. 그러니까 여기서 말하는 실존은 생존과 매우 다르다. 인간에게 생존이라는 것이 음식을 섭취하고 배설하는, 곧 신진대사하는 생물학적인 삶이라면, 실존은 삶의 근원적 의미(＝삶의 의미와 본질)를 찾아내는 존재론의 지평이다. 이 맥락에서 실존은 다음과 같은 의미를 갖는다. 그것은 존재의 존재론적인 의미의 발견과 포착으로서 삶을 질화하는 세기적 작업이며, 동시에 삶의 의미 탐구와 발견의 세계를 말한다. 그러므로 너와 나는 이 만남을 통하여 영혼의 진동(상서로운 떨림: 서진瑞振)을 반드시 느껴야 한다. 서로가 서로에 대하여 영혼의 진동을 느꼈기 때문에 하나의 역사적인 사-건e-vent으로 급부상한다. 사건은 의미의 새로운 열려짐 또는 일어남을 말하는데, 일상의 지루한 반복을 가져오는 평이성의 중층결정이 아니다. 그것은 특이성과 특별함의 돌발적인 가져옴이기에 나에게 그것은 이전과는 완전히 다른 차원의 의미 있는 지평으로 자리 잡는다. 하지만 만남이 단순한 떨림으로 끝나는 것이 아니라 그 만남을 기폭으로 하여 서로 간에 삶의 공진화(또는 공업화共業化)를 도모해야 한다. 이런 것들을 충족시킬 때 우리는 거기에다 만남이라는 이름을 달아 준다. 이런 것들—실존의 건드림, 하나의 계기적 사건, 공진화—이 없으면 우리가 만나는 모든 것은 당구알의 무의미한 부딪침처럼 '스침'일 수밖에 없다. '스침'에서 '만남'으로. 그러하기에 볼로브가 진정한 교육이 이루어지기 위해서는 교육하기 이전에 먼저 서로가 서로에 대하여 창조적 공진화의 '협동적/역동적', '생산양식/생산방식/생산과정'으로서의 만남이 반드시 있어야 한다고 그토록 힘주어 말한 것이겠다. 따라서 서로 간에 진정한 만남이 이루어진 다음에야 참다운 교육이 설 자리가 있다는 생각이 볼로브의 시선으로 보면 맞다.

2) 동서 교육 어원의 답사

아우구스티누스는 『명상록』에서 이렇게 말한 적이 있다. "도대체 시간이란 무엇인가? 만일 아무도 내게 묻지 않는다면 나는 시간이 무엇인지 알고 있다. 하지만 그것이 무엇인지 설명하려고 하면 나는 전혀 알 수 없게 된다(최민순 역, 2005: 324)." 시간만 그런 것이 아니라 교육도 역시 그런 것 같다. 그런데도 우리는 여전히 묻는다. 교육이란 과연 무엇일까?

교육은 인류가 발명해 낸 고도의 문명적 장치이다. 그리고 그것을 가장 잘 제도화해 놓은 곳이 학교다. 아무것도 모르던 아이가 학교에서 교사의 지도에 따라 어떤 것을 배우고 변화하는 것을 보면 교육은 참으로 신비로운 것이다. 또한, 아이가 교사에게 교육이 무엇인지 집어 내어 보여 달라고 아무리 보채도 "그것은 이것이다"라고 구체물로 아이에게 전해 줄 수 없는 노릇이다. 그러면서 우리는 단 하루라도 그것 없이는 살아갈 수 없는 귀중한 것이 또한 교육이다.

이러한 교육과 함께 살아가는 우리를 두고 이렇게 말할 수 있다. '인간은 교육적 존재Homo educandus'라고. 이 진술은 인간에게 교육의 필요성과 가능성을 동시에 말해 준다. "인간은 교육을 통해서만 인간이 된다." 이 로고스logos(진리)는 우리가 위에서 만난 적이 있는 칸트의 말이다. 이 문구는 우리에게 교육의 필요성을 일깨워 준다. 또한 호모 에두칸두스는 "인간만이 교육을 통하여 인간이 된다."라는 점을 품고 있다. 즉, 이것은 교육의 가능성을 말한다. 이렇게 교육적 존재로서의 호모 에두칸두스는 교육의 필요성과 교육의 가능성이라는 두 지점을 동시에 아우르고 있는 셈이다.

그렇지만 우리가 쓰고 있는 이 교육도 어원etymology을 추적해 들어가면 동양과 서양은 서로 다른 지평에 위치한다. 이제 어원적 뿌리를 통하여 동서양의 그것에 대한 차이를 점검해 보도록 하자.

먼저, 서양 문화권 중 영어권에서는 교육을 'education'으로 쓰고 있다. 그런데 이것은 서양 중세어인 라틴어의 'ēdūcō'로 거슬러 올라간다. 이것은 라틴어 명사형 'ēdūcātio'의 동사 형태다. 바로 여기에서 에듀케이션의 물줄기가 발원하며 다음과 같은 두 가닥으로 흐른다. ⓐ 하나: ēdūcō[1], ⓑ 또 하나: ēducō[2](*Oxford*

Latin Dictionary, 587-588). ⓐ는 'educare'를, ⓑ는 'educere'를 파생시킨다. 물론 ⓐ와 ⓑ의 맨 앞에 공통적으로 들어 있는 'e'는 '안에서 밖으로(=out)' 그리고 '아래서 위로 똑바로 서도록/성장하도록 하는(=up)'을 운반하는 접두어로 쓰인다. 이런 어감을 염두에 넣고 'educare'와 'educere'를 다시 보도록 하자. ⓐ ēdūcō¹ ➡ educare, ⓑ ēducō² ➡ educere. ⓐ의 'educare'는 '(안에 들어 있는 무엇을) 이끌어 내다to lead 또는 꺼내다to bring out'를 뜻한다. ⓑ의 'educere'는 '잘 성장하도록 돌보거나 지원해 주다to tend and support the growth of'라는 뜻이다. 이것들이 영어로 변천하여 동사형 'educe' 또는 'educate'가 되었다. 이것의 명사형이 오늘날 서양의 'education'인 것이다. 따라서 'education'은 '내부에 들어 있는 무엇을 외부적으로 끄집어 내거나 이끌어 주는 활동의 총화이거나 그런 활동이 잘 일어나도록 외부에서 도움을 주는 일들'이라고 정돈해 볼 수 있다. 이런 맥락을 충실하게 이어받으면 교육이란 아이들이 부모에게서 태어날 때 부여받은 잠재적 소질—능력ability과 적성aptitude—을 교사의 도움을 통해 최대한 실현해 내는 일인 셈이다. 이 잠재적 소질을 두고 아리스토텔레스는 엔텔레키entelecheia/entelechy(잠재성: 충분히 발육하여 식물이 될 수 있는 씨앗이나 어린 묘목이 자라서 거대한 나무가 될 수 있는 묘목의 첫 싹에 포함된 잠재력)로 구체화한 적이 있다(Garrison & Leach, 2001: 70).

　　서양 문화권에서 교육을 말하는 것으로 또 하나 pedagogy가 있다. 이것은 고대 그리스적 전통의 하나다. 이것은 요즈음 education에 밀려 잘 쓰이지는 않지만 서양 교육의 본원을 캐내는 두 번째 요긴한 코드가 된다. 원래 그리스어로 pedagogy는 'peda＋gogy(gogos)'로 구성되었다. 즉, 접두어 ped(a)는 '어린아이'를 뜻하고, gogy는 (a)gogos에서 나왔는데, 이것은 '돌보아 주는 활동' 또는 '(그런 활동을) 해내는 사람'을 뜻한다. 이를 토대로 pedagogy를 보면, '어린아이들을-돌보아 주는-활동caring of children' 또는 '어린아이들을-돌보아-이끌어-가는-사람'으로 판독해 낼 수 있겠다(서명석 외, 2007: 45). 더불어 그리스어로 교육을 뜻하는 paideia도 원래 아이의 양-육up-bring-ing을 뜻하는 pais와 paidos에 뿌리를 두고 있다.

　　그러나 동양은 교육을 내다보는 지평에서 서양과 사뭇 다르다. 이 작업은 먼저 교자敎字를 크게 확대하여zoom-in 파자破字하는 가운데 이루어진다. 그러니 잠시 아래 '가르칠 교'자를 눈여겨보자. 물론 육자育字도 살펴보아야 한다. 하지만 이

[그림 1-1] 교敎의 확장체

글자에는 '아이를 길러 훌륭하게 만든다'는 의미 정도(『설문해자』, "育: 養子使作善也")만을 가지고 있다. 따라서 교육을 설명할 때 동양 교육의 핵심은 무엇보다도 '교敎'자로 볼 수 있다.

이 '교'자는 지금 우리가 보고 있는 바와 같이 세 요소로 파자가 가능하다. ㉮: 爻_본받을 효, ㉯: 子_아이 자, ㉰: 攵＝攴_칠 복. 우선, ㉮ 부분은 '본받을 효'를 뜻한다. 이때 본받는다는 말은 이상적인 모습으로서의 무엇(⬅ 성인聖人)을 누군가(⬅ 자子)가 본받는다는 것이다. 여기서 우리가 가장 이상적인 인간의 완성태를 가정해 볼 수 있다. 즉, 인격 형성체로서의 가장 이상적인 모습이 있다고 치자. 그럼, 그것이 무엇일까? 이것은 동양에서 인간이 인간으로서 본받아야 하는 이상적인 인간의 모습, 곧 성인聖人이다. 이렇게 성인을 상정해 놓고 이를 본받으라고 주문하는 형식이다. 다시 말해 이 안에서 롤모델은 성인인 셈이다. 그런데 누가 이를 본받는가? 물론 아이들이다. 즉, ㉯ 부분은 본받음의 주체이며 교육의 대상인 아이들이다. 반면 성인은 본받음의 대상이다. 이렇게 놓으면 성인은 본을 주는 자이고 아이는 본을 받는 자로 자리 잡는다. 그리고 ㉰ 부분은 가장 이상적인 인간상인 성인을 아이들이 본받으라고 매질하는 형국을 상형한 글자이다. 원래 이 글자(攵＝攴)는 가르치는 사람의 오른손(又)에 회초리(丫)를 잡고 있는 모습을 본떠서 그린 것이다. 그러므로 가르친다는 것은 동양에서 '매를-드는-일'을 연상시켜 준다. 실제 허신은 『설문해자』의 128쪽에서 '교敎'자를 이렇게 풀어 주고 있다. "교

敎, 상소시 上所施 하소효야 下所效也." 즉, 가르침敎이란 윗사람이 아랫사람에게 본받으라고 베풀어 주는(=가르쳐 주는) 바를 아랫사람이 그렇게 본받는 것이다(염정삼, 2007: 130-131). 그런데 동양인들은 성인됨의 본받음으로 가는 여러 길 중에서 효도를 으뜸으로 삼았다. 그래서 일설에는 효爻자를 노耂자로 대체하는 경향도 있다. 이때 교자의 ㉮ 부분이 효孝자로 바뀌면서 '교敎'자가 '교(孝＋攵)'자로 된다. 다음이 이것을 방증하는 예이다. "무릇 효라는 것은 인간의 모든 덕성의 근본이며, 교화가 모두 그로 말미암아 생겨나는 것이리라(『孝經』「開宗明義章」:"夫孝 德之本也 敎之所繇生也")."

이렇게 글자의 어원을 따져 파고 들어가 그것의 숨은 뜻을 파헤치는 자원학字源學에서 보면 동양과 서양은 아주 다르게 출발하고 있는 것이다. 서양이 아이의 잠재적인 능력과 적성의 계발 쪽에 무게를 두고 있었다면, 동양은 성인됨[=사람됨]으로 나아가는 배움 쪽에 더욱 무게를 두고 있었다. 이런 차이를 염두에 두고 동서의 교육세계를 이해하는 겹눈雙眼을 부착하는 것이 우리에게 필요하다.

3) 교육의 기본 구조, 가르침과 배움의 역동적 새끼-꼬기

우리는 위에서 교육의 어원에 대하여 동서양의 길을 따라가 보았다. 이제는 "교육이란 기본적으로 어떤 구조를 가지고 있는가?"를 알아보자. 이것을 풀 수 있는 실마리가 하나 있다. 동양 고전 중에 『예기禮記』라는 책이 그것이다. 그중 「학기學記」편에는 교학상장敎學相長이라는 웅숭깊은 사자성어가 등장한다. 그 내용인즉, '가르침과 배움이 서로 조장助長한다'는 대목이다. 여기가 교육이 원초적으로 일어나는 국면을 선포하고 있는 지점이다. 이것을 좀 더 진전시켜 보자. 언제나 교육이란 근원적으로 가르침敎과 배움學을 상정할 수밖에 없으며, 다시 그것은 가르치는 자와 배우는 자가 교육내용content=curriculum을 사이에 두고 서로-소통하는-형국trans-action을 말한다. 그렇기 때문에 교육활동은 아무래도 학학반學學半의 성격을 담지 한다. 이 학학반學學半은 물론 「학기學記」에서 교학을 설명하는 틀-거리이다. 이것은 대략 이러한 뜻을 갖고 있다. "가르침과 배움에서 가르치는 자도 배우는 자와 함께 배움의 반쪽半이요, 배우는 자도 가르치는 자와 함께 배움의 반쪽半

을 이룬다." 이 가르치는 반쪽과 이 배우는 반쪽이 서로 힘을 모아서 教學^{敎學}이라는 온-쪽(合—一)을 구성한다. 이 말은 교육활동이 성공하기 위해서는 가르치는 자와 배우는 자, 다시 말하면 교사와 학생이 교육에 공동 책임을 운명적으로 타고났다는 언표이다. 교사는 학생이 있음으로써 존재하고, 학생은 교사가 있음으로써 존재한다. 그러므로 교육에서 교사와 학생은 서로가 서로를 운명적으로 그리워하며 살아가는, 즉 공생하는 인간[Homo symbious]들이다.

그런데, 이러한 가르침과 배움의 국면이 고스란히 담겨 있는 우리나라의 신화 텍스트가 하나 있다. 그것을 이 자리에 불러 놓고 찬찬히 그 텍스트를 해석해 보아야겠다. 이것은 일종의 해석학적 작업인데, 이 안에서 해석학이란 인간의 삶 안에서 진행하고 있는 교육 현상들을 좀 더 적확하게 이해하려는 시도다. 신화는 우리에게 전통이다. 이 전통은 가다머의 논급대로 언제나 우리 자신의 일부이고 범례이며, 우리 자신에 대한 인식의 소산이다. 신화 텍스트는 고정된 실체가 아닌 것이다. 우리가 알고 있는 『삼국유사』에 실려 있는 「단군신화」도 이와 마찬가지다. 그러니까 「단군신화」도 역사학의 텍스트, 신화학의 텍스트, 민속학의 텍스트 등 다양한 텍스트 지평으로 읽어 낼 수 있다. 즉, 텍스트는 그것이 놓인 맥락에 따라서 그것을 수용하는 독자에 따라서 다양한 의미망을 펼쳐 낼 수도 있다. 우리가 익히 알고 있는 바대로 홍익인간이라는 교육이념의 전거[← 교육기본법 제2조]로서 자리 잡고 있는 곳이 바로 「단군신화」다. 그러면 이제 이 신화를 교육학의 텍스트로 설정하고 이를 독해해 보자.

▊ 신화 내용 ▊

▊ 내림지평^{向下}의 길—나는 내려간다, 그러므로 나는 존재한다: 하화중생^{下化衆生} ▊

『고기^{古記}』에 이런 말이 있다. 옛날 환인^{桓人}—제석^{帝釋}을 말한다—의 여러 아들 중에 환웅^{桓雄}이 있어 천하에 자주 뜻을 두고, 인간 세상을 탐내어 갖기를 바랐다. 아버지는 아들의 뜻을 알고, 세 봉우리의 태백산^{太伯山}을 내려다보니 인간 세계를 크게 도울 만했다. 이에 천부인(거울-칼-방울) 세 개를 주고 내려가서 다스리게 했다. 이에 환웅은 무리 삼천 명을 거느리고 태백산 꼭대기―지금의 묘향산―의 신단수神壇樹 밑에 내려와서 이곳을 신시神市라 불렀다. 이 사람을 환웅천왕이라 한다. 그는 풍백風伯·우사雨師·운사雲師를 거느리고 곡식·수명·질병·형벌·선악 등을 주관하고, 모든 인간사를 다스려 교화시켜 나갔다.

▌오름지평向上의 길―나는 올라간다, 그러므로 나는 존재한다: 상구보리上求菩提 ▌

이때 곰 한 마리와 범 한 마리가 같은 굴에서 살았는데, 늘 환웅에게 사람-되기를 빌었다. 때마침 환웅이 신령스런 쑥 한 다발과 마늘 스무 통을 주면서 이렇게 말했다. "너희들이 이것을 먹고 100일 동안 햇빛을 보지 않는다면 곧 사람이 될 것이다." 곰과 범은 이것을 받아서 먹었다. 곰은 공부한 지(=기忌한 지) 21일 만에 여자의 몸이 되었으나 호랑이는 공부하지 않아(=기忌하지 않아) 사람이 될 수 없었다.

▌공모(지평융합)의 길―나와 네가 만난다, 그러면서 우리는 새로운 세계를 창조한다: 줄탁동시啐啄同時 ▌

여자로 변한 곰은 그녀와 혼인할 상대가 없었으므로 항상 단수壇樹 밑에서 아이 갖기를 축원했다. 이에 환웅이 잠시 사람으로 변하여 그와 결혼해 주었더니, 그녀가 임신하여 아들을 낳았다. 이 아들의 이름이 단군왕검이다.[古記云 昔有桓因(謂帝釋也) 庶子桓雄 數意天下 貪求人世 父知子意 下視三危太伯 可以弘益人間 乃授天符印三箇 遣往理之 雄率徒三千 降於太伯山頂(卽太伯今妙香山) 神壇樹下 謂之神市 是謂桓雄天王也 將風伯雨師雲師 而主穀主命主病主刑主善惡 凡主人間三百六十餘事 在世理化 時有一熊一虎 同穴而居 常祈于神雄 願化爲人 時神遺靈艾一炷蒜二十枚曰「爾輩食之 不見日光百日 便得人形」熊虎得而食之 忌三七日 熊得女身 虎不能忌 而不得人身 熊女者 無與爲婚 故 每於壇樹下 呪願有孕 雄乃假化而婚之 孕生子 號曰壇君王儉,「檀君神話」]

이 자리는「단군신화」의 역사적인 진위의 문제를 가리는 마당이 아니다. 이것은 해석학에서 일러 주듯이 "텍스트는 고정된 것이 아니라 적극적 해석을 기다리고 있다"라는 상징적인 의미만을 갖는다. 그래서 그것은 각자 선 자리에서 다양한 해석을 기다리고 있는 무궁한 의미망이다. 이제 교육의 원초적 국면인 가르침敎과 배움學이라는 렌즈로 이를 투영하여 그 빛에 의미를 부여하는 작업으로 내려앉자. 그것은 이 신화의 교육적 의미소를 추출하여 그것을 살아 있는 의미지층으로 되-밝혀 놓는 것이다. 이 신화는 보각일연선사普覺 一然禪師(1206~1289년)가 찬술한 것이므로, 그가 가지고 있던 세계관의 중심omphalos은 불교였다. 여기에다 무속의 전통을 가미하여 우리 민족의 보편적 정서를 신화에 반영해 놓았다. 융이 말한 바 있는 '민족적(또는 민속적) 집단무의식(=전통)'을 구성하는 인자를 원용하여 그가 한 편의 서사-드라마parole로 엮어 놓은 것이다.

이를 교육의 세계상으로 옮겨 보자. 교육이란 어떠한 기본 구조를 견지하고 있는 것일까? 교육의 기본 구도는 가르치는 자와 배우는 자가 서로 상이한 지평에서 서로 다른 차원의 과업을 수행해 내는 상호작용의 열린 장이다.

"교육의 과업은 수준이 다른 체험 간의 간격에 다리를 놓는 두 가지 활동으로 되어 있다. 하나는 가르치는 것이고 다른 하나는 배우는 것이다. 가르치고 배우는 교육의 상황에서는 애초부터 선진과 후진의 존재가 전제되어 있다. 후진은 선진으로부터 무언지 배울 것이 있다는 전제하에 배움의 활동에 종사하며, 선진은 후진에게 무언지 가르칠 것이 있다는 전제하에 가르침에 종사한다. 교육적인 관계나 상호작용은 선진은 후진을 변모시키고 후진은 선진에 의해 변모하는 관계라고 할 수 있다(장상호, 1997: 850)."

이 가르침과 배움에서는 선진은 후진을 새로운 세계로 끌어올리고, 후진은 그의 도움으로 새로운 세계에 진입한다. 그래서 가르침은 배우는 자에게 새로운 세계가 있음을 알려 주고 끊임없이 그들을 새로운 세계로 안내하는 일이다. 또한 배움은 가르치는 자의 도움을 받아 배우는 자들이 가지고 있던 낡은 세계를 허물어 버리고 새로운 세계로 끊임없이 도약해 나아가는 일이다.

이제 신화를 통하여 이를 구체적으로 확인해 보자. 위에서 제시한「단군신화」를 ① 가르침(내려옴의 장場)=하화중생下化衆生, ② 배움(올라감의 장場)=상구보리上求菩提, ③ 지평융합을 통한 질적 전환(내림과 오름의 교차장)=줄탁동시啐啄同

^時로 나누어 볼 수 있다.

[1] 하강차원: 가르침(내림지평)—나는 그들을 가르치러 내려간다, 그러므로 나는 스승(=선진/교사)으로 존재한다. ← 하화중생^{下化衆生}

(가) 아버지가 아들의 뜻을 알아차리고 아래를 내려다보니 세 봉우리의 태백이 모든 인간계를 가르칠 수 있는 적합한 곳으로 생각한다.

(나) 그런 후, 환웅에게 인간 세상에 대신 내려가서 그들을 가르치도록 위임한다.

(다) 그는 온갖 방편^{方便}과 수많은 가르치는 자들을 동반하고 인간의 세상으로 내려온다.

(라) 인간세계를 이루는 온갖 일을 다 거들면서 생활세계를 살아가는 사람들을 가르친다.

[2] 상승차원: 배움(오름지평)—나는 배우려고 올라간다, 그러므로 나는 제자(=후진/학생)로 존재한다. ← 상구보리^{上求菩提}

(가) 곰이 사람-되기를 원한다. 또한 호랑이도 사람-되기를 원한다.

(나) 둘은 환웅에게서 공부할 과제인 화두로써 쑥과 마늘을 받아 동굴 속에서 정진한다.

(다) 곰은 21일 동안 열심히 공부한다. 반면 호랑이는 꾀가 나서 도중에 공부를 포기한다.

(라) 곰은 과제에 몰두한 결과, 사람으로 바뀐다. 하지만 호랑이는 사람으로 변신하지 못한다.

[3] 접점차원: 지평융합을 통한 삶의 질적 전환(깨우침과 깨달음)—우리들은 공모한다, 그러므로 우리들은 존재한다. ← 줄탁동시^{啐啄同時}

(가) 인간으로 변신한 곰 여인과 사람으로 둔갑한 환웅 사내가 혼인을 한 후 합방한다.

(나) 그 결과, 새로운 존재자인 단군왕검을 탄생시킨다.

[웅녀(제자)와 환웅(스승)의 운명과도 같은 실존적 만남, 이것을

선禪에서는 줄탁동시啐啄同時라 부른다. 원래, '줄啐'은 병아리가 안에서 밖으로 나오려고 알껍질을 쪼아 대는 것이고, '탁啄'은 병아리가 껍질을 깨고 나오도록 어미닭이 밖에서 병아리의 알껍질을 쪼아 주는 것을 말한다. 그런데 이것은 시간적으로 절묘하게 서로 맞아떨어져야만 한다. 너무 일찍 쪼아 주면 생기다만 병아리는 그 안에서 죽어 버리고, 한편 너무 늦게 쪼아 주면 그 안에서 병아리가 역시 죽어 버린다. 이것이 발전하여 스승과 제자 사이의 결정적 만남을 줄탁으로 비유한다. 이런 줄탁의 비유처럼 새로운 세계의 탄생은 가르치는 자와 배우는 자의 형태공명morphic resonance에 의한 질적인 사건에 의하여 완성된다. 그 결과, 새로운 주체로 거듭나는 것이다. 배우는 자는 새로운 세계에 대한 공부의 몰입과 과제에 대한 헌신을 통하여 완벽한 준비를 하고 있다. 그 찰나를 놓치지 않고 가르치는 자는 그에게 엄청난 자극을 통하여 새로운 세계로 안내한다. 이것을 일연선사가 위 신화에서 곰과 환웅의 합방이라는 상징적인 방법으로 처리하고 있다. 이것을 다른 말로 선가에서 시절인연이라 한다. 여기서 시절은 스승과 제자의 결정적 만남을 말하고, 인因은 배우는 자가 안에서 품고 있는 심리적인 내적 상태를, 연緣은 외적 계기로 그의 내적 상태에 맞게 가르치는 자가 자극을 내려 각성을 촉구하는 활동이다. 특별히 선가에서는 인연因緣을 구분해서 쓰고 있는데, 인因이란 안에서 배우려는 자가 새로운 세계로 나아가려고 하는 준비상태인 내적 조건으로서의 줄啐을 말하고, 연緣이란 내적 조건과 맞부딪치게 되는 외적 계기로서의 탁啄을 지칭한다. 위에서 환웅과 웅녀의 만남이 줄탁동시이며 시절인연이다. 부연하면, 시절이란 가르침과 배움이 최종적으로 일어나는 바로 그 지점이다. 이것을 임계점critical point 또는 궁극점omega point이라고도 한다. 위 신화에서도 보여 주듯이 환웅이 곰에게 공안을 던진다. 곰은 그것을 품고 새로운 탄생을 말하는, 즉 탄생수인 21일 동안 씨름한다. 이제 농익었다. 그 순간 환웅의 적극적 개입(합방)으로 진정한 도약을 체득한다. 이것, '돌연한 비약^{quantum jump/leap}'을 통하여 새 존재로 거듭 태어난다(서명석, 2007: 47-53).]

이제 정리해 보자. 우리는 지금까지 교육의 기본 구조를 교학상장으로 포착하고, 이를 착근시키는 매개-재를 상구보리, 하화중생, 줄탁동시라는 삼중주로 설명했다. 순우리말에 마중물이 있다. 이것은 펌프에서 물이 안 나올 때 지하 땅속의 물을 지상으로 이끌어 올리기 위해 위로부터 붓는 물이다. 말하자면 마중물은 다 쓰고 버려지는 물이 아니라 지하수를 새로운 세계로 도약시키는 물이다. 이것이 하화중생의 물인 것이다. "아래로 내려와 아이들을 새로운 세계의 장으로 끌어 올리는 것 ≒ 새로운 세계에 대한 눈떠줌 ≒ 깨우침 ≒ 해^解[☷☵-40-雷水解-liberation-雷雨作] ≒ 탁^啄-성^性." 이 마중물의 도움에 의하여 지하 깊은 땅속으로부터 숫음물이 나온다. 이것이 상구보리의 물이다. "새로운 세계를 찾아서 위로 끝없이 나아가는 초월의 길 ≒ 새로운 세계에 대한 눈뜸 ≒ 깨달음 ≒ 몽^蒙[☶☵-4-山水蒙-inexperience-山下出泉] ≒ 줄^啐-성^性." 실제 하화^{下化}의 내려가는 길과 상구^{上求}의 올라가는 길은 "서로가 서로를 기다리고 서로가 서로에게 도움을 주는^{相須相資}" 동도창화^{同道唱和}의 그런 길이다. 이 안에서 교학^{教學}은 맥락적 공진화를 도모하는 무엇이다.

3. 쟁점: 교육을 바라보는 스펙트럼, 렌즈에 따라 달리 보이는 교육세계

가상 교육 콜로키움

■ 주제: 교육 개념 쟁론

■ 일시: 2019년 3월 3일 오후 3시

■ 장소: 제주대학교 사라캠퍼스 사라교육관 221호

■ 사회자: 서명석

■ 참석자: 이황, 뒤르껭, 듀이, 피터스, 정범모

사회자　먼저, 시공을 초월하여 이렇게 먼 곳까지 왕림해 주신 선학들께 감사의 말씀을 드립니다. 오늘 교육을 쟁론의 중심에 놓고 여러 선생님들을 여기에 모신 까닭은 다른 게 아니라 교육에 대하여 각자 견지하고 있는 소신을 함께 들어 보고자 하는 것입니다. 어느 분이 먼저 대화의 물꼬를 트시지요.

이황　그럼, 제가 먼저 이야기를 꺼내도 될까요? 우선, 제 소개가 필요하겠네요. 저는 조선 중기를 살다 간 퇴계(1501~1570년)라고 합니다. 다들 아시다시피 1,000원짜리 지폐 속에 들어 있는 사람이 바로 접니다. 그건 그렇고 우선 제 책을 하나 소개하지요.

사회자　어떤 책인가요?

이황　이 책『성학십도^{聖學十圖}』입니다. 이것은 제가 성리학을 탐구한 선학들의 내용을 평생 둘러보고 난 뒤 다시 열 가지 그림으로 성인됨의 배움을 푼 것입니다. 이 방의 서가를 둘러보니 이에 관한 책들이 많이 눈에 띄네요. 혹시 사회자도 이 책을 탐구하고 있는 중인가요?

사회자　예, 그렇습니다. 내용 구성이 워낙 견고하고 오늘날 교육담론과 시절이 격절하여 내용을 이해하고 이것을 학생들에게 가르치는 데 고전하고 있습니다. 그러니 선생님의 교육에 대한 고견을 이 자리에서 우선 청취하는 것이 좋을 듯합니다.

이황　글쎄요. 성리학의 인간학적 구도가 오늘날과 워낙 달라서요. 그래도 이렇게 여기까지 왔으니 한마디 보태보겠습니다. 저는 이 책에서 우리가 기본적으로 어떻게 하면 인격의 완성자로서의 성인됨에 도달할 수 있을까를 궁구합니다. 이것이 교학^{聖學}인데, 바로 성인됨의 배움을 말하는 것이거든요. 그렇다면 우선 우리가 어떤 존재이고 우리 마음속은 어떠하며 이 마음을 어떻게 운용하고 관리해야 하는지를 알고 있어야 합니다. 이런 것들에 관한 그림과 설명으로 이루어져 있는 것을『성학십도』로 보면 됩니다. 위에서 사회자가 동서양 교육의 어원을 짚어 주는 가운데 동양은 인격적 가공을 통한 사람됨의 문제가 교敎자의 어원적 지평임을 적시하는 대목을 읽었지요. 물론 맞습니다. 우리는 지나치게 이 문제를 핵심 두뇌-처로 잡고 있었지요. 어떻게 하면 내가 성인이 될 수 있을까? 어째 이것이 지금 우리 교육과 너무 동떨어져 있나요? 하지만 이것은 교육에서 중요한 문제이지요. 오늘날 한국에서 아이들의 인격과 인성의 문제가 교육계의 골칫거리라는 말이 500년 전의 제 귀에도 들리는 것을 보면 심각한 것임에는 틀림없네요.

사회자 예, 좋은 말씀 감사합니다. 제가 보기에 선생님의 말씀은 잊힌 교육담론임에도 불구하고 성학담론이 인간의 인격 문제와 그에 따른 수양의 테제를 검토하고 있다면 요즈음 서구를 극복하자고 말하는 포스트-모던 패러다임에서는 분명 의미 있는 작업이라 보입니다. 이를테면 이것은 탈-근대의 전통 자원이 아니겠습니까? 그럼, 이 정도로 하고 다른 분이 말씀해 주시죠.

듀이 그럼, 제가 해 보죠. 저는 퇴계 선생님의 말씀을 들으면서 적이 놀랐습니다. 우리 '몸과 마음을 가공(＝수양)'하다 보면 어느 날 우리가 성인이 될 수 있다는 말에서요. 그러나 제 생각은 다릅니다. 저는 철저하게 아이들의 문제를 사회적 맥락에서 검토합니다. 물론 제가 말하는 사회적 맥락은 민주주의라고 하는 서구적 통치 패러다임을 전제하는 것이지요. 이 속에서 교육은 어떻게 하면 아이들의 성장과 그들이 교육에서 얻게 되는 경험을 재구성할 것인가에 모아집니다. 즉, 제가 보는 교육은 한마디로 '경험의 계속적인 재구성' 그리고 '계속적인 성장'인 것이죠. 그렇다 보니 아이들이 갖고 있는 흥미 또는 관심 그리고 그들의 욕구는 교육에서 적극적으로 반영해야 하는 중요한 변수지요. 이러한 점 때문에 저를 아동-중심 교육사상가라고 하더군요. 물론 이 부분에 대하여 제가 원조는 아닙니다. 멀게는 루소의 생각 그리고 페스탈로치의 아동관과 근자에는 닐의 서머힐 스쿨 등 그들의 생각과 많은 부분 공유하고 있지요. 그래서 저를 진보주의 교육운동가라고 평가하데요. 글쎄요, 이런 표현이 썩 마음에 내키지는 않지만 진보라면 보수의 반대가 아니겠어요? 교육에서 보수라면 교사 중심의 교육을 말하지요. 교육에서 교사를 중심에 두고 교육을 해 온 것이 교육사의 오랜 관행이 아니었습니까? 그것을 제가 깨고 교육에서 아동을 중심축으로 부상시켜 놓았으니 당시로서는 진보라면 진보지요. 이 점 때문에 초등교육에서 항상 저를 주목하고 있다는 것도 알고 있습니다.

사회자 또 한편에서는 선생님을 프래그머티스트라고 하는데요, 왜 그런가요?

듀이 그렇습니까? 그건 제가 가지고 있는 진리관 때문에 그런 것 같아요. 저는 이 세상에 절대적인 진리나 가치는 없다고 봅니다. 세상이 계속 변화하지 않습니까? 그러하듯이 진리와 가치도 그 시대에 따라 계속 변화하는 것이지요. 그렇기 때문에 우리가 교육에서 추구하는 진리와 가치도 변화하는 것입니다. 이렇게 변화하는 것들 중에서 교육적으로 받아들여야 하는 것들은 우리가 적극적으로 수용해야 하는 것이지요. 이게 저의 프래그머티즘입니다. 이 점 때문에 저를 포스트모더니즘의 선구적 계열에 배치하던데 뭐 괜찮습니다.

사회자 『경험과 교육』과 『민주주의와 교육』 같은 책으로 선생님의 이론을 읽어도 그렇게 선연하지 않더니 직접 뵙고 말씀을 들으니 느낌이 역시 다르네요. 정말 고맙습니다. 듀이 선생님께서 더 이상 말씀이 없으시면 다른 분이 말씀해 주시지요.

뒤르껭 예, 저는 각도를 달리해서 말씀을 드리려고 합니다. 듀이 선생님이 민주주의라는 사회적인 제도 속에서 개인의 성장과 경험의 재구성이라는 관점으로 교육을 설명하고 있는데, 저는 좀 다릅니다. 물론 저도 사회를 강조하지요. 교육이라는 것은 뭐니 뭐니 해도 사회의 유지와 존속 그리고 발전에 교육이 적극적인 기능을 해야 한다고 봅니다. 우리 사회가 이렇게 유지되는 것도 교육의 기능적 일조라는 것이지요. 그래서 저를 기능론적 교육이론가라고 후대 사람들이 부르더군요. 한 사회의 유지와 존속을 위해서는 새로 자라나는 세대에게 특정 사회가 추구하고 있는 삶의 방식과 가치 그리고 규범들을 가르쳐야 합니다. 이것을 나는 사회화라고 부르죠. 다시 부연하자면 교육이란 어린 세대를 대상으로 하는 체계적 사회화의 과정이지요. 이 속에서 사회의 문화적 유산이 다음 세대에 지속적으로 전달됨으로써 세대와 세대를 결속시키며 사회를 유지하고 발전시켜 나가는 것입니다. 이런 이야기가 저의 『교육과 사회학』의 골간을 이루고 있지요. 여기 계신 퇴계 선생님과 사회자도 시공을 초월하여 우리와는 다른 생각과 두 분만의 동질성을 공유하는 것은 아마도 교육의 이런 측면이 있어서 가능한 일이었다고 생각하는데요. 어떻습니까?

사회자 예, 그 점에 대하여 동의합니다. 하지만 뒤르껭 선생님의 생각은 한 사회의 문화적 스펙트럼을 강조하여 교육을 말씀하는 것 같은데 또 다른 분의 말씀을 청취하고 싶습니다. 멀리 영국에서 오신 피터스 선생님이 말씀해 주시지요.

피터스 여러분들의 좋은 말씀 잘 들었습니다. 저는 오늘 이 책을 하나 소개할까 합니다. 바로 『윤리학과 교육』이라는 책이지요. 이 책이 아마도 제가 이 자리에서 말하려는 골수를 간직하고 있지요. 그것은 이런 것입니다. 인류가 정선하고 누적해 온 고유한 삶의 방식이 존재하며, 그것을 '배우고 가르치는 활동'을 통해 이러한 정신계의 일원이 됩니다. 인류의 지적인 유산이 교과를 만들어 내며, 이 교과를 통하여 공적 언어에 담긴 공적 유산으로서의 지식의 형식을 전수하는 일이 교육입니다. 제가 보기에 교육은 문명된 삶의 형식으로 아이들을 데리고 가는 성년식이라 봅니다. 그런데 문명된 삶의 형식을 만드는 주재료는 내재적으로 가치가 있는 것들로 엮어진, 즉 다시 말해 지식의 형식으로 갈무리된 교과목들이죠. 이 교과목들을 가르치고 배우는 가운데 아이들이 문명화되고 각 교과목들이 추구하고자 하는 삶의 형식들을 흡수하게 되겠죠. 이를테면 우리가 교과라고 이름하는 것들은 문명된 삶을 안내하기 위해 정제와 정련되는 과정을 걸쳐 탄생한 삶의 정수이기 때문에 학교는 반드시 그것을 가르치고 배워야 하는 것이지요. 즉, 교과라는 것은 선험적으로 또는 이론적으로 이미 그 속에는 내재적 가치가 들어 있는 것입니다. 지식의 형식을 교과로 담아 그것을 아이들에게 가르침으로써 그들을 문명된 삶으로 이끌자, 이것이 제 생각의 핵심입니다.

사회자 좀 어렵네요. 일단 제가 이해한 바는, 교과란 교과 자체의 내재적인 가치가 들어 있고 그것을 아이들에게 가르침으로써 그들을 문명된 삶으로 입문시켜 보자는 취지로 교육을 본다는 것인가요?

피터스 예, 그렇습니다. 다만 오해가 없도록 부연하고 싶은 것이 있네요. 원래 '삶의 형식'이라는 말은 비트겐슈타인이 한 말이고, 이를 제가 빌어다 썼을 뿐이며, 후에 동학인 허스트의 도움을 받아 그것을 '지식의 형식'으로 변경했습니다. 물론 이때 지식의 형식은 지식의 구조의 다른 표현이지요. 교육은 뭐니 뭐니 해도 그것이 지식의 구조이든 지식의 형식이든 상관없이 그것을 아이들에게 가르쳐야 한다는 것에는 변함이 없습니다.

사회자 잘 알겠습니다. 교육을 바라보는 각 선생님들의 입장들이 워낙 달라서 제가 중재하기 참 어렵습니다. 이제 참석자 중에서 한 분이 남았네요. 마지막으로 정범모 선생님께서 말씀해 주시지요.

정범모 저는 좀 다른 관점에서 교육을 설명해 보지요. 저는 교육을 '인간행동의 계획적인 변화'라고 봅니다. 따라서 제가 보는 교육학은 인간행동의 변화를 설명하고 인도하는 일을 그 고유의 관심사로 둡니다. 이를테면, 그것이 인지적 · 정의적 · 행동적 변화 모두를 아우르는 것이지요. 이런 관점을 견지하고 있기 때문에 저의 주된 관심은 변화의 구체적인 양상들이 조작적으로 정의되어야 하고 이에 따라 그것의 효과적인 변화를 가져오기 위하여 교육방법들을 항상 고민해야 합니다. 다시 말하면 교육에서의 변화를 공학적인 도움을 받아 수행한다는 것이지요. 과학이 자연학의 법칙을 설명하는 학이라면 공학은 그런 과학을 모태로 하여 과학적 지식과 이론을 교육에 응용하는 학을 말하지요. 그래서 과학이 하드-웨어라면 공학은 언제나 소프트-웨어입니다. 바로 이런 점 때문에 교육에 대한 제 생각을 공학적 개념이라 말하는 것도 들었습니다. 오늘날 학교 수업에서 수업목표를 행동적 목표로 진술하고 그런 변화가 있도록 가르쳐야 한다는 생각이 교육계에 깊이 침투해 있는 것 같습니다.

사회자 좋은 지적입니다. 선생님께서는 교육을 '인간행동의 계획적인 변화'라고 정의하셨지요. 따라서 이 정의에 따르면 하나의 활동이 교육인가 아닌가 하는 것은 그 활동이 의도하는 인간행동의 변화가 실제로 관찰되는가, 아닌가에 달려 있습니다. 그러니까 그 변화가 실제로 관찰되면 그것은 교육이요, 그렇지 않으면 그것은 교육이 아니라는 쪽으로 이끌릴 수 있는 함정이 있는 것은 아닌가요? 실제 학교의 단위 수업에서 행동변화에만 초점을 맞춘 수업을 하다 보니까 교육에서 행동변화로 설명되지 않는 부분을 상당 부분 놓치게 되는 우를 범하는 것이 또한 사실이 아닌가요? 하여간 선생님이 『교육과 교육학』에서 말씀하신 교육에 대한 정의 방식이 우리 교육에 지금도 강하게 뿌리내리고 있는 데에 대하여 어떻게 생각하시는지요?

정범모 그 점을 인정합니다. 그러나 제 생각도 교육의 다양한 측면 중에서 한 측면에 집중해서 말하는 것이니까 액면 그대로 받아들이는 것은 문제가 있다고 봅니다.

(* 이상의 상상적 대화록을 작성하는 데 『교육의 개념』의 도움을 받았다. 특히, 뒤르껭, 듀이, 피터스, 정범모가 바라보는 교육에 대한 개념을 다룰 때는 이 책의 해당 부분을 발췌, 재구성하여 대

화체로 제시한 것이다.)

사회자 잠시 제가 본분을 벗어나 논쟁을 할 뻔했네요. 다시 제 역할에 충
실하도록 하겠습니다. 지금까지 여러 선생님들의 교육에 관한 다
양한 고견을 청취했습니다. 다시 한 번 이런 기회를 주신 점에 대
하여 감사드립니다. 여러 선생님들의 말씀을 들으니까 언뜻 이런
비유가 생각납니다.

* 장님 코끼리 만지기群人摸象**의 비유**

눈먼 장님들이 코끼리를 설명할 때, 제각기 딴 말을 한다. 어느 장님도 코끼
리를 제대로 드러내지 못하지만 그렇다고 어느 장님도 코끼리 아닌 딴것을
설명하고 있는 것은 아니다(『한국불교전서』 제1책, 539쪽: "如彼盲人 各各說
象 雖不得實 非不說象").

사회자 지금까지 각 선생님들의 말씀을 이렇게 정리하는 것이 옳을 듯
합니다. 잠시 창 너머 한라산을 보시지요. 그런데 저 산을 올라가
는 길은 여러 가지가 있습니다. 마찬가지인 것 같습니다. 우리 모
두 한라산을 올라가고 있으면서 각자 자신의 루트로 한라산 올라
가는 길을 말씀하셨습니다. 그렇다고 해서 어느 누구도 한라산
에 대하여 말씀하지 않았다고 보기는 어렵습니다. 물론 한라산은
여기서 교육이지만요. 장시간 저와 함께해 주신 여러분들께 다
시 한 번 감사드리면서 이상으로 교육 콜로키움을 모두 마치겠습
니다.

4. 전망

리쾨르는 "이론이 사실 보다도 앞선다."라고 말한다. 또 폴라니는 "이론은 안경과
같다."라고도 말한 적이 있다. 둘 다 이론의 위치를 삼박하게 보여 주는 말들이다.
왜 그럴까? 왜냐하면 이론은 일종의 렌즈이기 때문이다. 그러면서 렌즈는 또 개

념으로 이어진다. 우선, '우리가 무엇인가에 대하여 바라보다'라고 말할 때 이론은 이것 '바라보다'에서 나왔다. 즉, 고대 그리스어로 이 '바라봄(⬅ theoria)'이 오늘날 이론인 'theory'를 만들었다. 그러므로 이론은 일종의 '○○에-대한-바라봄의-방식'이다. 이 점 때문에 이론은 또 안경이 된다. 안경이란 무엇인가? 그것은 나와 나 밖의 대상을 하나로 연결시켜 주는 통로가 아니던가? 이 통로를 통하여 나는 대상을 보고, 대상은 우리에게 세계를 보여 준다. 그러나 안경은 렌즈에 따라서 대상으로서의 세계의 모습을 다르게 보여 준다. 따라서 안경은 나와 세계를 연결해 주는 통로이면서 동시에 안경 렌즈의 색깔만으로 그 세계를 보여 준다. 그런데 안경의 일부인 렌즈는 보여 줌과 제한함이라는 이중적 속성을 함께 갖는다. 이를테면 퇴계의 렌즈는 퇴계식으로 세계(⬅ 교육)를 보여 주지만, 그 렌즈로 잡히지 않는 것을 우리가 또한 볼 수 없다. 여기서 '세계'가 '○○'이며, 위의 콜로키움에서는 '○○'이 또 '교육'이다. 또한, 개념은 현상을 읽어 내는 구조와 틀, 곧 이론에 가깝다. 그러니까 개념이자 이론은 늘 우리에게 지평을 정돈해 준다. 이 경우, 지평Horizont이란 어떤 것을 조망하여 포괄하는 시야-권Gesichts-kreis의 다른 이름이다. 위의 교육 콜로키움에 참석했던 사람들이 말한 것들은 그들만의 교육에 대한 이론이자 개념이다. 즉, 각각의 참석자들은 그들 자신만의 시야-권 내에서 교육에 대한 이론과 개념을 말한 것이다. 그들은 그들 자신만의 문제의식 속에서 교육을 바라보는 관점, 즉 교육을 관조하는 방식에 따라 그들이 교육에 대하여 각자 말하고 있는 것이다. 그러므로 각각의 정의는 결코 아무렇게나 말하는 임의적 정의가 아니라 각각 그들만의 투철한 문제의식 속에서 이루어진 셈이다. 그러나 여기서 우리가 주의해야 할 것이 있다. 그 예를 하나만 들어 보자. "지구는 둥글다." 물론 맞는 말이다. 그러나 이것이 객관적 진리인데도 무-의미non-sense할 때가 있다. 왜냐하면 이 말에는 그 어떤 맥락과 문제의식이 어디에도 들어 있지 않기 때문이다. 그래서 우리가 반드시 주의해야 할 것은 다음과 같은 점이다. 누군가 뜬금없이 교육에 대하여 '이러이러하다'라고 말하는 것은 교육의 개념화 또는 교육의 정의 방식이 아니다. 여기에는 교육을 보는 맥락과 문제의식이 항상 녹아들어 있어야 하는데 그렇지 않기 때문이다. 누군가가 교육에 대하여 이러쿵저러쿵 아무리 말해도 그것은 임의적일 뿐 결코 교육의 개념이 아니다. 위에서 학자들이 교육에 대하여 말하고 있는 각각의 정의는 동시에 교육의 개념이며 또한 교육의 이론이다. 왜냐하면 그들은 '그들 자신만의 문제의식 속에서(=in their lens)', '그들 자신만의 문제의식을 통하여(=through their lens)', '그들 자신만의 방식으로(=by their lens)' 교육에 대하여 말하고 있기 때문이다. 다만 그들은 같은 것의 서로 다른 측면을 말하고 있을 뿐이다. 그러므로 장님 코끼리 만지기의 비유가 적실하다.

우리는 지금까지 교육을 바라보는 개념을 렌즈로 비유해서 읽었다. 이러한 렌즈들의 부착은 우리에게 교육에 대한 까막눈(또는 눈뜬장님)으로부터의 탈출을 감행시킨다. 그러면서 각각의 렌즈는 우리에게 각각의 렌즈대로 교육의 모습을 현시한다. 그러나 이런 렌즈들은 우리에게 렌즈 너머의 교육 세계에 대한 모습을 사상시키기도 한다. 이것이 문제라면 문제이다. 이것은 렌즈라고 하는 프레임이 있어서 그러한 것이다. 프레임이란 무엇인가? 이것은 렌즈로서의 어떤 틀인데, 교육의 개념화도 어떤 프레임화하는 작업이라고 친다면 이때 프레임은 교육 문제를 바라보는 관점이거나 교육을 관조하는 사고방식을 말하는 것이겠다. 그러나 프레임은 도리어 우리를 프레임 그 자체 틀 속에 가두어 버릴 수도 있다. 이렇게 되면 다시 말해서 프레임이라는 틀 속에 우리가 갇혀 버리게 되면 교육이 실제 일어나는 역동적인 지점을 놓친다. 그래서 때로 우리는 탈-프레임화된 교육의 다른 지점을 찾아야 한다. 이것이 이름하여 교육을 구조적인 관점에서 보려는 시도이다. 교육을 구조적인 관점에서 포착할 때 가르침과 배움의 역동적인 운동체제가 바로 교육인 셈이다. 이름하여 교학상장이다. 그러나 이것만으로 부족하다. 교학상장 안에서 가르침과 배움의 역학적 운동을 내포하는 교육적 발명품이 필요하다. 이것을 나는 위에서 우리나라 교육이념의 수원지인『삼국유사』「단군신화」를 추적하여 그 속에 내장된 상구보리, 하화중생, 줄탁동시를 찾아냈다. 이렇게 해놓을 때 교육의 역동적 지점이 도드라진다. 물론 교육의 개념도 염두에 두고 교육의 구조도 유념해 두는 것도 중요하다. 여기에다 하나 더 있다. 우리는 동양과 서양이라는 양 문화권을 공시적으로 살아가고 있다. 그러하기에 우리가 교육을 고려의 대상 안에 두고 있을 때 양 코드의 어원적 지평도 지향 시선해야 한다. 가르칠 아이들의 능력과 적성은 무엇일까? 이것들을 잘 파악하고 나서 교육적으로 그들을 어떻게 성장-발달시킬까? 이것은 서양식 교육어원에서 나오는 고민이다. 그러나 이런 고민만 해서는 안 된다. 내가 가르칠 아이들을 어떻게 사람됨으로 이끌어 나갈 것인가? 이것은 동양식 교육어원에서 나오는 고민이다. 이렇게 동양과 서양은 어원의 지평에서 다른 길을 간다. 이런 차이가 우리에게 주는 고민의 당체는 양 코드의 결별을 화해시키는 교육에서의 연대성의 구축이다. 우리에게 교육의 실제에서 양 코드가 화이부동和而不同하는 지점의 연출이 필요하다. 그러나 이러한 모든 것, 이를테면 교육의 개념, 교육의 구조, 교육의 어원 등을 우리가 아무리 삼박하게 알고 있다 하더라도 교육적 행위가 일어나기 위한 최소한의 전제 조건이 담보되어 있어야 한다. 이것이 바로 교육적 만남인 것이다. 이것은 교육을 가장 교육답게 만들어 내는 이상적 교육 국면의 다른 표현이다. 그 어떤 경우에도 "만남은 교육보다 선행한다." 왜냐하면 교육에서 만남이 상호 의존성의 아름다운 구속이자 동행이며 맥락적 공진화의 숨은 촉매제이기 때문이다. 따라서 그것은 사이 존재의 간주곡이자 존재의 상보성의 또 다른 이름이다.

이렇게 교육을 어떤 관점에서 보느냐에 따라 다양한 프리즘이 산재함을 알 수 있다. "진실이 입체적이므로 텍스트가 다면성과 다층 위에 열려 있다. … 독자의 태도는 텍스트의 발화에 귀를 기울이고 그 메시지의 주파수를 튜닝하는 것이 무엇보다 중요하다(한형조, 2009: 35)." 이제 어떤 주파수에 고정시키고 어떤 프리즘으로 형체는 없지만 실체는 있는 교육의 어떤 모습을 감상할 것인가 하는 것은 언제나 독자의 몫이리라.

※ 이 장은 원래 한국교육철학학회와 한국교육사학회가 공동 주최한 2009년도 12월 월례학술회에서 발표한 것이다.

제 2 장

우리에게 교육철학함은 왜 중요한가?

1. 들머리

$$\dot{o}\ \delta\grave{\varepsilon}\ \dot{\alpha}\nu\varepsilon\xi\acute{\varepsilon}\tau\alpha\sigma\tauo\varsigma\ \beta\acute{\iota}o\varsigma\ o\dot{\upsilon}\ \beta\iota\omega\tau\grave{o}\varsigma\ \dot{\alpha}\nu\theta\rho\acute{\omega}\pi\omega$$

음미하지 않은 삶은 살 가치가 없다.

(The unexamined life is not worth living.)

─소크라테스「변론」중에서

교육철학함은 무엇인가? 이것을 해명하는 길 위에 이 장이 있다. 이 길의 궤적은 시를 통한 연구문제와 문제틀의 열어 놓음을 개시(開示)한다. 이 안에서 시의 존재론을 시詩─시時─시視의 성찰적 은유를 통해서 교육철학함의 존재론적 위치를 설정한다. 그 후, 교육철학함에서 필연적으로 맞닥뜨려야 하는 명사형철학과 동사형철학의 관계와 위상을 점검한다. 이 과정에서 동사형철학과 교육철학함 사이의 접속 지점을 부각시킨다. 실제로 수업사태에서 명사형철학과 동사형철학이 어떻게 전개되는지를 추적한 뒤, 각각의 교육적 처해-있음을 호명한다. 이를 하기 전에, 교육철학함의 세계와 교육철학함의 정식을 체계적으로 입론화해서 각각을 상론하는 계기를 제공한다. 우선, 교육철학함의 과정을 세 단계로 구상한다. 즉, '질문함─사유함─다시 사색함'이다. 이런 세 단계의 철학적 운동이 견분과 상분의 상호작용을 이끌면서 필로소파이즈 또는 필로조피렌이라는 구체적 활동을 더욱 증장하게 된다. 이런 교육철학함과 교육철학함의 정식이 동사형철학과는 실제 수업의 사태에서 어떻게 결합하여 응용될 수 있는지 그것의 증례를 들어 밝힌다. 이와 같은 해명의 과정에서 귀납적으로 얻어 낸 결론은 이런 것이다. 교육철학의 수업에서 교육철학함을 가르치는 데에는 명사형철학보다는 동사형철학이 더욱 효과적이며, 이런 동사형철학을 가르치고 배우게 될 때 진정한 의미의 교육철학함을 체득하는 기회가 찾아들 것이다. 그런데, 문제는 이런 교육철학함을 동사형철학과 결합시켜 놓고 실제 교육적 사태에서 가르치는 자와 배우는 자가 어떻게 자유자재하게 전유할 수 있느냐가 관건이다.

2. 주요 개념 및 이론

1) 시작을 위한 변명 _ 시작始作을 위한 시작詩作함

시작詩作으로 시작始作해 보자. 곧, 이것은 글의 시작을 시 쓰기로 끌고 가겠다는 것인데, 뒤집으면 작시作詩이며 작시作時라는 행로로 이 길이 이어진다. 이것들, 작시作詩는 시 쓰기이고, 작시作時는 시간성의 창조로 나아간다. 따라서 작시는 쓰면서 동시에 시간성을 창출하는 계기를 마련한다. 이것은 교접의 기술이다. 시詩/時를 다리로 삼아, 즉 건축하여 시작詩作의 근저를 현재로 소환한 뒤 시작始作을 현재화하려는 창조의 공간이다. 시 쓰기는 시 짓기인데, 이것은 모든 짓기, 모든 구성과 건축에 앞서는 시간 짓기이다(김상환, 2000: 33). 그리하니 시는 시간을 짓는 기술이다. 왜 이런 말이 가능할 것일까? 그것은 다음과 같은 연유에 의존한다. 시 짓기인 시작詩作은 시선의 언어화이고, 더 나아가 시의 의식이란 언어화된 시선이다(문광훈, 2002: 97). 원래 시가 사실적 총체성을 개방하는 비표상자(무, 무한자, 道, 空)의 비밀에 관계하는 초월적 사유의 한 양식이다(김상환, 2000: 34). 그러므로 시視의 운동은 시詩의 움직임과 닮아 가게 된다. 이런 관계를 다시 잠정적으로 정리해 두면 이렇게 표현할 수 있다. 시詩는 시時이고, 다시 시時는 시視이다. 이 말은 시詩는 시時를 분비하고, 다시 시時는 시視를 분만한다는 것이다. 이것이 바로 시의 존재론이다. 이런 시의 존재론적 위상 때문에 시적 사유는 접경적 사유를 촉진한다. 이 접경적 사유가 시의 성찰적 은유 능력으로서의 시詩—시時—시視를 만들어 낸다. 이렇기에 시의 운동은 시선의 운동 그리고 시간의 운동이다(문광훈, 2002: 99). 이런 점을 염두에 두고 시의 존재론을 발레리는 이렇게 말해 주고 있다. "시란 물체가 생명이 있는 것 같은 외견 또는 추측되는 의도 속에 표현하려고 원하고 있는 것같이 생각되는 그런 것 또는 그것을, 분절화된 언어에 의해 표출 또는 복원하는 시도다(레이몽, 1999: 124)."

시의 존재론 안에는 언제나 시를 쓰는 자의 시적 사유가 들어가 있기 마련이다. 시詩가 존재론적으로 시詩에 의한 시時 그리고 시時에 의한 시視를 항시 응축하고 있기 때문이다. 이런 맥락의 축 안에서 시적 사유가 추구하는 것은 다만 자신의 정서적 자명성 안에서 세계를 받아들일 수 있는 내면적 사유의 여유이자 넓이이다. 이런 시적 사유가 향유하고자 하는 것은 그 여유와 넓이 안에서의 자유를 추구하는 데 있다(김상환, 2000). 이상의 논지를 총체적으로 집결시켜 두면 이렇게 표현해 둘 수 있겠다. 시작詩作이란 어떤 문제를 보는 시선을 감성적 차원에 정박시켜 놓고 감성 너머의 세계를 이성의 그물로 포착하여 연구 문제를 지각적으로 예취豫取하는 방식이다. 그러면서 시를 다리 삼아 연구문제와 깊고 진실한 접촉을 찾는 일이다. 이것은 우리와 연구문제 사이에 새롭고 격렬한 종합을 조장할 수 있기 때문에 그렇다는 것이겠다. 이런 연구문제를 아래와 같이 그러한 시의 시심에 담아 시작해 볼 수도 있겠다.

음미하지 않은 삶은 살 가치가 없다(「변론」 38a)/이와 동일한 것이 또 있다/음미되지 않는 교육은 교육할 가치가 없다/여기서 음미는 우리에게 깊이를 강요한다/아니다, 우리는 깊은 맛을 원한다/깊은 맛의 한가운데에는 근원과 맞닿아 있다/그런 근원Urgrund과의 만남을 철학이 주선한다/이렇게 철학은 근원에 대한 탐구의 도정에서 우리가 만나는 배움學이다/그 근원과의 마주-서는 활동, 그것이 철학함이 아니고 무엇이겠는가 //철학이 죽어-있음이라면, 죽은 철학을 살려서/살아난 철학이 우리에게 말을 걸어오게/하는 것이 철학함이다/철학이 말을 하게 하라!/이것이 곧 철학함이다/교육철학도 마찬가지이리라/교육철학이 죽어-있음이라면,

죽은 교육철학을/살려서 살아난 교육철학이 우리에게 말을 걸어오게/하는 것이 교육철학함이다/교육철학이 말을 하게 하라!/이것이 또한 교육철학함이다 // 죽은 것은 말이 없다/아니, 하고 싶어도 말할 수 없다/죽은 것과 산 것의 차이는 이렇게 격절하다/죽은 것은 그렇다 치고 산 것은 말하고/또 말할 수 있어야 한다/말하고 말할 수 있음은/산 것의 존재 이유이다/살아 있으되 말하지 못하고 말할 수도 없음은/진정 살아-있음이 아닌 것이다 // 말함과 말할 수 있음이여/말함은 능동(能動)과 손을 잡고/말할 수 있음은 그 능동의 공능(功能)과 마주한다/이 길, 즉 말함과 말할 수 있음을 따라가며 철학함의 길을 내 보자 // 그런데 말함과 말할 수 있음은/우리들에게 보임과 숨음, 그 사이에서/언뜻언뜻 내비치는 무엇이다. "우리의 삶은 보이는 것과 보이지 않는 것을 둘러싸고 전개된다/경험에 드러나는 세계, 우리의 몸이 살아가는 세계, 현실세계는 우리에게 드러나 있다/그러나 세계의 거대한 부분은 우리에게 드러나 있지 않고 보이지도 않는다/사유한다는 것은 보이는 세계를 넘어/보이지 않는 세계를 탐구하고 두 세계의 관계를 파악하여/그 사이에서 삶의 비전을 탐색하는 행위이다(이정우, 2000)" // 우리는 보임과 숨음의 경계를 살아간다/이 사이에서 철학의 길 내기는/바로 말함과 말할 수 있음이라 보여진다/그러므로 철학은 사색의 깊이를 사유로 녹여 내며/주체의 지평을 승격시키는 사유가 언어화된 내부적 주름의 펼쳐-보임이다 // 음미되지 않는 교육은 더 이상 교육이 아니다/음미와 철학, 그리고 철학함 이 삼각 지대를/사유가 관통하며 그곳에서 철학함을 불러내어/철학이 말하게 하고 또 말할 수 있게 해 보자. (*여기서 /은 시의 행을, //은 시의 연을 구분하는 표식이다.)

그런데 이 장은 교육철학함에 집중하고 있으면서도 다음과 같은 한계를 갖는다. 이를테면 그것은 이런 것이다. 교육철학함은 교육철학자가 어떻게 교육철학을 학문적으로 탐구해 들어갈 것인가를 문제 삼을 수도 있다. 그러나 이 장은 거기까지 가지는 않는다. 이런 것을 제외하고 실제 학생들에게 교육철학함을 어떻게 가르칠 것인가? 이런 질문에 다가서는 것으로 이 글은 이끌린다. 그것도 기초 수준에서 교수가 교육철학을 가르치고 학생들이 교육철학을 배우는 과정에 필연적으로 터져 나올 수 있는 문제만을 다룬다. 이렇다 보니 이 글의 본지는 교육철학함의 가르침과 배움, 이런 연관이 수업사태에서 어떻게 교수와 학생들에게 전유되는지를 파헤치는 데 있는 것이다.

2) 명사형철학과 동사형철학의 불협화음

우리는 지금 명사형 그리고 동사형이라는 지극히 임의적인 구분 앞에 서 있다. 이것이 왜 임의적이라고 하느냐 하면 교육이 일어나는 실제의 사태에서는 이 둘의 구분이 모호하고 서로가 서로를 보충하고 대리하는 이율대대二律對待, Contraria Sunt Complementa의 관계에 놓여 있기 때문이다. 그러나 이런 어려움에도 불구하고 다음과 같은 연유로 우리는 이 둘의 구분이 불가피하고 이를 통해 신세계의 질서Novus Ordo Seclorum를 구축하고자 하는 수임자의 역할을 떠안고 있다.

〈대화 1〉 어느 학생과의 대담

교수   예전에 교육철학 수업 어땠니?

학생   재미없었어요. 너무 딱딱하고 졸려요.

교수   왜?

학생   수업 시작부터 수업 마칠 때까지 시종일관 교수님이 혼자서 강의만 하셨어요. 우리는 자리에 앉아서 그냥 듣기만 하니 정말 너무나 지루했어요.

이것은 교수가 주도하는 강의 중심 수업의 예를 드러내기 위한 것이다. 이런 수업이 어떠냐고 묻자 학생이 재미없다고 바로 말해 버린다. 그러나 우리는 이것을 보고 액면 그대로 판단하는 데에는 무리가 따른다. 이 가운데 재미에 대해 주목해 보자. 학생이 생각하기에 이 수업이 재미없다는 것은 ① '교육철학이라는 과목이기 때문에 재미없다는 것'인지, ② '교수 중심의 강의로 온통 수업이 진행되고 있는 것이기에 재미없다는 것'인지, 아니면 ①, ② 모두이기 때문에 그러한 것인지가 불분명하다. 아마도 이 학생이 재미없다고 말한 것은 철학이라고 하는 것에 대한 과목상의 선입견이 크게 작용한 것 같다. 또한, 교육철학 수업이 강의로만 진행된다 해도 교수의 개인적 역량에 따라 수업이 졸리지 않을 뿐만 아니라 수업이 재미있게 느껴질 경우가 얼마든지 존재할 수도 있다. 실제 수업에서 재미없는 것을 재미있게 만드는 것은 언제나 교수의 몫이기도 하다. 하지만 재미는 그저 수업의 기술적 차원에서 부수하는 산물이지 (교육)철학수업에서 궁극적으로 산출해야 하는 철학의 본지는 결코 아니다.

〈대화 2〉 다른 수업사태의 한 국면

교수 (한 학생을 지목하며) 너는 교육이 뭐라고 생각하니?

학생 (머뭇머뭇하다가) 아이들을 성장시켜 나가는 거라고 생각해요.

교수 더 구체적으로 말해 볼래?

학생 (침-묵)

교수 그럼, 왜 그렇게 생각하니?

학생 (무슨 말을 하려는 듯 어렵게 입을 뗀다) 아이들의 경험을 재구성하고 그러면서 아이들이 성장하는 것이 아닐까요.

교수 그것은 네 생각이니? 듀이가 그런 식으로 이미 교육을 정돈한 적이 있는데. 그것 말고 네 생각이 무엇인지 다른 것을 말해 보지 않을래?

학생 (난감한 표정을 지으면서 무언가를 생각하는 표정이 역력하다) 글쎄요.

이것은 교수가 문답 형식의 대화를 주도해 나가면서 학생을 수업에 직접 참여시키는 수업을 이끌어 나가는 실제적 사태의 한 국면이라고 보면 틀림없다. 학생의 입장에서 보았을 때 이런 국면에서는 교수가 언제 나에게 질문을 던질지 예측할 수 없기 때문에 항상 긴장하게 된다. 따라서 이런 수업사태는 최소한 학생들에게는 지루하거나 졸릴 겨를이 강의 중심 수업보다 상대적으로 줄어든다. 여기서 수업이 재미있는지 재미없는지는 그리 중요하지 않다. 왜냐하면 이런 사태에서 학생들의 재미는 교수의 강의 기술에 의존하지 않고 교수가 어떻게 대화를 풀어 가면서 수업을 진행하는가에 달려 있기 때문이다.

여기서 굳이 〈대화 1〉과 〈대화 2〉를 부각시키는 이유는 다른 데 있지 않다. 그것은 명사형철학과 동사형철학의 상대적인 구분을 드러내기 위한 전략적 포석의 일환이다. 이것은 수업의 사태에서 강좌명의 교육철학이 보여 줄 수 있는 두 가지 양상에 대한 구체적 그려봄이기도 하다. 물론 이런 그려냄의 주체적 담지자가 교수임에는 재론의 여지가 없다.

그런데 철학, 이것 자체에 명사형철학과 동사형철학이 있는 것은 아니다. 이것은 교수가 수업을 진행하는 방식에서 생겨날 수 있는 (교육)철학수업을 둘러싼 두 양상의 이념적인 지향형을 뜻한다. 이 두 양상을 지칭하여 여기서 명사형철학 그리고 동사형철학이라고 명명하는 것이다. 다시 말해 두지만, 철학에 명사형과 동사형이 별도로 존재하지는 않는다. 문제는 그런 지향형의 차이가 수업의 수혜자인 학생들에게 막대한 영향의 차이를 동반할 개연성에 있다는 점이다. 위에서 대비적으로 보여 준 두 〈대화〉에다 이름표를 각각 붙여놓아 보자. 그렇게 하면 〈대화 1〉은 강의식 수업이 될 것이고, 〈대화 2〉는 문답의 형식을 띤 대화식 수업이 될 것이다. 이때 강의식 수업은 그 누군가가 이 수업을 진행하게 된다 하더라도 교수는 학생들에게 해당 분야의 교육철학적 지식을 전수하게 될 것이고, 학생들은 해당 분야의 교육철학적 지식을 축적하게 될 것이다. 이 구도 안에서 학생들은 교육철학을 배운다. 좀 더 치밀하게 말하면 그들은 교육철학적 지식을 배운다. 이런 맥락에서 보았을 때 이것은 명사형철학인 것이다. 반면, 대화식 수업은 좀 더 다른 양상으로 수업이 진행된다. 이것을 표면적으로 들여다보면 교수는 학생들에게 묻고 학생들은 교수의 물음에 답한다. 하지만 이것은 피상적인 바라봄이다. 이 안을 깊이 들여다보면 교수는 의도적으로 학생들에게 무언가를 가르치고 있다. 이것을 풀기 이전에 우리는 다음과 같은 말을 잠시 참고해도 좋겠다. "철학은 자체의 '생각하는 숨결Denken der Atem'을 통해서만 깊이라는 이념에 관여한다(아도르노, 1999: 72)." 여기서 교수는 무언가를 생각하도록 할 기회를 학생들에게 주면서 동시에 그들에게 질문함을 가르친다. 이 안에서 학생들은 교수의 질문에 대하여 각자 자신의 입장에서 생각함을 가져 보고 어떻게 내가 대답해야 할지를 배운다. 즉, 학생들은 교수의 안내를 따라가며 자신만의 질문함과 대담함을 배워 나간다고 볼 수 있다. 이런 맥락에서 보았을 때 대화식 수업은 강의식 수업보다 철학하는 자세를 학생들이 더 잘 배울 수 있기 때문에 동사형철학이 되는 것이다. 즉, 동사형철학에서는 학생들이 수업을 통하여, 다시 말해 교육철학이라는 과목을 통하여 교육철학함을 배울 가능성이 농후하다는 점이다.

　물론 명사형철학도 중요하다. 교육철학적 지식도 교육철학수업에서 빠뜨리지 말아야 할 중요한 영역이다. 그러하기에 학생들은 이런 교육철학적 지식의 습득을 게을리하지 말아야 한다. 하지만 교육철학수업이 교육철학의 지식 습득으로 끝나는 것이 아니라 그것을 통하여 철학적 마인드의 형성으로까지 나아가려고 한다면 문제는 달라진다. 즉, 교수가 교육철학 수업을 통하여 학생들에게 철학적 태도의 형성까지 나아감을 기획하고 있었다면, 우리가 보기에 학생들이 느끼는 재미와는 상관없이 교육철학의 지식 전수로 끝나는 강의식 수업은 비판받아 마땅하다. 이 대목에서 우리는 실제 철학의 용도와 철학적 태도가 무엇인지를 밝히고 있는 화이트헤드의 말을 귀담아 들을 필요가 있다. 이와 관련하여 그는 다음과 같이 말한다. "철학이란 무지로 점철된 교리들에 대항하는 마인드 갖기이다. [그래서] 철학적 태도란 모든 생각을 현재의 사유 속으로 들어가도록 그 적용 범위의 이해를 확장하려는 결연한 시도이다. [그러니까] 철학의 쓰임은 사회체제를 비추어 내는 근본적 아이디어에 관한 역동적 신기성을 유지하는 것이다(Whitehead, 1955: 558-559)."

　이렇게 놓고 보았을 때 명사형철학은 죽어 있는(=생동감이 결여된) 철학이다. 반대로 동사형철학은 살아 있는(=철학함을 주는) 철학이다. 그러니 둘 사이에는 운명적으로 불협화음이 있을 수밖에 없다. 하지만 둘 사이에 어느 것이 좋고 어느 것이 나쁘다고 우열을 가리는 것은 의미 없다. 언제나 둘은 음(==)과 양(=)의 하나됨(☯)같이 서로(凹)가 서로(凸)를 필요로 하여 서로 껴안고 이른바 대리보충supplément하면서 상생의 드라마를 엮어 내는 태극(☯)으로의 마주함이기 때문이다. 이 둘은 길항하는 것이 아니라 상보할 뿐이다.

3) 교육철학함의 세계

그렇다 하더라도 명사형철학은 그 구조상의 결함으로 인하여 학생들에게 철학함을 줄 수 없기 때문에 우리는 동사형철학을 좀 더 가까이 가져다 놓고 그것이 어떤 연유로 해서 철학함을 주는지에 대한 세심한 파헤침이 필요하리라. (교육)철학함은 철학하기의 다른 표현이다. 그래서 그것은 동사형이라는 표현을 생산해낸다. 영어 표현으로는 '투 필로소파이즈to philosophize' 그리고 독일어 표현으로는 '필로조피렌philosophieren'이 철학함 또는 철학하기이다. 이 경우에 '○○하다'가 동사형이라면 '○○하기'는 동사형을 순간적으로 응축시켜 놓은 것이고 '○○함'은 다시 '○○하기'를 개념적으로 규정해 놓는 완결형에 가깝다. 지금부터 이 점을 최대한 살려서 철학함이라 쓰겠다.

그러면 이제 철학함을 해명해 볼 차례다. 교육철학함과 철학함은 이때 큰 문제가 되지 않는다. 왜냐하면 철학함의 지층이 교육철학함의 단층과 크게 벗어나는 것이 아니기 때문이다. 철학함이란 질문함이고, 사유함이요, 그리고 다시-사색함이다. 이것을 영어로는 이렇게 표현할 수 있다. "To philosophize is ① questioning and ② thinking and ③ re-thinking." 여기서 우리가 주목해야 할 것은 술부가 모두 다 현재 진행형이라는 점이다. 아리스토텔레스는『니코마코스 윤리학』에서 철학(함)의 출발점[*A*]은 궁금해하는 것이라고 말한다. 이것은 ①에 해당된다. 이를테면, 교육이란 무엇인가? 우리는 왜 교육을 받아야 하는가? 또, 우리는 왜 교육을 시켜야 하는가? 이와 같은 등속의 것들이다. 이 점을 소크라테스는 다시 이렇게 부연 설명해 준다. "철학(함)은 바로 회의함/의심함(=질문함)에서 시작된다. 이 회의함/의심함은 '새롭게 보기'로 가기 위한 철학(함)의 준비 운동이기 때문이다(「테아이테토스」 155d)." 이 질문함이 무지 탈출의 신호탄이 된다. 이런 준비 운동이 끝나면 곧바로 본운동으로 들어가야 한다. 그것이 ②와 ③의 활동이다. ①이 "왜 그럴까?", "그것은 무엇일까?"와 같은 문제 던지기라면, ②와 ③은 ①을 삭히고 또 삭혀서 숙성시켜 나가는 과정이다. 철학이 언제나 깊이라는 이념에 관여하는 학이기 때문에 영어의 thinking도 깊이로 더욱 깊이로 침잠한다. 이 thinking을 둘러싼 번역의 층위도 같은 것을 가지고 이렇게 달라질 수 있다. thinking ➡ (생각=사고=사유=사색)=(생각≦사고≦사유≦사색). 이 수학식의 좌항과 우항은 공히 왼쪽에서 오른쪽으로 나아갈수록 깊이가 더해진다. 이런 연유로 해서 thinking을 ②와 ③과 같이 '사유'와 '사색'으로 번역한 것은 우연이 아니라 대단히 철학적인 작업의 소산이다. 우리가 ②와 ③을 수행한 최종적 결과로 우리는 자신의 무지가 혁파되면서 "아, 그렇구나aha experience=eureka!"라는 새로운 눈뜸의 경이 체험을 하게 된다. 이것이 철학(함)의 종착점[Ω]이면서 곧 정리 운동이 되는 셈이다. 따라서 철학함은 ①—②—③의 연속적인 순환 운동 과정이다.

이런 운동 과정을 좀 더 입체적으로 포착할 필요가 있다. 실제 철학함은 일종의 철학적 운동과 같은 것인데, 이런 운동이 우리의 정신 구조 속에서 어떻게 작동하고 있는지에 대한 규명의 길인 것이다. 그 길은 아래의 방식으로 구성된다.

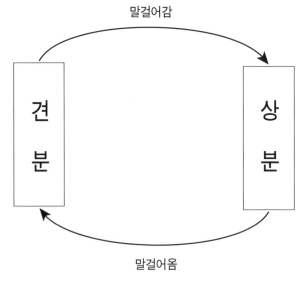

[그림 2-1] **교육철학함의 정식**

철학함은 사유의 운동을 통하여 이루어진다. 그러하기에 철학함은 필연적으로 사유의 촉진을 잉태한다. 즉, 여기서 철학하는 자는 필로조피렌하는 태도를 보여 준다. 우리는 일상에서 접하는 모든 것을 새롭게 보기 위하여 "그것은 왜 그럴까?", "그것은 무엇일까?"라는 질문을 끊임없이 던져야 한다. 이것은 사유의 말법과 같은 것이다. 이때 말법은 어법이기에 말을-주고-말을-받는-법칙을 말한다. 그 법칙이 일정한 틀 속에서 이루어진다는 점에서 사유의 말법이라는 명칭의 부여가 가능하다. 말법은 주고-받음을 전제로 한다. 즉, 주는 쪽이 있으면 반드시 받는 쪽이 있는 셈이다. 여기서 주는 쪽은 말을 걸어가는 쪽이고 받는 쪽은 말을 걸어오는 쪽이다. 또한 말을 걸어가는 쪽이 말함이요, 말을 걸어오는 쪽이 말할 수 있음이다. 구체적인 예를 들어 보자. '교육이란 무엇인가?'라고 물을 수 있다. 그러면 각자 '교육은 무엇이다'라고 대답할 것이다. 예를 들어 어떤 사람이 자기 자신에게 '교육이란 무엇인가?'라고 물었다. 그러면 그는 필연적으로 그것을 말로 표출하든 하지 않든 상관없이 그는 자신의 관견 안에서 '교육이란 이것이다'라고 대답해 놓아야 한다. 그것이 사유의 말법이다. 이렇게 자문-자답함으로써 그것에 대한 깊이 있는 성찰이 이루어진다. 이것을 좀 더 가공해서 말하면, 내가 어떤 것에 대하여 물으면 그것을 묻자마자 동시에 내 마음 안에서는 그것에 대한 나만의 견분見分이 작동한다. 이때 견분은 내가 어떤 것에 대하여 이미 '알고 있는 것=보는 것=내가 가지고 있는 선-이해pre-understanding/Vor-verständnis의 지평 등'을 말한다. 더욱 쉽게 말하면 이것은 '내가-볼-수-있는見-역량의-한도分'으로서의 순우리말인 깜냥을 뜻한다. 이 견분이 물음과 함께 생겨나서 말을 걸어간다. '교육이란 무엇인가?' 그러면 그 물음에 대답하는 쪽에서는 '교육이란 이것이다'라고 화답한다. 이 화답함이 바로 상분相分인데, 이것은 '알아지는 것=보이는 것=내가 만들어 낸 이해understanding/Verständnis의 지평 등'을 뜻한다. 즉, '내가-보아 놓은相-역량의-한도分'가 곧 상분인 것이다. 이 상분이 다시 견분에게 '교육이란 이것이다'라고 말을 걸어간다. 이런 과정으로 말법을 구성하는데, 이를 두고 '견분이 상분에게 말을 걸어가고 다시 상분이 견분에게 말을 걸어온다'라고 표현하는 것이리라. 이것을 [그림 2-1]에서는 견분과 상분 사이에 말걸어감, 거꾸로 상분과 견분 사이에 말걸어옴이라고 명명해 두었다. 이것은 통신에서 송신자과 수신자의 관계로도 볼 수 있기에 일종의 메시지를-함께-주고-받는-교(=호)응交應·互應 관계cor-respondence이거나 또는 교응-활동cor-responding을 형성하는 것이라고 하겠다. 이러한 견분과 상분 사이의 순환, 왕복운동으로서의 교응-관계 또는 교응-활동은 앞에서 말한 철학함이라는 ① − ② − ③의 과정에 필연적으로 동행한다.

　그러나 교육철학함의 정식에서 지금 사용하고 있는 용어는 장자의 말대로 아무리 좋은 언어라도 언어가 세계를 여실히 표현해 내는 데에는 한계를 가지고 있기에 好言不說盡 견분·상분·말걸여감·말걸여옴 등에 모두 다 지움 아래 두기 sous rature/under erasure/kreuzweise Durchstreichung(해당 단어 위에 X표를 쳐 두는 활동)를 해야 할 것 같다. 이것은 부정이 아니면서 해당 용어 위에다 대각선으로 X표를 치는 삭제 기호를 말한다. 하이데거가 실제로 『이정표』에서 이런 작업을 수행한다. 하여간 우리는 아는 만큼 보인다. 여기서 아는 것이 견분이고 보이는 것이 상분이다. 또는 아는 것만 본다. 물론 아는 것은 견분을 만들고 보는 것은 상분을 만든다. 이것을 두고 우리는 견분이 상분을 결정한다고 말한다. 그러나 꼭 그런 것만은 아니다. 물론 견분이 상분을 결정하는 것은 사실이지만 철학적인 사유 과정을 통하여 우리는 상분이 이전의 견분을 해체(=틀깨기 deconstruction)하고 재구성(=틀늘리기 reconstruction)하는 체험을 할 수도 있다. 이것이 위에서 말한 경이 체험인 것이다. 내가 재래적으로 가지고 있던 앎의 세계가 혁파되면서 그 사이에 새로운 앎이 치고 들어온다. 이것은 바로 상분의 확장이다. 그리고 이 상분의 확장은 그것으로 끝나는 것이 아니라 또다시 견분에게 영향력을 행사한다. 그러면서 이전의 견분은 파괴되고 그 자리에 새 견분이 새롭게 자리 잡는 것이다. 이것이 이른바 새로운 안목의 형성이다. 이와 같이 철학함의 결과로 생겨나는 안목의 형성은 우리의 머릿속에서 견분과 상분 그리고 상분과 견분의 끊임없는 회호 回互·돌고 돎·圓環를 통하여 이루어진 것이다. 이것이 가다머가 『진리와 방법』에서 말하는 해석학적인 순환의 다른 표현이다(Gadamer, 1979: 269). 다시 강조하자면, 여기서 견분이 선이해이고 상분이 이해이기에 이 둘 사이에 [그림 2-1]과 같이 말걸어감(=봄/시선 주기/다가서기/질문함)과 말걸어옴(=보여짐/시선 받기/다가오기/대답함)이 연속적으로 순환하는 가운데 낡은 지평의 해체와 새로운 지평의 세워 둠을 도모한다. 이것이 철학적 운동으로서의 교육철학함의 입체적인 재구성인 셈이다.

3. 쟁점: 교육철학함의 실례

교육철학함이 일어나는 곳은 우리 삶의 전역에 걸쳐 있어야 한다. 그러나 이것은 이상일 뿐 현실로 내려와서 실제 수업이 일어나는 강의실 안에서의 교육철학함의 사례를 따져 보는 것으로 안위해야 할 것 같다. 왜냐하면 강의실 안에서만이라도 철저하게 우리가 학생들에게 교육철학함을 가르칠 때 이것이 좋은 계기가 되어 그들 일상의 전 영역이 철학적 삶의 무대가 될 가능성이 크기 때문이다.

　이제 다시 위에서 말한 〈대화 1〉 그리고 〈대화 2〉의 세계가 실제 강의실의 수업사태에서는 어떻게 펼쳐지는가에 대해 상세하게 탐구해 보자. 그래야만 그것을 통하여 교육철학함에 다가서는 구체적인 메시지의 접수가 가능하며, 이를 더욱 확장하면 앞으로의 수업에 새로운 이정표를 작성하는 예비적 참조틀이 될 수 있기 때문이다.

〈대화 3〉 명사형철학의 수업 모습

교수:　자, 그럼 이번 시간에는 서양의 교육철학 사조 중에서 -ism으로서의 철학에 대하여 말해 보겠습니다. 그 가운데 프래그머티즘(=실용주의, 실험주의, 진보주의) 교육철학의 지평을 알아보지요. 서양철학의 주요 세 영역에는 존재론, 인식론, 가치론이 있습니다. 이것에 대입해서 프래그머티즘을 설명해 보겠습니다. 먼저, 프래그머티즘은 교육이란 생활이고 성장이며, 이 속에서 경험의 재구성을 가져오는 사회적 과정이라 봅니다. 그렇기 때문에 본질로서의 실재는 바로 경험이 드러나는 구체적인 세계에 놓입니다. 이것이 프래그머티즘의 존재론입니다. 그렇다 보니 아이들은 앎을 행함에 의한 학습을 통하여 하게 됩니다. 그러한 앎의 과정에 능동적으로 참여하기 위하여 그들은 실험과 같은 구체적인 활동을 한다든가 문제해결을 위하여 구안법을 해 보기도 합니다. 이것이 또 프래그머티즘의 인식론입니다. 그것만이 아닙니다. 프래그머티즘의 존재론과 인식론이 그렇다 보니, 교

육에서 아이들의 흥미와 필요를 강조할 수밖에 없고 절대 진리
보다는 상대적이고 상황적인 진리를 더욱 수용하게 됩니다. 이
것이 바로 프래그머티즘의 가치론입니다. 이상이 프래그머티
즘 교육철학의 핵심적 세계라고 볼 수 있겠습니다. 이 사조의 대
표적인 학자가 바로 여러분이 잘 알고 있는 듀이입니다. 혹시
라도 지금까지 설명한 내용 중에서 의문 나는 것이 있으면 질문
하세요.

학생들 (침 – 묵)

교수 질문 있습니까?

어느 학생 존재론, 인식론, 가치론이 무엇인지가 머리에 잘 들어오지
않습니다. 좀 더 알기 쉽게 부연 설명해 주세요.

이것은 명사형철학의 수업 모습을 축약해서 보여 준 것이다. 물론 이 모습은
가르치는 자, 즉 교수의 취향과 강의 방식에 따라 수업의 구체적인 펼쳐짐이 달라
질 수 있다. 그러나 그것이 여기서 중요한 것이 아니라 이러한 수업의 양태가 그
것, 즉 명사형철학의 구조적인 결함 때문에 교육철학함을 학생들에게 가르치기
어렵다는 대목에 모아진다. 지금 우리가 이 방식을 훑어본 대로 교수는 가르칠 내
용에 대하여 설명해 나가고 학생들은 그것을 경청한다. 여기서는 교육철학함의
구체적인 지평을 건져 올리기가 매우 어렵다. 학생이 비록 위와 같이 질문한다 하
더라도 더욱 근원적이고 깊이 있는, 즉 철학적 사유로까지 이끌리는 질문이 아니
라 내용에 대한 설익음을 보완하기 위한 정도의 물음으로 나아간다. 심하게 말하
면 이런 구조의 어디에도 교육철학함은 들어 있지 않다. 질문함의 부재 그리고 사
색함의 증발, 이것들은 명사형철학의 다른 이름이다.

〈대화 4〉 동사형철학의 수업 모습

교수 자, 지난 시간에 배운 내용을 다시 환기해 보겠습니다. 여러분은
철학의 주요 세 영역을 무엇이라고 생각합니까?

학생들 (다 같이) 예. 존재론, 인식론, 그리고 가치론이라고 생각합니다.

교수 좋습니다. 오늘 우리가 철학의 세 영역에 비추어 철학적 사고를

하는 기회를 갖도록 하겠습니다. 교육사조로서의 교육철학은 여러 가지가 있지만 오늘은 그중에서도 프래그머티즘 교육철학에 대하여 깊이 있게 성찰하는 시간을 갖겠습니다. 그전에 몇 가지 물어봅시다. 자, 민기(가명임, 이하 거명되는 모두 이름은 이와 같음) 학생. 존재론이 무엇입니까?

민기　(잠시 생각에 잠기더니) 예, 제 생각으로는 철학에서 가장 핵심적인 본질로서의 실재를 탐구하는 영역 같습니다.

교수　여러분도 그렇게 생각합니까?

학생들　예, 그렇습니다.

교수　그럼, 또 하나 더 물어보겠습니다. 경진 학생, 인식론이라는 것이 도대체 무엇입니까?

경진　(씩 웃으면서) 예, 제가 보기에 인식론은 지식이나 앎이 만들어져 가는 과정과 관련이 있는 것 같습니다. 구체적으로 말하자면 앎의 본질은 무엇이고, 지식은 어떻게 생성되며, 그것이 실제 교육의 과정에서 어떻게 다루어지는지를 탐구하는 것 같습니다.

교수　좋습니다. 이제 마지막으로 누가 가치론에 대하여 말해 보겠습니까? (침묵) 아무도 대답하지 않으니 호명하겠습니다. 소형 학생이 말해 보세요.

소형　(왜 하필 나를 시켰느냐 항의하듯이 교수를 쳐다보며) 예, 가치론은 그거 별거 아니에요. 교육에서의 가치에 대한 탐구겠죠. 교육이 원래 가치 지향적인 활동이니까 가치론도 물론 중요하겠죠.

그러자 학생들 모두 한바탕 크게 웃는다. 이 순간을 지켜보던 교수는 이내 수업 분위기를 수습한다. 그러고 나서 뜬금없이 다음과 같이 말을 이어 간다.

교수　교육이란 무엇입니까? 정현 학생, 말해 보세요.

정현　(몹시 당황해하며) 저-어, 그것은 …….

교수　자, 됐습니다. 다음 시간까지 잘 생각해 보세요. 다음 시간에 꼭

물어보겠습니다.

서너 명의 학생들을 하나하나 지목하면서 교수는 이와 똑같은 질문을 서너 차례 던지더니 다시 수업을 이끌어 나간다.

교수   오늘은 프래그머티즘에 대하여 알아보기로 했죠? 프래그머티즘의 대표적인 주창자가 누구입니까?

학생들   듀이입니다.

교수   좋습니다. 그럼, 누가 말해 보세요. 듀이가 말하는 교육은 무엇일까요? 아니, 그는 교육을 왜 시키려고 했나요? 여러분이 듀이가 되어 듀이라고 생각하고 듀이가 말하듯이 말해 보세요.

학생들 모두 생각에 빠진다. 어떤 학생은 책을 뒤적이기도 하고, 어떤 학생은 노트 위에 무언가를 적어 보기도 한다. 얼마간의 시간이 흐르자 다시 교수가 입을 뗀다.

교수   자, 듀이가 생각하는 교육의 목적, 즉 왜 교육을 시켜야 하는지에 대한 대답을 머릿속으로 그려 본 사람은 그것을 중심으로 존재론, 인식론, 그리고 가치론의 측면에서 스스로 프라그마티스트가 되어 각자 대답할 거리를 만들어 보기 바랍니다.

이런 식으로 남은 시간 내내 교수와 학생들의 밀고 당기는 줄다리기와 같은 수업은 계속 진행된다.

이상과 같이 동사형철학에서 보일 수 있는 수업의 흐름을 우리 모두 다 목도했다. 그러나 저것은 동사형철학에서 보여 줄 수 있는 수많은 광경 중에서 지극히 일부에 해당된다. 그럼에도 불구하고 저것은 교육철학함의 세계가 무엇인지를 우리에게 소상하게 일러준다. 더욱 확장해서 말하자면 교육철학함에서의 교수의 역할은 무엇이고, 학생의 역할은 또 무엇인지, 그리고 이런 과정을 통하여 교수가 노리고 있는 교육적 효과는 무엇인지, 또 그리고 학생이 이런 과정을 통하여 얻게 되는 교육적 효과는 무엇인지 등에 대한 해결의 실마리가 〈대화 4〉라는 동사형철학 수업 모습의 행간 곳곳에 배치되어 있다.

하이데거는『철학 입문』에서 이런 말을 한다. "철학함은 곧 인간으로 존재함을 의미한다. [그러니까] 철학은 철학함이다." 이 말의 뜻은 인간이 본질 속에는 필연적으로 철학함이 들어 있다는 것이다. 따라서 인간이 철학을 하고 안 하고는 선택사항이 아니라 인간이 인간으로 존재하는 이상 이미 필연적으로 철학을 하고 있다는 말이다(하이데거, 2006: 15). 그런데 철학함의 추기樞機는 질문함과 사색함이다. 이 두 요처가 〈대화 4〉를 관류하고 있다. 언제나 철학함의 주체는 학생들이니까 그들이 자발적으로 질문하면 최상이지만 그렇지 않으니까 〈대화 4〉에서는 그 몫을 교수가 대신한다. "나(=교수)는 질문한다, 그러므로 학생들은 철학한다." 이때 교육철학함은 학생들이 교수의 질문에 따라 무언가를 생각하게 되는 것을 말한다. 이런 생각이 숙성의 과정의 거치면서 사유로 격상되고, 그들의 머리 속에서 견분과 상분의 운동 과정을 통하여 그들은 무언가에 대하여 체-험Er-lebnis한다. 위의 〈대화 4〉에서 "교육이란 무엇인가?"라고 질문을 받은 학생은 다음 시간까지 머릿속에서 수없이 되뇌면서 생각을 하게 될 것이다. 이것이 그에게는 사유이요, 사색이다. 이것만으로도 절반의 성공이다. 그러한 질문을 받은 학생들은 문제의 답을 찾기 위하여 끊임없이 숙고도 해 보고 그것도 여의치 않으면 도서관에 가서 책을 뒤져 보기도 하고, 하여간 무언가를 계속하게 되리라. 이 과정에서 그는 자기 수준만큼의 새로운 깨달음을 얻게 된다. 이것은 바로 삶 속에서의 교육철학함이다. 그런 것을 교수는 위 대화를 통하여 치밀하게 기획했다고 보아야 한다. 우리가 이와 같은 철학함을 거론할 때, "인간은 인간이기 때문에 사유하는 것이 아니라 거꾸로 인간이 사유하기 때문에 인간으로 존재한다(하이데거, 2005: 27)."라는 말을 깊이 되새겨 볼 일이다.

4. 전망

아리스토텔레스가 소크라테스를 두고 대답은 하지 않고 계속 묻기만 한다고 말한 것은 옳다. 그는 어떤 물음에도 자신의 대답을 내놓을 수 있었지만 그는 끊임없이 묻기만 했다. 이것이 이른바 소크라테스화Socratizing이다. 바로 철학함의 근본틀로서의 질문함 말이다. 이것은 교수가 학생들에게 이미 준비된 결론으로서의 해답을 가르쳐 주는 것이 아니라 오로지 질문만을 던짐으로써 자신만의 결론에 스스로 도달하도록 이끌어 주는 것이다. 이것이야말로 교육철학함에서의 교수의 역할이다. 이러한 교수의 역할에도 불구하고 교육철학함의 주체는 교수에게 있지 않고 학생들에게 있다. 따라서 교수는 그들을 교육철학함의 세계로 안내할 뿐이다. 말을 물가로 데려가는 것은 마부의 몫이다. 그러나 말이 물을 마시는 것은 언제나 말의 몫이다. 교수와 학생의 관계도 이와 같다.

교수가 교육철학 수업에서 소크라테스화하는 일은 귀찮고 성가신 일이다. 그러나 그런 일을 포기하는 것은 바로 위에서 든 〈대화 3〉과 같은 명사형철학으로의 복귀함을 말한다. 동사형철학을 떠안고 가려면 교육철학 교수는 언제나 학생들이 피곤해할 정도로 꼬치꼬치 캐물으며 그들을 사유함의 세계로 데려가야 한다. 사유의 불꽃이 타오르도록 하는 질문을 하면서 말이다. 왜냐하면 질문함이란 철학함의 엔진이기 때문이다. 그러면서 그들에게 생각의 발전소를 만들게 해 주라. 바로 이러한 질문함과 사유함으로 응축되는 철학적 호명에 복무하는 능력의 배양이 교육철학함의 다른 이름이기 때문이다.

나는 철학한다, 그러므로 나는 존재한다. 이 말은 이렇게 바꿔 놓을 수도 있다. 나는 왜, 왜가 왜임을 묻는가Why, why ask why? 아니, 대체 이게 다 무슨 소린가? 여기서 '왜가'의 '왜'는 묻는 주체의 궁금함이요, '왜임'의 '왜'는 묻는 대상의 깊이와 의미를 말할 뿐이다. 이것을 가르치는 것이 교육철학함의 진정한 가르침이다. 물론 이 경우 진정한 가르침이란 "이미 받아들인 견해에 대해 질문하고, 신념을 뜯어보고, 이론을 반박해 보고, 지식을 시험해 보고, 무지를 기소하는 중심에 서 있는 것이다(필립스, 2001: 347)." 이제 우리에게 필요한 것은 소크라테스와 같은 지적인 감수성이자 질문함을 좋아하는, 즉 애철愛哲하는do philosophy 민감성이다. 이런 내용을 다음과 같이 운문으로 압축시켜 표현해 놓자.

이제 교육철학, 그리고 교육철학함에 대한 말건넴이 필요하다/"외따로

떨어진 섬처럼 우리는 얼마나/홀로 사색함에 처해 있는가(김상봉, 1998: 24)"/철학은 근원에 대한 반성이기에/우리는 생각의 자기반성에 대해 자신의 존재를 얼마나 묻고 또 묻고 있는가/교육철학함이 어떤 주제를 놓고 내 견분과 상분이 대화하는 가운데/지평의 상승함을 체험하는 사유의 운동이기에/이 운동에 우리는 얼마나 참여하고 있는가/"생각과 있음은 언제나 같은 것이다(「폴리테이아」 511a)"/그 안에 내가 살고 있다/그러므로 "나는 생각한다, 왜냐하면 나는 살아 있기 때문이다$_{Cogito\ quia}$ $_{vivo}$!(가세트, 2006: 289)" // "바람 부는 세상에 나 홀로 서 있네/풀리지 않는 의문들/정답이 없는 질문들/나를 채워 줄 그 무엇이 있을까/이유도 없는 외로움/살아 있다는 괴로움/목마른 가슴 위로 태양은 떠오르네/내게도 날개가 있어 날아갈 수 있을까(자우림 6집 샤이닝)" // 철학함이 없는 교육은 공허하다네/그러한 교육함이 없는 철학은 또 맹목적이라네/그러니 도대체 왜는 왜, 왜이면서 왜란 말인가!/이렇게 언제 어디서나 우리 모두는 항상 물음표를 달고 살아야 하리.

그런데 문제는 어떻게 교육철학함의 가르침과 배움을 교수와 학생 모두 공유할 수 있게 하느냐 하는 점이다. 김춘수는 〈꽃〉이라는 시의 2연에서 이렇게 노래한 적이 있다. "내가 그의 이름을 불러 주었을 때 그는 나에게로 와서 꽃이 되었다." 이 시는 교육철학함을 일러 주는 중요한 단초를 제공한다. 내가 그의 이름을 부른다. 이때 '내가'에서의 '내'는 '견분'이 되고, '그의 이름을'에서의 '그의 이름'은 또 '상분'이 된다. 이렇게 견분이 상분을 부른다. 그 부름의 결과로 그는 나에게로 온다. 이 경우에 '그는'에서의 '그'는 '상분'이고 '나에게로'에서의 '나'는 '견분'이 된다. 곧 상분이 다시 견분에게 화답해 온다. 그러나 상분이 견분으로 오기만 하는 것이 아니라 그 옴의 결과로 꽃을 선물한다. 따라서 꽃은 여기서 새로운 안목의 형성이다. 이런 틀 안에서 김춘수의 저 시를 견분과 상분 그리고 안목의 형성이라는 구도 안에서 다시 읽어 보자. '내(=견분)'가 '그의 이름(=상분)'을 불러 주었을 때 '그(=상분)'는 '나(=견분)'에게로 와서 '꽃(=안목의 형성)'이 되었다. 이런 과정이 교육철학함이라면, 교수는 이런 과정을 학생들에게 가르쳐야 하고 학생은 교수의 도움으로 이런 과정을 배워야 한다. 이것이 바로 문제인데, 교육철학의 수업에서 교육철학함의 능력을 우리가 어떻게 전유해 둘 것인가 하는 점이다. 교수는 교수대로 이런 능력의 역량 강화가 필요하고, 학생은 학생대로 이런 능력의 역량 강화가 요구된다. 교육철학함, 즉 이런 과정을 자유자재하게 전유할 수 있는 능력의 공유할 수 있음, 바로 이 지점에 교수와 학생이 자리 잡고 있는 것이다. 우리가 이런 능력을 전유하여 가르침과 배움에서 교육철학함을 공유할 수 있도록 해야 하는데, 이것이야말로 이제 교수와 학생의 추후 협력 과제로 남아 있는 무엇인 셈이다. 우리가 교육철학함을 어떻게 전유하고 교육철학함을 어떻게 공유할 것인가, 이것이 문제이다.

※ 이 장은 원래 2007년도 한국교육철학학회가 주관한 춘계학술대회에서 발표한 것을 저본으로 한다.

제3장

우리가 교육과정을
어떻게 다룰 것인가?

I believe that curriculum and instruction are the very heart and

soul of schooling.

—Patrick Slattery(2013: x ix)

Q_1: 여러분은 교육과정이 무엇이라고 생각합니까?

　(* 아래 빈칸에 자신의 생각을 써 보세요.)

A_1:

1. 전주곡: 교육과정은 교육의 세포 조직이다

곧장 사태의 한가운데로^{in medias res} 들어가서 단도직입적으로 말해 보자. 내가 수
업시간에 어느 학생과 다음과 같이 대화했다. 아래는 그 대화의 일부다.

> 교수 학생, 학생은 교육과정이 무엇이라고 생각합니까? 학생의 생각
> 을 한번 말해 보세요.
>
> 학생 글쎄요. (머뭇거리며) 그것을 한마디로 무엇이라고 말하기가 정
> 말 어렵네요.

물론 이것에 대한 학계의 합의된 정의는 없다(Roberts, Kellough, & Moore, 2011:
299). 그들은 이를 이렇게 표현한 바 있다. "… the term still has no widely accept-
ed definition." 교육과정 학자 열 사람에게 교육과정이 무엇이냐고 묻는다면 각자
그들만의 목소리로 자신의 입장대로 교육과정이 무엇이라고 피력할 것이다. 그러
므로 애초 교육과정을 두고 "교육과정은 ……이다"라고 확정적으로 말하는 것은
어쩌면 불가능하다. 그렇다 해도 대략 간-주관적으로 합의 가능한 최소한의 의미
설정은 가능하다. 그러한 것을 이렇게 정리 · 정돈해 볼 수 있겠다.

- ■ 교육과정에 대한 선-이해의 지평
  - ○ 교육과정을 라틴어로는 curriculum이라 한다. 이것을 우리는 교육
    과정으로 번안해 쓴다. 원래 이 말은 경주로를 뜻한다. 그러므로
    curriculum의 어원적 메타포는 경기장의 track이다. 곧 curriculum
    ≒ track으로 말이다. 이때 ≒는 메타포 장치이다.
  - ○ **Curriculum is C·E·P·O**. 여기서 대문자 C는 내용^{Contents}, 대문자 E
    는 경험^{Experiences}, 대문자 P는 프로그램^{Programs} 또는 계획^{Plans}, 그리
    고 대문자 O는 성과^{Outcomes}의 약칭이다. 이렇게 보면 교육과정이란
    교육의 C·E·P·O 조직이라고 말할 수 있다. 교육의 세포 조직 중에
    서 특히 교육과정은 교육의 심장부에 자리한다. 이를 아래 비유를
    가지고 풀어 보자.

[그림 3-1] 교육과정의 메타포인 트랙

마라톤의 비유

2001년 이봉주 마라토너가 제105회 보스턴마라톤대회에 참가했다. 이 대회에서 그는 2시간 9분 43초로 우승했다. 이 경우에 마라톤 풀코스인 42.195km가 Contents에 해당된다. 이 풀코스를 달리면서 이봉주 선수는 그만의 각종 경험을 했을 것이다. 해당 코스를 달리면서 이 선수가 직·간접으로 얻은 것이 Experiences다. 또한, 보스턴마라톤대회는 각종 마라톤대회Program 중 하나이며, 이 프로그램을 위하여 이봉주 선수는 치밀한 Plans를 수립해서 대회에 참가했을 것이다. 그리고 그 계획에 따른 완주의 결과로 우승을 일구어 냈다. 이때 우승 기록 2시간 9분 43초가 이른바 해당 프로그램의 Outcomes가 된다. 이렇듯 C·E·P·O는 교육과정Curriculum을 유비적으로 설명하는 하나의 틀인 셈이다.

이렇게 개념화한 것은 아래와 같이 교육과정을-규정하는-풍경들curriculum-scapes을 참고로 해서 정리해 낸 것이다. 번역 시 불필요하게 발생될 수 있는 본의의 축소와 의미의 과잉을 막고 정확한 의미의 전달을 위하여 번역을 별도로 하지는 않겠다.

❶ Curriculum is contents!라는 입장

- Curriculum is what is taught inside and sometimes outside school (McNergney & McNergney, 2007: 425).
- Curriculum includes ⋯⋯ narrow notions of content—its development, acquisition, and consequences (Roberts, Kellough, & Moore, 2011: 299).
- Curriculum can be defined in terms of subject-matter or content (Ornstein & Hunkins, 2013: 9).

❷ Curriculum is experiences!라는 입장

- Curriculum is the total experiences planned for a school or students (Wiles & Bondi, 2002: 354).
- Curriculum is all the organized and intended experiences of student for which the school accepts responsibility (Ryan & Cooper, 2007: 499).
- Curriculum is planned experiences provided through instruction which the school meets its goals and objectives (Ornstein & Levine, 2008: 510).
- Curriculum can be defined broadly as dealing with the learner's experiences (Ornstein & Hunkins, 2013: 8).

❸ Curriculum is programs or plans!라는 입장

- Curriculum is ⋯⋯ the programme of learning applying to all pupils in the nation (Wallace, 2008: 66).
- Curriculum can be defined as a plan for achieving goals (Ornstein & Hunkins, 2013: 8)

❹ Curriculum is outcomes!라는 입장

- Curriculum is intended learning outcomes; the results of instruction as distinguished from the means (activities, materials, ect.) of instruction (Parkay, Anctil, & Hass, 2006: 2).

2. 들머리: 〈교육의 공공성 vs. 교사의 교육권〉, 이 둘의 건강한 긴장은 가능한가?

공공-성은 공공의 이익이나 공동선을 추구하는 세계다. 이런 공공성을 추구하는 여러 세계 중에서 공교육도 하나의 중요한 영역이다. 사정이 이렇다 보니 국가가 공교육에 어떻게든 관여하려 한다. 사교육이 비-공공재의 영역이라면 공교육은 공공-재다. 즉, 공교육은 한-나라의-공공성을-교육적으로-담보하는-공적인-활동이다. 그런데 문제는 국가가 교육에 대하여 관여하는 정도를 어느 정도로 할 것인가에 있다. 그 관여의 정도가 심하면 국가가 교육에 대하여 간섭하고 통제하는 중앙 집중 체제로 나아가게 된다. 이와는 반대도 있을 수 있다. 공교육에서 국가의 간섭과 통제를 최소화하는 분산 체제가 그것이다(곽병선, 1983: 125). 그러나 불행하게도 우리나라는 그간 교육에 대한 국가의 통제와 간섭이 강한 중앙 집중 체제를 오랫동안 유지해 왔다. 이런 저간의 사정은 이러하다.

우리나라의 초·중·고교는 해방 이후 지금까지 강력한 국가 교육과정에 의하여 운영되고 있다. 지역 수준, 학교 수준 교육과정이란 사실상 용어는 있으나 국가 교육과정에서 허용한 극히 부분적인 분야에 대해서만 적용될 뿐, 그 실체는 거의 존재하지 않은 정도로 미미한 것이었다고 볼 수 있다. 지난 제6차 교육과정 이후 지역 수준과 학교 수준의 교육과정을 실질적으로 확대하려고 시도한 바는 있으나 아직도 학교 현장은 거의 국가 수준 교육과정에 의하여 운영되고 있는 실정이다(허경철, 2013: 15).

이 순간 여기서 우리는 다음과 같은 하나의 명제를 던져 보자.

■ "국가의 교육에 대한 간섭과 통제가 커지면, 교사의 교육에 대한 자율성은 줄어든다."

이를 다음과 같이 그림으로 나타낼 수 있다.

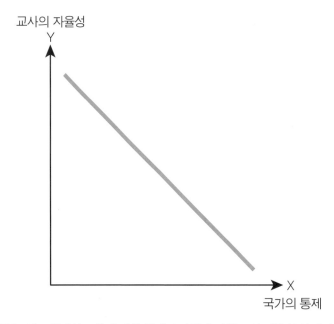

[그림 3-2]   **국가의 교육에 대한 통제와 간섭에 따른 교사 자율성 사이의 관계**

이것은 국가가 교육에 대하여 통제를 하면 할수록 교사의 교육에 대한 자율
성이 손상된다는 점이다. 즉, 다시 말하면 국가의 통제와 교사의 자율성은 반비례
의 관계에 놓여 있다는 점을 위의 관계 그래프가 우리에게 보여 준다. 그런데 여
러분이 [그림 3-2]를 볼 때 반드시 주의해야 할 점이 있다. 그것은 이런 것이다.
위의 관계식이 언제나 그렇다는 것은 아니고, 교사가 반드시 적정 수준 이상의 교
육에 대한 전문성을 갖추고 있을 때에만 X, Y의 관계가 성립된다는 점이다. 한 번
더 힘주어 말하면, X, Y가 위와 같이 반비례의 관계에 있을 때 Y값에는 언제나 교
사 전문성 확보라는 전제 조건이 필요하다. 만약 교사가 전문성을 갖추고 있지 않
다면 저런 X, Y의 관계가 성립되지 않을 수도 있다.

이제 다시 교육과정의 개념으로 돌아가 보자. 위에서 나는 교육과정을 'Cur-
riculum is C·E·P·O'라고 말한 적이 있다. 이런 C·E·P·O 중에서 국가와 교사가
첨예하게 부딪치는 것은 C다. 왜냐하면 C가 학교에서 교사와 학생이 가르치고-
배울-교육-내용과 곧바로 직결되기 때문이다. C를 제외한 다른 것들은 그렇게 심

각하지 않거나 때로는 국가가 그런 것들을 단위 학교에 상당 부분 위임에 놓고 있기 때문이다. 좀 더 구체적으로 짚어 보자. 예컨대, E의 경우에 E는 사전에 의도되고 계획된 E와 학습의 결과로서의 E로 나누어지지만, 이때 두 E는 아무래도 C가 결정된 뒤에 부수하는 산물일 가능성이 크다. 또한, P의 경우에 C가 결정되고 나면 그에 따른 P가 단위 학교나 단위 교실의 형편에 따라 언제라도 다른 양상을 띨 수 있다. 마지막으로 O인 경우인데, 이것은 ❹의 정의 방식처럼 수업의 결과물을 말하기 때문에 교육의 결과에 초점을 둔다. 따라서 E·P·O를 국가가 사전에 통제한다는 것은 사실상 불가능하다. 이쯤에서 종합하면 공교육에서 국가가 직접 통치하는 영역은 위에서 말한 네 가지 교육과정 개념 중에서 가장 대표적인 교육-내용으로서의 C라 말할 수 있으리라. 누가 교육과정의 내용을 만드는가? 이런 물음에 대한 답은, 우리나라의 경우에 교사가 교육-내용을 만드는 것이 아니라 국가가 먼저 교육-내용을 만들어서 학교로 내려 보낸다는 것이 정답이다. 그리고 이때 내려 보낸 내용은 교육과정의 기준standards과 지침guidelines이 되는 동시에 강력한 법적 구속력을 갖는다. 우리나라의 경우, 교육과정의 기준과 지침의 제정권, 결정권, 구성권은 모두 국가에 있다. 교육과정에 관한 한 우리나라는 철저하게 법정주의를 채택하고 있는 셈이다. 이때 법정주의는 교육과정에 관한 제반 사항을 법률로 규정하고 현장에 그것을 강제하고 있다는 뜻이다. 이런 경우에 국가와 교사 사이는 주인과 노예의 관계에 있게 된다.

『정신현상학』에서 헤겔은 주인/노예 변증법이라는 주제를 설명한다. 두 사람이 만나는 곳에서는 언제나 어느 한 사람이 다른 사람보다 우위에 서기 위해서 주관성들 사이의 투쟁이 벌어진다. 결국 주인과 노예의 관계는 두 당사자가 서로의 상호 의존성을 알기 때문에 그 자체로 해소된다. 헤겔이 '지배와 예속'이라고 부르는 이 이야기 속에서, 서로 마주하고 있는 주관성들이 타자를 지배하기 위하여 '목숨을 건 투쟁'에 관여하는지를 설명한다. 하지만 주인은 실제로는 결코 노예를 지배할 수 없는데, 주인이 노예에게 (여러 가지 시중이나 음식 등을) 의존하고 있기 때문이다. 마찬가지로, 노예도 결국 노동의 결과로 자신과 주인이 살고 있는 세상이 만들어지기 때문에, 자기가 노예가 아니라는 것을 알게 된다(스티븐 트롬블리/김영범, 2013: 64).

위에서 헤겔이 말하는 **주인/노예의 변증법**은 두 가지 점을 우리에게 일러 준다. 그 하나는 주인이 주인이면서 주인이 아닌 상태와 노예가 노예이면서 노예가 아닌 상태, 즉 주인과 노예의 상호相互-의존依存-성性, inter-dependence 말이다. 다른 하나는 주인은 노예 없이 살 수 없고, 노예는 주인 없이 살 수 없는 상호相互-공존共存-성性, co-existence 말이다. 현재 우리나라 교육과정에 이런 **주인/노예의 변증법**이 녹아들어 있을까?

Q₂: 여러분은 교육과정에 대하여 국가가 어느 정도 개입하는 것이 적정선이라고 생각합니까?(* 아래 빈칸에 자신의 생각을 써 보세요. 국가와 교사 사이에 힘의 배분이 '몇 대 몇'이 좋을지 구체적으로 쓰고, 그 이유를 설명해 보세요.)

A₂:

3. 국가 수준 교육과정 vs. 교사 수준 교육과정: 둘이 시소를 타라

교육이 공적 사업으로서 공교육일 때 국가가 교육에 관여하는 것은 어찌 보면 당연한 일이다. 다만 문제가 되는 것은 국가가 어느 정도로 개입할 것인가에 있다. 즉, 여기서의 쟁점은 교육과정이 국가가 독재하는 전유물이 아니라면 교사에게 어느 정도의 자율성을 부여해야 하는가에 있다. 우리나라같이 국가의 독점적 경향이 강한 전통에서 이에 대한 균형점을 찾기는 쉽지 않다. 이런 균형점을 찾기는 국가와 교사 사이의 힘의 황금 비율을 찾는 일이다. 이를 보기 전에 우선 교육과정을 둘러싼 수준과 그에 따른 위상을 먼저 검토해 보아야 한다. 이를 설명해 놓은 것이 [그림 3-3]이다. 이것을 좀 더 정밀하게 보도록 하자.

[그림 3-3]에서 세로축은 교육과정과 수업을 상정한 선이다. 그런데 이 선은 교육과정의 수준과 위상을 드러내는 선이다. 교육과정의 수준은 다음과 같이 크게 세 단계로 나뉜다.

- 수준 1: 국가 수준 교육과정National Curriculum([그림 3-3]에서는 국가 수준 교육과정일 때는 C_N으로, 지역 수준 교육과정일 때는 C_L로, 학교 수준 교육과정일 때는 C_S로, 다시 교사 수준 교육과정일 때는 C_T로 약칭했다. 그리고 C_T는 다른 말로 교실 수준 교육과정인 C_C와 개념적으로 같다. 곧, $C_T = C_C$.)
- 수준 2: 지역 수준 교육과정Local Curriculum
- 수준 3: 학교 수준 교육과정School Curriculum

교사 수준 교육과정(또는 교실 수준 교육과정)은 엄밀하게 말하면 수준 4가 되지만, 통상적으로 학교 수준 교육과정 안에 넣고 논의된다. 각 수준에 그에 교육과정의 따른 위상은 다음과 같다.

- 수준 1의 위상: 아래 수준 교육과정의 법률적 기준
- 수준 2의 위상: 아래 수준 교육과정의 편성·운영 지침 및 실천 중심

장학 자료

■ 수준 3의 위상: 교육의 최전선이면서 동시에 수업이 생동하는 원초적 공간(교육과학기술부, 2008: 11).

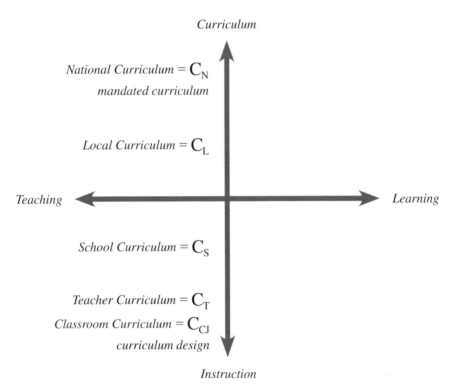

[그림 3-3]　교육과정의 수준과 위상을 가늠하는 세로선과 'T & L'의 가로선(서명석, 2011: 85)

위의 [그림 3-3]을 다시 보자. 교육과정의 수준과 위상을 가늠하는 세로선의 맨 위에 국가 수준의 교육과정인 C_N이 있고, 바로 밑에 이탤릭체로 *mandated curriculum*이라는 표시가 있다. 이것은 C_N의 성격을 규정한다. C_N은 곧 법률로-규정해서-고시한-교육과정mandated-curriculum이라는 뜻이다. 그러므로 이것은 언제나 법률적 효력을 갖게 된다. 한편, 교육과정의 수준과 위상을 가늠하는 세로선의 맨 아래에는 C_T와 C_C가 있고 바로 밑에 이탤릭체로 *curriculum design*이라고 표시된 것이 보일 것이다. 이것도 역시 C_T와 C_C의 성격을 전해 준다. 교육의 최전선은 수업이 일어나는 교실이며, 이 교실에서 펼쳐지는 교육과정을 실질적으로 관장하는 사람은 바로 교사다. 이런 의미에서 교사는 언제나 자신만의 교육과정을 설계해서 자신만의 방식으로 그것을 학생들에게 가르쳐야 한다. 따라서 교사는 교실에서 언제나 자신의 교육과정을 설계해서 수업으로 다시 꽃을 피워야 하는 디자이너로 자리한다[Teacher is curriculum designer of C_T or C_C in the classroom]. 이때 교육과정Curriculum이 나무라면, 그 나무에서 피어나는 수업Instruction은 꽃이고 그 꽃에서 생겨나는 열매가 교수Teaching-학습Learning이다. 이를 압축해서 [그림 3-3]에서는 세로축에 '교육과정Curriculum-수업Instruction'의 날줄을, 가로축에 '교수Teaching-학습Learning'의 씨줄을 포진시켜 두었다.

교육과정의 영토 싸움은 두 진영에서 이루어진다. 그 싸움은 바로 '이것'임haecceity을 알라. **국가 수준 교육과정 vs. 교사 수준 교육과정**. 이때 국가 수준 교육과정이란 국가가 법으로 제정하여 법령으로 고시한 교육에 대한 국가 수준의 기준을 말한다. 그리고 교사가 교실에서 국가 수준 교육과정과 지역 수준 교육과정을 기초로 독자적으로 만들어가는 창조적 교육활동이 교사 수준의 교육과정이다. [그림 3-3]으로 치면 제일 상층부에 국가 수준 교육과정이 있고, 제일 하층부에 교사 수준 교육과정이 있다. 국가는 국가대로 교사는 교사대로 각자 자신의 고유한 영역을 확보하기 위하여 이 둘 사이에 보이지 않지만 치열한 전투가 있어야 한다. 그럴 때 교육과정은 건강할 수 있다. '국가 수준 교육과정 ○————○ 교사 수준 교육과정', 이 둘이 시소를 탄다고 가정해 보자. 둘이 시소를 탈 수 있으려면, 힘의 균형이 서로 맞아야 한다. 힘의 균형이 깨지면 힘이 센 쪽으로 시소는 급격히 기울어 버리고 시소 타는 놀이는 더 이상 불가능하다. 시소 타기를 할 때 힘의 총량을 100으로 잡으면, 양쪽이 가질 수 있는 힘의 산술적 평균은 각각 '50 대 50'이다. 이런 조건에서 둘은 시소 놀이를 원활하게 즐길 수 있다. 이런 논리가 국가 수준 교육과정과 교사 수준 교육과정 사이에도 그대로 적용된다. 이 둘이 시소를 타게 하라. 산술적으로 이야기하면 힘의 총량이 100일 때 국가가 50을 가지고 있고, 교사가 50을 가지고 있으면 된다. 그러나 이렇게 이야기하면 너무 나이브하다. 국가와 교사가 서로 시소를 탈 수 있으려면, 10을 기준으로 보았을 때 '국가 5 : 교사 5'이든 '국가 6 : 교사 4'이든 아니면, '국가 3 : 교사 7'이든 상관없이 둘 사이 어딘가에 최적점이 있을 수 있다. 이때의 최적점이 황금 비율golden ratio인데, 이 비율은 산술 평균같이 '5 : 5'인 기계적인 분할이 아니다. 이것이 이른바 '중中: 둘이 균형을 이루어 내는 수량적 평균점이 아니라 이상적 최적점'이자 '경법經法: 중中이라는 생각의 기준이자 원리원칙의 세계'이다. 이렇게 둘 사이에 최적의 균형점을 찾게 되면 그때부터 둘은 자연스럽게 시소 놀이를 즐긴다. 이런 시소 타기가 이른바 '용庸: 중中의 지점에서 시소를 타는 기술'이자 '권도權道: 중中의 지점에서 서로가 자연스럽게 시소를 탈 수 있는 능력'이라고 할 수 있다. 다시 요약해 보자. 경법經法으로서의 중中은 둘 사이에 힘의 균형을 가져오는 최적임인 것이고, 권도權道로서의 용庸은 힘의 균형을 이루고 있는 그 지점에서 자유자재로 무언가를 처리할 수 있는 능력을 말한다. 이렇게 '중中-용庸'과 '경經-권權'의 리듬 속에서 국가와 교사가 시소 타기를 무리 없이 할 수 있으려면 다음과 같은 조건이 반드시 충족되어야 한다.

- ■ 국가와 교사 사이 시소 타기의 전제 조건
- ■ 국가 개입의 적정화optimum
- ■ 교사 전문성expertise의 확보 및 교사 자율성의 보장

국가가 교육과정에 개입할 때 교육의 공공성을 담보하는 수준에서 최소 개입의 가이드라인을 설치하자. 이렇게 말하면 국가 당국은 펄쩍 뛸 것이다. 그러나 잘 생각해 보라. 국가 수준 교육과정이 비대하면 비대할수록 교사 자율성은 도리어 침해받는다는 사실을 말이다. 그 하나의 예를 들어 보겠다. 우리나라는 그동안 국가가 주도하는 교육과정을 즐겨 왔던 것이 사실이다. 이런 것을 뒷받침하는 것으로 해방 후부터 제6차 교육과정까지만 하더라도 교육과정 개발을 국가가 전반적으로 주도하여 현장에 보급하는 연구개발 모형R&D Model을 선호했다. 그렇다 보니까 실제 현장 교사들은 교육과정에서 늘 소외되고 배제되는 아픔을 겪었다. 현재 우리나라는 이런 입장을 완전히 버린 것은 아니지만 아직도 그 폐해는 남아 있다. 국가가 새로운 교육과정을 법으로 고시하고, 이에 따른 해설서와 지침서를 만들고 더욱 자상하게 교과서와 지도서를 국가가 만들어서 현장에 배포한다. 그러나 이러한 국가의 교육과정에 대한 과잉 친절과 과잉 서비스는 교사에게 주어지는 교육과정에 대한 자율성을 도리어 제한할 수도 있다. 이 점을 국가는 그동안

간과해 온 것 같다.

Q₃: 만약 여러분이 이런 상황에 처해 있다면 이를 어떻게 해결하겠습니까?

○ 상황 설정

현재 학교에는 국가 수준 교육과정에 대한 최소한의 가이드라인, 이를테면, 교육과정의 목적, 교육과정의 목표, 가르칠 영역, 그리고 가르칠 영역에 따른 성취기준만 있다고 하자. 그 외 교육과정 해설서, 교과서, 지도서를 수거해서 모두 폐기 처분했다. 아무리 그것들을 어떻게든 구하려 해도 결코 구할 수는 없다. 이런 상황에서 여러분은 오늘 하루 다섯 시간의 수업을 해야 한다.

○ 문제해결의 팁

우리나라같이 교육과정에 대한 중앙 집권적인 관행이 강할 경우 '과잉 서비스의 함정pitfall of over-service'에 교사가 빠질 수 있다. 여기서 과잉 서비스, 즉 정부가 문서화된 교육과정에 부대하는 각종 자료인 교과서, 지도서 등을 만들어서 과도하게 제공할 경우, 일선 교사들은 교육과정에 대한 특별한 고민 없이 그 내용을 위주로 학생들에게 가르치려고 한다. 다시 말하면 국가가 교사에서 너무나도 친절하게 모든 것을 다 제공해 주니까 이것이 교사들에게 교사 수준 교육과정에 대한 숙고의 기회를 미리 차단하고, 이런 현상이 디욱 심화되면 심화될수록 정부의 과잉 서비스가 교사 전문성 발휘 기회를 역으로 박탈하게 된다.

○ 읽기 보조 자료

#1 캐나다 교육 실습 내러티브

나는 올해 1월 캐나다에 있는 노바스코샤주로 해외 교육실습을 다녀왔다. …… 그곳에서 나는 1-2학년 통합 반에 배정되어 담임교사 옆에서 보조교사 역할을 하며 캐나다의 교육 시스템에 대해 배우고, 우리나라와 어떤 점이 다르고 배울 점은 무엇인지 알게 되었다. 또한 우리나라의 학생들과 캐나다의 학생들이 어떻게 살아가고 있는지에 대해서도 생각할 수 있었다.

우선 학교에 처음 출근해서 가장 충격적이었던 것은 교과서와 지도서, 그리고 우리가 매일 짜기 위해 고생하는 교수-학습 과정안이 없다는 점이었다. 교사는 나라와 학교에서 정해진 교육과정에 따라 수업해야 할 내용을 교과서 아닌 동화책이나 교사가 직접 쓴 일기, 편지 등을 이용해 수업을 한다. 또한 이러한 교육적 자료를 이용한 수업의 이론은 아이들의 지도를 위한 서적들을 보며 공부하여 지도법 등을 가져와 사용하고 무엇보다 수업할 내용을 지도안이 아닌 lesson plan을 작성하여 수업의 전반적인 흐름만을 숙지하고 수업을 시작한다. 교과서가 없는 수업을 상상할 수 없던 나였는데, 동화책 하나로도 훌륭하게 수업을 이끌어 가는 교사의 모습을 보면서 교육을 위한 자료가 교과서만이 전부가 아님을 깨닫고 교사가 학생들에게 적절하다고 생각하는 어떤 것도 좋은 자료가 될 수 있음을 알게 되었다.

#2 캐나다 교육 실습 내러티브

2학년 겨울방학 때 해외 교육실습을 갔던 기억이 가장 떠올랐다. 그 당시 캐나다 노바스코샤주 Annapolis East Elementary School의 3학년 학급에서 실습을 했다. 6주 동안 그 학급에 머물면서, 한국과는 다른 캐나다의 학급환경과 수업을 직접 참관하면서 많은 것을 배울 수 있었다. …… 그 학급에서는 교과서를 사용하지 않았다. 이 당시 나는 교과서가 교육과정이라는 무지한 생각을 하고 있었기 때문에 이러한 상황이 납득이 가지 않았다. 그래서 그냥 단순히 캐나다에는 교과서 자체가 없는 것이라고 생각했다. 그러던 어느 날 나는 궁금증을 참지 못하여 담임교사에게 캐나다에는 원래 교과서가 없느냐고 물어보았다. 그러자 뜻밖의 대답을 들을 수가 있었다. 교과서가 없는 것이 아니라 사용을 하지 않는다는 것이었다. 그리고 담임교사는 나에게 교실 뒤 커다란 수납장 안에 놓여 있는 엄청난 양의 수업 자료instructional materials를 보여 주었다. 매 시간마다 교사가 스스로 제작하거나 중요하다고

여겨지는 특정한 책의 내용을 인쇄하여 매번 수업을 진행했던 것이었
다. 따라서 학생들 중에도 교과서를 가지고 있는 아이가 단 한 명도 없
었다(서명석, 2012: 68).

A₃:

4. 국가 수준 교육과정을 대하는 교사의 세 유형: 여러분은 국가 수준 교육과정의 순응자인가, 아니면 창조자인가, 아니면 중간자인가?

Q_4: 여러분은 교사들이 국가 수준 교육과정을 지배하는 교사라고 생각합니까? 아니면 국가 수준 교육과정이 교사들을 지배하고 있다고 생각합니까?

A_4:

국가 수준 교육과정은 교사들에게 걸림돌일까, 아니면 디딤돌일까? "교사에게 국가 수준 교육과정은 약이면서 독, 독이면서 약인 이중적 파르마콘pharmakon이다." 그것이 교사에게 독이 되면 걸림돌이며, 그것이 교사에게 약이 되면 디딤돌이 되는 것이다. 따라서 국가 수준 교육과정은 고정화되어 있는 것이기에 약이 아니면 독, 독이 아니면 약이라는 식으로 그것을 이분해서 보는 것은 곤란하다. 파르마콘은 언제나 불확정적으로 존재한다. 국가 수준 교육과정을 파르마콘으로 볼 때, 그것이 교사에게 걸림돌이 될 경우 교사는 국가 수준 교육과정의 노예로 전락하고, 그것이 교사에게 디딤돌이 될 경우 교사는 국가 수준 교육과정을 지배하는 주인이 될 수 있다. 다음과 같은 주장이 있다고 하자. 교사가 국가 수준 교육과정에 대하여 약으로 접근하려면 교육과정에 대한 '국가 개입의 최소화', '교사 자율의 최대화'가 보장되어야 한다고 말이다. 이런 조건에서는 교육과정에 대한 국가 개입은 최소치가 되어야 하고 교사 자율성은 최대치가 되어야 한다. 즉, 한쪽은 언제나 최소가 되어야 하며 반대로 다른 쪽은 항상 최대가 되어야 한다. 다시 말해 전체를 10으로 보았을 때, 교육과정에 대한 국가가 개입 정도가 1이면 교사 자율성은 9가 되어야 한다고 보는 입장이다. 이럴 때가 되면 가장 이상적이고, 교육과정에 대하여 교사가 주인으로 살아갈 수 있다. 이런 해석은 '어느 쪽(교사)은 최대치'이고 '다른 쪽[국가]은 최소치'라는 개념을 적용한 사례다. 그러나 이런 식의 접근은 매우 위험하다. 교사의 국가 수준 교육과정에 대한 디딤돌·걸림돌 담론에서 국가와 교사의 힘의 관계에는 내가 위에서 말한 바 있는 시소 타기의 황금 비율에다 '공동 최적치' 개념을 적용해야만 한다. 그렇다면 약/디딤돌로서의 '공동 최적치co-optimum' 개념은 과연 무엇이란 말인가? 교사에게 국가 수준 교육과정이 독으로서의 걸림돌일 때는 국가와 교사 사이의 관계에서 힘의 균형이 최적치보다 국가가 더 높을 수치를 가질 때이다. 반대로 교사에게 국가 수준 교육과정이 약으로서의 디딤돌일 때는 국가와 교사 사이의 관계에서 힘의 균형이 둘이 공히 최적치에 근접해 있거나 국가가 최적치보다 약간 낮은 수치를 가질 때이다.

이렇게 공동 최적치 개념을 설명할 때 축구 경기를 가지고 풀면 이해하기 쉽다. 축구 경기에서 운동장의 규격과 각종 경기 규칙은 국가 수준 교육과정과 유비의 관계에 놓여 있다. 축구 경기의 감독은 교사와 또한 유비의 관계에 놓여 있다.

축구 선수들은 이미 주어진 축구 경기 규칙 속에서 감독의 지도 아래 축구 경기를 펼친다. 여기서 기존의 축구 경기 규칙이 국가 수준 교육과정이고, 감독이 교사이 자 교사 수준 교육과정을 지휘하는 야전 사령관이며 축구 선수들이 학생들인 셈이다. 〈축구에서 각종 경기 규칙이 축구 경기를 지배하지만, 축구 선수들이 4-4-2 또는 3-5-2 등 어떤 전술로 축구를 하느냐를 결정하는 것은 언제나 감독의 고유 권한이다.〉 방금 말한 '〈'에서 '〉'까지의 조건과 상황이 공동-최적치 개념과 정확하게 상응한다. 그런데 축구 경기는 그렇지 않지만 경우에 따라서는 국가 수준 교육과정이 교사 수준 교육과정을 침해하는 경우가 허다하다. 다시 축구 경기로 비유해서 말해 보자. 감독이 정해야 하는 4-4-2 또는 3-5-2 등의 다양한 축구의 전술 까지도 국가가 정해 버리면 교사가 설 자리는 없어진다. 위에서 이것을 '과잉 서비스의 함정'으로 말한 적이 있다. 이렇게 국가가 '과잉 서비스의 함정'에 빠져 있으면 국가와 교사의 관계는 갈등하는 동거 상태로, 거기에는 존재의 부영양화라는 엔트로피entropy만 배출하게 된다. 반면 국가와 교사가 서로 공동-최적치에 함께 있게 되면, 둘은 화협和協하는 공생으로 존재의 영양화라는 신트로피syntropy만을 생산하게 된다. 교육과정에서 신트로피를 생산하게 하라, 언제나!

여기에 갑과 을이 있다고 치자. 그리고 이들은 현재 갑-을 관계에 놓여 있다. 이처럼 갑-관계에 있을 때, 여기서 발생할 수 있는 갑-을 관계는 다음과 같다. 갑이 을을 지배하는 단계, 을이 갑을 지배하는 단계, 갑이 을을 완전하게 지배하지 못하고 을이 또한 갑을 완전하게 지배하지 못하는 단계인 세 가지로 그 관계를 유형화할 수 있다. 이런 갑-을 관계에서 '갑'에다는 국가 수준 교육과정을 '을'에다는 교사 수준 교육과정을 대입시켜 보자. 그러면 국가 수준 교육과정과 교사 수준 교육과정 사이에도 위와 같이 세 유형의 관계가 생길 수 있다. 즉, 유형 1, 유형 2, 유형 3이다. 이것들을 좀 더 세밀하게 풀어 보자. 이때 유형은 관계이지만 단계로 써도 무방하다. '유형 1 ➡ 1단계, 유형 2 ➡ 2단계, 유형 3 ➡ 3단계'이다. 그리고 이것들의 관계가 '1 ➡ 2 ➡ 3'처럼 순차적으로 올라가는 것이라면, 이것들을 '1단계 ➡ 수준 1, 2단계 ➡ 수준 2, 그리고 3단계 ➡ 수준 3'으로도 부를 수 있다. "수준 1: 이 단계는 국가 수준 교육과정이 교사 수준 교육과정을 완벽하게 지배하고 있는 형태를 말한다." 이 단계에서 교육과정의 주인은 당연히 국가다. 이때에는 국가의 힘에 눌려 교사가 제대로 그 어떤 힘도 발휘할 수 없는 상태에 처해 있게 된다. 수준 1이 국가가 주도권을 행사하고 있는 단계라면 이와는 정반대의 모습도 있을 수 있다. "수준 3: 이 단계는 교사 수준 교육과정이 국가 수준 교육과정의 지배력에서 빠져나와 자유롭게 독립되어 있는 상태를 말한다." 이 단계에서 교사는 능동적이며 창조적으로 자신만의 교육과정을 만들어서 실제 교실에서 펼쳐 보이는 경지까지 교사가 이미 올라가 있다. 이 단계에서 교육과정의 주인은 당연히 교사다. 이러한 수준 1과 수준 3 사이에 그 어떤 것이 있을 수 있다. "수준 2: 이 단계는 수준 1과 수준 3 사이의 과도기다." 여기서 수준 2는 국가 수준 교육과정이 교사 수준 교육과정을 완전하게 지배하는 것도 아니고 거꾸로 교사 수준 교육과정이 국가 수준 교육과정에 완전하게 지배당하지도 않는 그런 상태에 놓여 있게 된다. 이 단계는 다른 말로 '어중간^{於中間}'의 상태라고 보면 틀림없다.

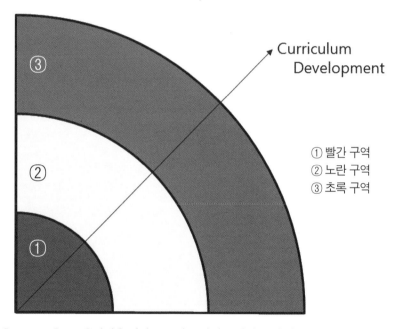

[그림 3-4] **교육과정을 바라보는 세 유형의 교사와 그에 따른 CD의 수준과 정도**
(Tanner & Tanner, 2007: 412-423; Glickman, Gordon, & Ross-Gordon, 2010: 371-373)

CD_1: 빨간 구역은 국가 수준 교육과정 순응자로서의 교사 유형(교사의
      CD의 수준과 정도가 낮음)

CD₂: 노란 구역은 국가 수준 교육과정과 교사 수준 교육과정 사이의 중
     간자로서의 교사 유형(교사의 CD의 수준과 정도가 중간)

CD₃: 초록 구역은 교사 수준 교육과정 창조자로서의 교사 유형(교사의
     CD의 수준과 정도가 높음)

Q₅: 여러분이 나중에 교사가 된다면 지금 위에 있는 [그림 3-4]의 세 영역 중에
    서 어느 구역대에서 살고 싶습니까? 그리고 그 구역대에 있다면 교육과정
    운영에서 가장 큰 어려움이 무엇일지 상상해서 말해 보세요.

A₅:

지금부터 위의 [그림 3-4]를 가지고 논의를 진행시켜 보겠다. 빨간 구역은 1구역으로 수준 1을 말하고, 노란 구역은 2구역으로 수준 2를 말하며, 초록 구역은 3구역으로 수준 3을 말한다. 그러면서 각 구역은 교사가 교실에서 자신의 교육과정을 독자적으로 개발하여 전개해 나아가는 'Curriculum Development의 영역 zone of CD'의 수준과 정도를 뜻한다. 따라서 빨간 구역은 CD_1, 노란 구역은 CD_2, 그리고 초록 구역은 CD_3이 된다. 1구역은 교사가 국가 수준 교육과정을 그대로 따라가거나 그것을 모방하는 단계이므로 국가 수준 교육과정에 대한 교사의 순응기에 해당된다. 이 단계에서 교사는 국가 수준 교육과정의 순응자다. 그래서 위험하다. 이런 이유 때문에 1구역은 교사에게 경고등인 빨간색인 것이다. 여기서 국가 수준 교육과정이란 구체적으로 무엇을 말하는 것일까? 그것은 바로 문서화된 교육과정 뼈대Curriculum Frameworks다. 다시 반복하면, 그것은 'National Curriculum= Curriculum Frameworks'인 셈이다.

- Curriculum Frameworks
  - Curriculum frameworks are official curriculum documents that describe in some detail what is be taught (Marsh & Willis, 2007: 376).
  - Curriculum frameworks is a document, usually published by a state education agency, that provides guidelines, recommended instructional and assessment strategies, suggested resources, and models for teachers to use as they develop curricula that are aligned with national and state standards (Parkay, Anctil, & Hass, 2006: 227).

그러나 빨간 CD_1에 거주하는 교사들은 매우 위험하다. 왜냐하면 그들이 모두 국가 수준 교육과정의 노예 상태로 전락할 가능성에 쉽게 노출되기 때문이다. 그리고 가장 큰 문제는 이 구역에서 살고 있는 교사들이 교육과정 뼈대Curriculum Frameworks 그 자체를 교육과정으로 바라보는 오-개념mis-conception 속으로 쉽게 미끄러지기 때문이다.

- 대표적인 교육과정 오-개념 사례: "Most teachers view the textbook

and guide as 'the curriculum', and glean the curriculum syllabus,
goals, and rationale solely from that source (Shkedi, 2009: 840)."

문서화된 국가 수준 교육과정은 그 자체로 교육과정의 실-체sub-stance가 **절/대/로** 아니다! 그런데도 빨간 구역에서 살아가는 교사들이 현장에 아직도 있는 것은 그동안 교육과정에서 국가주도의 뿌리 깊은 R&D 모형의 악영향 때문이다. 우리나라 교육과정 현장에서 유통되고 있는 교육과정 재구성 담론도 일부 위험 요소가 있다(성열관 · 이민정, 2009; 서경혜, 2009). 국가 수준 교육과정을 교육과정의 실체로 보거나 이를 기반으로 교육과정 재구성 담론을 유통시키는 것은 모두 교육과정에 대한 실체관적 접근이다. 이것은 일종의 '터널 효과 증후군'으로도 볼 수 있다. 교육과정에 실체가 있다고 가정하는 순간, 이렇게 가정한 자들이 본 실체는 정전-화canonization로 빠진다. 이 지경에 있게 되면 정전으로서의 실체에 대하여 교사들은 무한 신뢰를 내보인다. 그러니 정전 너머의 다른 것은 안중에도 없다. 완전히 실체라는 터널에 빠져 있다. 그러나 잘 보라. 국가 수준 교육과정 그 자체는 교육과정이 아니다. 교육과정 실체관을 정밀하게 살펴볼 필요가 있다. 여기서 말하는 교육과정 실체관은 이런 것이다. 교육과정은 이미 주어져 있다. 이것이 교육과정 실체관인데, 이렇게 교육과정은 이미 주어져 있는 무엇이라고 보는 생각, 이것이 곧 허구다. 만약 이렇게 바라보는 사람이 있다면, 그/그녀는 노란 CD_2를 지나 초록 CD_3까지 절대로 올라갈 수 없다. 이때 노란 구역은 CD_1과 CD_3 사이의 중간 지대inter-mediate zone이자 CD_3으로 나아갈 때 반드시 통과해야 하는 돌파 영역break-through zone이다. 이런 의미 때문에 노란 구역으로 표시했다.

그러나 실체관을 건너가면 초록 CD_3이라는 매우 이상적인 안전지대가 나온다. 이 지역에 살고 있는 교사는 교육과정에 대하여 창조적creative · 생산적generative 수준까지 올라와 있는 자이다. 이런 교사는 자신만의 교육과정을 만든다Teacher is developer of classroom curriculum. 즉, 그/그녀는 C_N을 기준으로 삼고 C_L을 참조해서 자신의 독자적인 C_T 또는 C_C를 만들어 낸다. 여기서 C_N과 C_L은 C_T 또는 C_C로 가기 위한 도구일 뿐이다. 이를 『금강경金剛經』으로 말해 보자. "여러분들은 알라. 내가 말한 모든 것은 어디까지나 강을 건너기 위한 뗏목일 뿐이다(『금강경』 「제6」: 汝等比

丘 知我說法 如筏喩者)." 이와 같이 C_N과 C_L은 여러분이 강을 건너 초록 CD_3이라
는 안전지대로 가기 위한 방편일 뿐이다. 이렇게 교육과정의 실체관은 철저하게
부정된다. 반면 여기서 신봉되는 것은 어디까지나 교육과정에 대한 탈-실체관이
다. 이때 탈-실체관은 교사가 교육과정 뼈대 Curriculum Frameworks와 대화의 통로를
개설해 놓고, 그 안에서 끊임없는 자기 성찰과 반성으로 자신만의 교육과정을 만
들어 가겠다는 입장이다. 이런 입장을 견지하는 사람은 아마 이렇게 외칠 것이다.
"나는 curriculum developer다. 나는 나만의 교육과정을 만들어 실천할 것이다."

5. 마무리: 교육과정을-자유자재로-부리는-교사
curriculum-proof-teacher가 되라

우리나라에서 지금 유통되고 있는 교육과정 재구성 담론도 매우 위태로워 보인
다. 이런 점을 직감할 수 있는 내용이 있다. 이를 읽어 보도록 하자.

> 학교 현장에서 교육과정 재구성은 국가 교육과정 개발자들의 의도와는
> 다른 양상으로 나타났다. 교과서는 하나의 학습자료가 아니라 절대적인
> 학습자료였다. 교사들에게 교과서는 교육과정이었다. 교사들은 국가 교
> 육과정 문서보다 교과서를 기준 삼아 교육과정을 재구성하였다. 교과서
> 를 분석하여 가르쳐야 할 내용을 확인하였고, 교과시의 내용을 효과직으
> 로 가르치기 위한 방법을 강구하였다. 즉, 무엇을 가르칠 것인가는 이미
> 정해진 것으로 받아들였고, 어떻게 가르칠 것인가에 중점을 두었다. 내
> 용과 방법은 완전히 분리되었고, 내용은 교사가 손댈 수 없는 영역으로,
> 방법은 교사가 알아서 할 수 있는 영역으로 구분되었다. 결국 교과서 내
> 용의 전달자로서 교사의 역할이 고착되는 결과가 되었다(서경혜, 2009:
> 179).

이와 같이, 현장에서 교사들은 분명 교육과정 재구성을 잘못 이해하고 있다.
이런 잘못의 큰 이유는 그들이 교육과정을 실체관적으로 바라보는 데 있다. 그리

고 더 나아가서 국가가 만들어서 제공한 교육과정 뼈대Curriculum Frameworks에 대한 교사들의 과도한 맹신 때문이다. 그리고 또 하나 더 있다. 그것은 **재/구/성**이라는 것이 근본적으로 내뿜고 있는 왜곡된 이미지도 한몫을 한다. 실체관적 사고틀에 빠져 있는 이들에게 재구성은 언제나 수동적negativus 소극성이 배여 있는 무엇이다. 그들에게 원본은 늘 있다. 그렇기 때문에 이런 소극적인 재구성은 원본 이미지를 그대로 간직하고 그 원본을 조금 변형시켜 원본과 엇비슷한 아류를 만들어내는 작업이다. 이것은 교육과정에 유형의 실체가 있다는 착각 증세의 일그러진 잔상이다. 그러나 교육과정 재구성은 언제나 창조의 이미지를 만들어야 한다. 그러므로 여기에는 적극적positivus 능동성이 있다. 이런 입장에서는 교육과정에 원본 같은 것은 없다. 있다면 거기에는 원본이라고 믿었던 그것마저도 넘어서는 새로움만이 있다. 그러므로 교육과정 재구성은 curriculum development의 개념과 필수적으로 만난다(Elliot, 2003: 395). 이러한 적극적인 재구성에 대한 정상적 이미지를 현장 교사들에게 다시 알려 주어야 한다. "현장 교사들이여! 국가 수준 교육과정은 언제나 하나지만 교사 수준 교육과정은 교사 수만큼 존재합니다." 이렇게 국가 수준 교육과정은 하나-주의The-ism이지만 교사 수준 교육과정은 여럿-주의a-ism이다. 따라서 교육과정을 재구성한다는 것은 '하나The Way'라는 국가 수준 교육과정을 어떻게든 넘어서서 '또 다른 하나a way'라는 길을 내는 일이다. 이렇게 자신의 길을 내는 자에게는 **교육과정 창도자**創導者 또는 **교육과정 창진자**創進者라는 이름이 따라붙는다.

앞으로 여러분은 국가 수준 교육과정의 노예가 되지 말고, 교사 수준 교육과정의 참다운 주인이 되라! 이것만이 교사에 대한, 교사에 의한, 교사를 위한 존재론적인 구원이리라. 아래 소식은 이 점을 우리 뇌리에 각인시켜 준다.

■ *Currere* is a latin word that translates "to run the racecourse." The word "curriculum" derives from *currere*, and its etymological history is fundamental for understanding the meaning of curriculum development. …… The most important thing to note about *currere* is that it defines curriculum as a *process* rather than simply as an *object* (Slattery, 2013: 298).

여러분! 교육과정에 대한 자신만의 잠재태와 잠재성을 발휘하라. 이때 잠재태는 이미 가지고 있는 무엇을 말하고, 잠재성은 가지고 있지는 않지만 앞으로 가질 수 있는 무엇을 말한다(Zizek/조형준, 2013: 418). 자신에게 맡겨진 고유한 임무가 소명召命, vocation이라면, 그것은 바로 교육과정을-자유자재로-부리는-교사curriculum-proof-teacher에 있다. 교사는 국가 수준 교육과정을 어떻게든 재즈jazz-화해야 한다. 이때 재즈-화란 국가 수준 교육과정을 자유자재로 연주할 수 있는 경지다. 그러면서 교실에서 자신만의 교육과정을 지배하는 최고optimum가 되라. "너는 할 수 있다. 왜냐하면 해야 하니까(Zizek/조형준, 2013: 979)." 사뮈엘 베케트는『고도를 기다리며』에서 이렇게 말했다. "이 모든 혼돈 속에서도 단 하나 확실한 게 있지. 그건 고도가 오기를 기다리고 있다는 거야(사뮈엘 베케트/오증자, 2000: 134)." Currere! Currere! 그렇다. 이 안에 존재론적 구원이 있다 하리라.

※ 이 장은 2013년도 한국어린이교육문화비평학회 연차학술대회의 기조강연문에서 가져온 것이다.

참고문헌(1, 2, 3장)

『금강경(金剛經)』

『성학십도(聖學十圖)』

『예기(禮記)』

『주역(周易)』

『한국불교전서(韓國佛教全書)』

『효경(孝經)』

고트프리트 마르틴(2005). 대화의 철학: 소크라테스. 이강서 옮김. 서울: 한길사.

곽병선(1983). 교육과정. 서울: 배영사.

교육과학기술부(2008). 초등학교 교육과정해설(I). 서울: 교육과학기술부.

김상봉(1998). 자기의식과 존재사유: 칸트철학과 근대적 주체성의 존재론. 서울: 한길사.

김상환(2000). 풍자와 해탈 또는 사랑과 죽음. 서울: 민음사.

김용옥(2009). **대학 · 학기 한글역주**. 서울: 통나무.

김정래(2002). **아동권리향연**. 서울: 교육과학사.

김형효(2001). **하이데거와 마음의 철학**. 수원: 청계.

로버트 존슨(2007). **당신의 그림자가 울고 있다**. 고혜경 옮김. 서울: 에코의서재.

리하르트 비서(2000). **하이데거: 사유의 도상에서**. 강학순, 김재철 옮김. 서울: 철학과현실사.

마르셀 레이몽(1999). **발레리와 존재론**. 이준오 옮김. 서울: 예림기획.

마르틴 하이데거(2005). **사유란 무엇인가**. 권순홍 옮김. 서울: 길.

마르틴 하이데거(2005). **이정표** 1. 신상희 옮김. 서울: 한길사.

마르틴 하이데거(2005). **이정표** 2. 이선일 옮김. 서울: 한길사.

마르틴 하이데거(2006). **철학 입문**. 이기상, 김재철 옮김. 서울: 까치.

문광훈(2002). 시의 **희생자 김수영**. 서울: 생각의 나무.

박성배(2009). 한국사상과 불교: **원효와 퇴계, 그리고 돈점논쟁**. 서울: 혜안.

버트란드 러셀(1990). **서양의 지혜: 그림과 함께 보는 서양철학사**. 이명숙, 곽강제 옮김. 서울: 서광사.

서경혜(2009). 교사들의 교육과정 재구성 실천 경험에 대한 사례연구. **교육과정연구**, 27(3), 159-189.

서명석(2005).『教育의 概念』. 2005학년도 봄학기 강의 노트. 미출판 자료집.

서명석(2011). 교육과정 재구성의 개념적 애매성과 모호성 비판. **교육과정연구**, 29(3), 75-91.

서명석(2012). 교과서를 바라보는 세 가지 관점과 해석. **교육철학**, 47, 55-74.

서명석 역(2007). **가르침과 배움의 현상학**(제4판). 서울: 경서원.

서명석 외(2007). **초등학교 교사론**. 서울: 학지사.

서욱동(2002). **들뢰즈의 철학: 사상과 그 원천**. 서울: 민음사.

성아우구스띤(2005). **고백론**. 최민순 옮김. 서울: 바오로딸.

성열관 · 이민정(2009). 교육과정 일치도 및 컨텐츠 맵의 유용성 비판적 활용 방안. **교육과정연구**, 27(3), 63-82.

신창호(2006). '교육(敎育)'과 '학(學)'의 근원에 대한 탐구. **동양고전연구**, 24, 315-344.

아리스토텔레스(2006). **니코마코스 윤리학**. 이창우, 김재홍, 강상진 옮김. 서울: 이제이북스.

염정삼(2007).『**설문해자주**』**부수자 역해**. 서울: 서울대학교출판부.

이정우(2000). **접힘과 펼쳐짐**. 서울: 거름.

이홍우(1991). **敎育의 槪念**. 서울: 文音社.

장상호(1997). **학문과 교육**. 서울: 서울대학교출판부.

조지아 원키(1999). **가다머: 해석학, 전통 그리고 이성**. 이한우 옮김. 서울: 민음사.

크리스토퍼 필립스(2001). **소크라테스 카페**. 안시열 옮김. 서울: 김영사.

테오도르 아도르노(1999). **부정변증법**. 홍승용 옮김. 서울: 한길사.

폴커 슈피어링(2007). **철학의 구라들**. 정대성 옮김. 서울: 이룸.

한형조 외(2009). **심경: 주자학의 마음훈련 매뉴얼**. 성남: 한국학중앙연구원.

허경철(2013). 국가 교육 비전과 국가 교육과정 발전과제 탐색. **국가 교육과정 포럼 제1차 전문가 토론회 자료집**, 1-32.

호세 오르테가 이 가세트(2006). **철학이란 무엇인가**. 정동희 옮김. 서울: 민음사.

川本 亨二(2001). **敎育原理**. 東京: 日本文化科學社.

Beckett, S. (1952). *En attendant Godot*. Les editions de minuit / 오증자 옮김(2000). **고도를 기다리며**. 서울: 민음사.

Elliot, J. (2003). The teacher's role in curriculum development. In D. Scott (Ed.), *Curriculum studies* (Vol. 3, pp. 388-414). London: Routledge Falmer.

Gadamer, H.-G. (1979). *Truth and Method*. William Glen-Doepel (trans.). London: Sheed and Ward.

Garrison, J., & Leachy, M. (2001). Dewey After Derrida. In V. Richardson (Ed.), *Handbook of research on teaching* (4th ed., pp. 69-81). Washington, D. C.: American Educational Research Association.

Glare, P. G. W. (Ed.) (1985). *Oxford Latin Dictionary*. Oxford At The Clarendon Press.

Glickman, C. D., Gordon, S. P., & Ross-Gordon, J. M. (2010). *SuperVision and in-structional leadership* (8th ed.). Boston: Pearson.

Gutek, G. L. (2001). *Historical and Philosophical Foundations of Education: A Bi-ographical Introduction*. New Jersey: Upper Saddle River.

Gutek, G. L. (2001). *Historical and Philosophical Foundations of Education: Selected Readings*. New Jersey: Upper Saddle River.

Hamilton, E., & Cairns, H. (Eds.) (1982). *The Collected Dialogue of Plato*. Princeton University Press.

Heyting, F., Lenzen, D., & White, J. (Eds.) (2001). *Methods in Philosophy of Educa-tion*. London: Routledge.

Holzer, E. (2007). Ethical Dispositions in Text Study: A Conceptual Argument. *Journal of Moral Education*, *36*(1), 37-49.

Jacobson, D. A. (1999). *Philosophy in Classroom Teaching*. New Jersey: Upper Saddle River.

Kant, I. (1960). *Education*. The University of Michigan Press.

Kohli, W. (Ed.) (1995). *Critical Conversations in Philosophy of Education*. New York: Routledge.

Love, K. (2009). Higher Education, Pedagogy and the 'Customerisation' of Teaching and Learning. *Journal of Philosophy of Education*, *42*(1), 15-34.

Marsh, C. J., & Willis, G. (2007). *Curriculum: Alternative approaches, ongoing issues* (4th ed.). New Jersey: Pearson

McNergney, R. F., & McNergney, J. M. (2007). *Education: The practice and profession of teaching* (4th ed.). Boston: Allyn and Bacon.

Ornstein, A. C., & Hunkins, F. P. (2013). *Curriculum: Foundation, principles, and is-sues* (6th ed.) Boston: Pearson.

Ornstein, A. C., & Levine, D. U. (2006). *Foundations of Education*. Boston: Houghton Mifflin Company.

Ornstein, A. C., & Levine, D. U. (2008). *Foundations of education* (10th ed.). Boston: Wadsworth, Cengage Learning.

Parkay, F. W., Anctil, E. J., & Hass, G. (2006). *Curriculum planning: A contemporary approach* (8th ed.). Boston: Pearson.

Priest, G. (2006). What is Philosophy? *Philosophy*, *81*, The Royal Institute of Philosophy, 189-207.

Roberts, P., Kellough, R. D., & Moore, K. (2011). *A resource guide for elementary school teaching: Planning for competence*. Boston: Pearson.

Ryan, K., & Cooper, J. M. (2007). *Those who can, teach* (11th ed.). Boston: Houghton Mifflin Company.

Shkedi, A. (2009). From curriculum guide to classroom practice: Teacher's narratives of curriculum application. *Journal of Curriculum Studies*, *41*(6), 833-854.

Slattery, P. (2013). *Curriculum development in the postmodern era: Teaching and learning in a age of accountability* (3rd ed.). New York: Routledge.

Spencer, H. (1896). *Education: Intellectual, Moral and Physical*. New York: D. Appleton and Company.

Tanner, D., & Tanner, L. (2007). *Curriculum development: Theory and practice* (4th ed.). New Jersey: Pearson.

Trombley, S. (2012). *Fifty thinkers who shaped the modern world*. UK: Atlantic Books. / 김영범 옮김(2013). **인문학 지도**. 서울: 지식갤러리.

Wallace, S. (2008). *Dictionary of education*. New York: Oxford University Press.

Whitehead, A. N. (1955). The Aim of Philosophy. In D. J. Bronstein, Y. H. Krikorian, & P. P. Wiener (Eds.). *Basic Problems of Philosophy*. N. J.: Prentice-Hall.

Wiles, J., & Bondi, J. (2002). *Curriculum development: A guide to practice* (6th ed.). New Jersey: Pearson.

Zizek, S. (2012). *Less than nothing: Hegel and the shadow of dialectical materialism* ❶. London: Verso. / 조형준 옮김(2013). **헤겔 레스토랑: 헤겔의 변증법적 유물론의 그늘**. 서울: 새물결.

Zizek, S. (2012). *Less than nothing: Hegel and the shadow of dialectical materialism* ❷. London: Verso. / 조형준 옮김(2013). **라캉 카페: 헤겔의 변증법적 유물론의 그늘**. 서울: 새물결.

제2부

교육과 심리학

송 재 홍

제4장

교육과 심리학

교실은 에너지가 넘치고 흥분과 놀라움으로 가득하며 삶이 형성되는 공간이다. 그러나 이러한 교실은 우연히 만들어지는 것이 아니며, 유능한 교사와 그의 반성적인 실천에 의해서 창조될 수 있다. 교생이나 초임교사가 되어 첫날 수업을 끝내고 나면 교사들은 많은 의문을 갖게 된다. 가르치게 될 학생은 누구이고, 그들의 관심을 끌려면 어떻게 해야 하는가? 학생들에게 동기를 유발하고 흥미를 지속시키며 수업 속도를 유지하려면 어떻게 해야 하는가? 학생들은 수업 내용을 이해하는가? 수업에 따라오지 못하는 학생에게는 어떻게 해야 하는가? 수업 시간에 교실 규칙을 어기거나 수업을 방해하는 학생에게는 어떤 조처를 취해야 하는가? 그리고 동료 교사와는 어떤 관계를 유지해야 하는가?

교실에서는 매일 많은 일들이 일어나고 있으며, 교사는 끊임없이 결정을 내려야 한다. 또한 교사가 어떤 선택을 하느냐에 따라 교실의 모습은 매우 다양할 수 있다. 교실은 각기 개성이 다르고 요구가 다양한 학생이 30여 명 이상 모여서 생활하는 작은 공간이지만, 교사가 학생들과 함께 풀어야 할 문제는 너무도 많다. 따라서 교직은 고상한 직업인 동시에 어렵고 복잡한 과정이다. 이는 교실에서 잠재적으로 숨어 있는 학생들의 학습능력을 최대한으로 이끌어 내기 위해 계획을 세우고 실천하는 방법을 아는 교사를 요구한다. 이 과정은 수학 공식이나 요리법처럼 정해진 방법이나 어떤 지름길이 있는 것도 아니다. 이는 교사가 되려는 사람에게 가르치는 자가 되기보다는 먼저 배우는 자가 될 것을 제안하고 있으며, 끊임없는 반성적 실천가로서 삶의 자세를 요구하고 있다.

1. 프롤로그: 유능한 교사의 꿈

여러분이 꿈꾸고 있는 이상적인 교사의 모습은 무엇인가? 아래의 물음에 대답하면서 이상적인 교사에 대한 자신의 생각을 정리해 보라.

- 교사는?
- 이상적인 교사는?
- 이상적인 교사가 되기 위해 필요한 것은?

교직은 고귀한 직업이다. 교육은 변화를 가져올 수 있으며, 능력 있는 교사는 진실로 학생들의 삶을 변화시킬 수 있다. 교사는 단지 양육자를 대신하는 것 이상이다. 교사는 학생의 학습에 중요한 영향을 끼치는 사려 깊은 전문가다. 이러한 일련의 주장은 여러분의 경험과 진정으로 일치하는가?

교사가 되고자 하는 사람들은 누구나 유능한 교사가 되고자 하는 꿈을 지니고 있다. 그러나 아무런 노력도 없이 누구나 유능한 교사가 되는 것은 아니다. 20년 경력의 교사가 있는 반면에 1년 경험을 20년간 반복하는 교사가 있을 수 있다. 매년 발전하는 교사는 새로운 아이디어를 받아들이고 자신의 교수활동을 비판적으로 바라본다.

1) 수업 전문가로서의 교사

유능한 교사가 되기 위해서는 우선 가르칠 내용의 전문가가 되어야 한다. 그러나 특정 교과의 지식을 섭렵하는 것만으로는 유능한 교사가 될 수 없다. 유능한 교사는 가르칠 내용에 정통해야 할 뿐만 아니라 그 내용을 가지고 학습자와 제대로 의사소통할 수 있어야 한다. 유능한 교사는 무엇보다 수업 전문가다. 수업 전문가 instructional expert란, 학습을 유도할 목적으로 어떤 행동을 할 때 교사가 가정하는 역할을 말한다(Seng et al., 2006). 교사는 학습자의 학습을 촉진하기 위한 활동을 계획하며, 또 학습자의 학습활동과 학습경험으로부터 생겨나는 학습성과를 평가할 책임이 있다. 이 역할을 성공적으로 수행하려면 교사는 교과에 대한 풍부한 지식을 지니고 있을 뿐만 아니라 교육학적 내용 지식을 함께 갖추어야 한다(Shulman, 1987). 교육학적 내용 지식이란, 학습자에게 정보를 효과적으로 제공하는 방법에 관한 것이다. 이는 학생들의 연령과 배경이 학습에 영향을 준다는 것을 이해하고 그것을 수업 과정에 반영하는 것과 관련된다.

2) 생활 안내자로서의 교사

훌륭한 교사는 또한 생활 안내자이자 인생 상담자로서의 역할을 함께 수행한다. 교사는 학습 과정을 촉진하기 위해서 학급의 구조와 질서를 만들고 생산적인 학습환경을 창조해야 한다(Doyle, 1983, 2006). 훌륭한 교사는 단지 지식만을 가르치는 사람이 아니며, 민주적 시민으로서 성공적인 삶을 살아가는 인간의 모범자인 동시에 멘터mentor로서 학생들의 인생에 결정적인 영향을 미친다. 또한 교사는 학생들이 겪는 정서적 · 사회적 스트레스 요인과 발달적 문제를 찾아서 적절한 도움을 주거나 좀 더 전문적인 도움을 받을 수 있도록 안내해야 한다. 이는 배우고 가르친다는 것이 단지 '지식 습득'뿐만 아니라 전인적인 발달과 관련된다는 사실을 이해할 때 가능하다.

3) 반성적 실천가로서의 교사

좋은 수업이란 부분적으로는 예술이고 부분적으로는 과학이다(Snowman & Biehler, 2004). 그것은 교사가 공식적으로 습득한 지식뿐만 아니라 그가 지니고 있는 정서, 신념 및 가치에서도 나오는 것이다. 모든 교수 행위를 과학적인 근거에 기초하여 시도하는 교사는 자칫 경직되고 기계적으로 움직이는 경향이 있으며, 융통성이 부족하고 과단성이 없는 것처럼 보일 수도 있다. 반대로 교수와 학습에 관한 과학적 지식을 무시하고 임의대로 결정하는 교사는 유행에 따르고 싶은 유혹에 빠지거나 비효과적인 방법을 사용할 위험성을 갖고 있다. 좋은 수업이란 예술적 요소와 과학적 요소를 정교하게 혼합한 것이라야 한다. 사람들은 대부분 교사들이 기술적인 면에서도 유능해야 하고 독창적이어야 한다는 데 동의한다. 그러나 교사는 폭넓은 교수전략을 사용할 줄 알아야 하고 때로는 새로운 전략을 창출해 내야 한다.

　여러분은 자신의 수업을 향상시키기 위해 어떤 노력을 시도할 수 있는가? 무엇보다도 교사가 자신의 능력을 개발하고 수업의 예술적 요소와 과학적 요소를 조화롭게 통합할 수 있으려면 무엇보다도 성찰적 사고reflective thinking가 필요하다. 교사는 자신의 수업이 향상되고 있는지를 반성해 보고, 잘하고 있는 것과 그렇지 못한 것, 그리고 그 이유를 이해하려고 노력할 필요가 있다. 수업을 통해 교사가 수행하는 역할은 학생들의 학습과 독립심이 증가하도록 격려하고 지원하는 자료, 과제, 환경, 대화와 탐색을 조화롭게 지휘하는 것이다. 성찰적인 교사는 학생들과 수업하기 전이나 수업하는 도중 그리고 수업을 마친 후에 교실에서 자신의 행위를 사려 깊게 관찰하고 분석하는 데 언제나 열심이다(Snowman & Biehler, 2004). 수업 전에는 학생들이 학습해야 할 지식과 기능의 유형, 이러한 학습에 최적의 교실 환경과 수업기술의 종류, 평가의 종류 등에 대해 생각한다. 수업을 진행하는 동안 학생들과 상호작용할 때는 학생들에 대한 자신의 반응을 잘 인식하고 학습 목표를 향해 이루어야 할 중요한 변화를 시도한다. 그리고 수업 후 또는 방과 후에는 수업 중에 다루기 곤란한 사건에 대해 성찰의 기회를 가진다. 성찰적인 교사가 되려면 무엇보다도 내부 지향성, 열린 마음과 호기심, 그리고 자신의 결정과 행위에 대해 책임을 지려는 태도를 가져야 한다.

2. 과학적 심리학의 진화와 교육심리학

여러분은 심리학이 어떤 학문이라고 생각하고 있는가? 아래의 물음에 대답하면서 심리학에 대한 자신의 생각을 정리해 보라.

- 심리학은?
- 가장 궁금한 심리학적 질문은?
- 위의 질문에 대답하기 위한 구체적인 접근은?

"심리학은 과학이다." 여러분은 이 명제에 얼마나 동의하는가? 여러분은 은

연중에 "왜 심리학이 과학인가?"라고 의심의 눈초리를 나타낼 수도 있다. 그러나 심리학 개론서에는 "심리학은 때로는 마음의 과학이라고도 정의되고 때로는 행동의 과학이라고도 정의되는 하나의 연구 분야로, 그것은 유기체가 왜 그리고 어떻게 자기가 하고 있는 행동을 하는가를 다루는 분야다."(Myers, 2008)라고 기술되어 있다. 더욱이 심리학자들은 과학으로서 심리학의 학문적 정체성에 대해 끊임없는 논쟁을 통해 괄목할 만한 인식의 변화를 이룩했다. "심리학은 과학이다."라는 명제에 대한 인식의 변화는 과학으로서의 심리학이 이룩한 학문적 진화의 과정을 반영할 뿐만 아니라 또한 심리학을 공부하는 학도들이 자신과 세상을 바라보고 관계하는 방식의 변화를 견인할 수 있다. 따라서 우리는 "심리학은 과학이다."라는 명제를 어떻게 정당화할 수 있으며, 심리학이 과학으로서 학문적 지위를 견고하게 정립하기 위해서 어떻게 진화했는지를 알아야 한다.

1) 의식에 대한 근원적 질문과 과학적 심리학의 탄생

"심리학은 과학이다."라는 명제를 정당화하는 방법은 다양하다. 한 가지 방법은 몇몇 심리학자들의 일상을 들여다보면서 그들이 심리학적 주제를 탐구하고 심리학적 물음에 대한 해답을 구하는 과정에서 추구해 온 학문적 노력을 소개하는 것이다. 그들은 심리학적 쟁점에 대해서 모종의 가설을 세우고 그 가설을 검증하는 일련의 체계적 절차를 통해 객관적으로 확인된 경험적 자료에 기초하여 다양한 심리 현상을 설명하고 심리 문제를 해결하기 위한 이론적 지식 기반을 구축한다. 심리학자心理學者는 물리학자物理學者나 생리학자生理學者와 마찬가지로 체계화된 실험적 절차를 통해 경험적 근거를 수집하고 그 근거를 바탕으로 인간의 행동과 정신 과정에 대한 일련의 가설을 검증한다.

여러분이 "심리학은 과학이다."라는 명제에 호기심을 갖게 된다면, 여러분은 초창기 심리학자들이 마음, 곧 '심心'의 세계에 과학적으로 접근하기 위해 탐구하려 했던 근원적인 질문과 탐구 과정을 체계적으로 이해할 필요가 있다. 심리학이 과학의 한 분야로서 학문의 역사에 등장하게 된 것은 19세기 말에 와서다. 1879년에 빌헬름 분트W. Wundt는 자신의 연구실에 '심리학 실험실'이라는 문패를 내걸어 심리학의 전통적 주제인 의식을 과학적 탐구의 한 영역으로 인정했다(Hearst, 1994). 초기 심리학자들은 물리학적인 탐구 방법을 통해 의식, 곧 사물의 인식 현상에 대한 다음 두 가지 근원적인 질문에 대한 답을 얻고자 했다.

① 인간이 특정한 물리적 현상을 의식하기 위해서는 자극의 강도가 최소한 어느 정도 유지되어야 하는가?

② 인간이 두 개의 근접한 물리적 현상을 서로 다른 것으로 인식하기 위해서는 두 자극의 강도가 최소한 어느 정도의 차이를 유지해야 하는가?

첫 번째 질문에 대한 대답을 얻기 위해서 그들은 특정 물리적 자극의 강도 (예: 빛의 밝기)를 일정한 간격으로 증가시키면서 그 자극을 의식하는지 여부를 내성적으로 관찰함으로써 그 자극을 인식하는 데 필요한 최소한의 강도를 확인하고자 시도했다. 마찬가지로 두 번째 질문에 대한 대답을 얻기 위해서 그들은 두 개의 근접한 물리적 자극에 대한 강도의 차이(예: 빛의 파장)를 일정한 간격으로 증가시키면서 그 자극들이 다르게 인식되고 있는지를 스스로 성찰함으로써 두 자극의 차이를 인식하는 데 필요한 최소한의 강도 차이를 확인하고자 시도했다.

이 두 가지 질문은 인간의 정신 현상을 과학적으로 설명하기 위해서 반드시 규명되어야 하는 근원적인 물음이다. 과학적 심리학의 관점에서 볼 때, 유기체의 정신적 작용은 세상에 존재하는 특정 물리적 현상에 대한 인식과 관계 맺음에 의해 가능하기 때문이다. 더욱이 미세한 자극의 차이를 인식하고 그러한 차이에 적절히 대응하는 유기체의 능력은 생존을 위한 기본적인 정신 자원으로서 모든 학습과 발달의 출발점이기도 하다. 따라서 초기 심리학의 근원적 질문과 탐구 방법을 이해하는 것은 "가르치는 일이 왜 필요한가?" 그리고 "무엇을 어떻게 가르쳐야 하는가?"라는 교수학적인 문제에 대한 해답을 얻기 위한 대안적인 접근을 제공할 수 있다.

2) 과학적 심리학의 정체성에 관한 논쟁과 학문적 진화

"왜 심리학이 과학인가?"라고 하는 의문은 부분적으로 인간 인식의 왜곡된 한계를 반영하기도 하고 부분적으로 학문 공동체의 생태적 습성을 반영하기도 한다. 오랫동안 사람들은 은연중에 인식의 대상으로 '사물物'의 세계와 '정신心'의 세계를 구분하고 각각의 세계에 대한 인식 방법을 달리 규정함으로써 과학적 인식의 주제에서 심리 현상을 제외하는 경향이 있었다. "심리학은 과학이다."라는 명제를 정당화하려면 특정한 학문 영역이 과학의 한 분야로 인정받기 위해서 갖추어야 할 전제조건을 좀 더 분석적이고 체계적으로 입증할 수 있어야 한다. 그것은 "심리학자들이 어떤 현상을 학문적 탐구 주제로 삼고 있는가?" 하는 문제뿐만 아니라 "그들이 그러한 주제를 탐구하기 위해 어떤 접근을 채택하고 있는가?" 하는 문제에 대해서 명쾌한 답을 제시하는 것이다.

　　모든 정신 현상을 경험적으로 설명하는 것은 불가능할 수도 있다. 초기 심리학자들도 과학적 탐구의 대상을 감각이나 지각과 같이 낮은 수준의 정신 기능에 국한시켜 왔으며 오랫동안 고등 정신 기능을 대부분 과학적 탐구 대상에서 배제해 왔다. 분트나 티치너E. B. Titchner와 같은 초기 구성주의 심리학자들은 의식을 물질처럼 작은 요소로 나눌 수 있다고 가정하고 내관법introspection을 사용하여 과학적으로 접근하고자 시도했으나, 이러한 접근은 초기 심리학자들 사이에서 의식의 성질에 대한 거센 논쟁을 불러일으켰다. 베르트하이머M. Wertheimer나 쾰러W. Köhler 등 형태주의 심리학자들은 의식은 요소로 구분될 수 있는 것이 아니며 의식되는 전체는 부분적인 요소들의 합 이상이라고 주장하고 지각 현상의 연구에 집중했으며, 제임스W. James나 듀이J. Dewey와 같은 미국의 기능주의 심리학자들은 의식이 고정되어 있는 실체라기보다는 개인이 환경에 적응하는 과정에서 끊임없이 변화하는 흐름이라고 가정하고 구체적인 생활 사태에서 드러나는 행동의 관찰을 통해 접근할 수 있다고 주장했다.

　　이처럼 의식의 성질에 대한 초기 심리학자들의 견해 차이는 과학으로서 심리학의 학문적 정체성에 대한 논쟁을 불러일으켰으며, 의식은 객관적 검증 가능성의 한계로 인해 과학적 심리학의 연구 주제에서 점차 사라지게 되었다. 왓슨J. B. Watson, 파블로프I. Pavlov, 스키너B. F. Skinner와 같은 행동주의 심리학자들은 과학적 탐구의 주제에서 의식을 배제하고 심리학이 과학으로서 학문적 정체성을 확립하기 위해서는 직접적으로 관찰될 수 있고 측정될 수 있는 객관적 근거에 기초해야 한다고 주장했다. 그리하여 그들은 심리학의 탐구 주제는 의식이 아니라 행동에 초점이 맞추어져야 한다고 전제하고 심리학을 '인간과 유기체의 행동에 관한 과학적 탐구'라고 정의했다(Hilgard & Atkinson, 1967; Morgan & King, 1971). 그 결과, 초기 심리학의 주제는 조작적 정의와 행동적 관찰이 가능한 용어로 재구성되었다. 즉, 의식은 행동으로, 지각은 변별로, 기억은 학습으로, 언어는 언어적 행동으로 대치된 것이다. 유기체의 행동적 반응은 환경의 외부 자극에 의해 형성되고 소멸된다고 가정함으로써, 행동주의 심리학자들은 자극과 반응의 일관성 있는 관계를 탐색하고 자극 통제나 환류 시스템(예: 강화, 벌)을 통해 행동 변화의 원리를 제시했다. 이러한 접근은 컴퓨터의 등장과 더불어 인간의 심리 현상에 대해 좀 더 정교한 과학적 탐구 방법이 등장할 때까지 오랫동안 심리학에서 정설로 인정받아 왔다.

그러나 행동주의 심리학의 기본 가정에 대한 비판과 컴퓨터 유추에 기초한 인간정보처리모형의 등장으로, 인간의 의식과 정신 과정에 대한 학자들의 관심이 부활하게 되었다. 이른바 인지혁명cognitive revolution으로 회자되는 인지심리학의 등장이 그것이다. 초기 인지심리학자들은 컴퓨터의 정보처리 시스템에서 인간의 기억 시스템을 유추하여 다중기억모형multi-storages model(Atkinson & Shiffrin, 1968)을 제안함으로써 인간의 기억 현상과 지식 표상에 대한 과학적 탐구를 촉진하고 심리학의 탐구 주제를 사고, 언어, 문제해결과 같은 고등 정신 기능으로 확장했다. 그리하여 심리학은 '인간의 행동과 정신 과정에 관한 과학'으로 재정립되었다(Atkinson et al., 1987; Myers, 2008). 그 결과, 심리학자들은 과학으로서 심리학의 학문적 정체성에 대해 끊임없는 논쟁과 학문적 진화를 통해 괄목할 만한 인식의 변화를 이룩했다. 더욱이 양자이론의 등장으로 '사물物'과 '정신心'의 경계가 뚜렷하지 않고 끊임없이 상호작용하는 역동 체계라는 것이 점차 분명해지면서 엄격한 과학주의는 오히려 물질 현상과 정신 현상 모두의 합리적 이해에 혼란을 초래하고 있다. 최근 인지심리학자들은 신경과학으로부터 두뇌 영상 기법과 같은 새로운 장치를 도입하여 인간이 인지 과제를 수행하는 동안 두뇌에서 발생하는 활동을 체계적으로 관찰함으로써 심리학의 지평을 더욱 확장하고 있다. 일부 심리학자들은 탈인지주의post-cognitivism를 표방하고 체화된 인지embodied cognition와 내러티브 접근narrative approach을 부각시키고 있으며, 심리학을 '사람, 마음, 뇌에 대한 과학적 연구'로 새롭게 정의하고 있다(Cervone, 2017).

　　이와 같이 과학적 발견과 논쟁은 우리의 인식 체계를 전환시키는 기회를 제공한다. 즉, 우리는 과학적 발견에 대한 학습을 통해 감각적이고 직관적인 경험에 의존하여 형성된 상식적 수준의 관념 체계를 체계적이고 논리적인 분석에 기초하여 구성된 과학적 수준의 개념 체계로 재무장한다. 이른바 '코페르니쿠스적 전환'이라고 하는 것은 그 사건에만 국한되는 것은 아니며, 과학 또는 과학으로서의 심리학의 역사가 알고 보면 크고 작은 코페르니쿠스적 전환의 연속이라고 할 수 있다. 사실 일부 학자들이 "과학의 역사는 끊임없는 합리적이고 건설적인 자기부정의 역설이다."라고 주장하는 이유도 여기에 있다. 많은 과학자와 심리학자들은 자신에게 펼쳐지는 새로운 경험을 자신이 지닌 기존의 신념에 의해 부정하거나 왜곡하지 않고 개방적으로 받아들임으로써 인간의 지적 한계를 뛰어넘을 수 있는 전기를 만들었으며, 이러한 전기를 통해 인간이 당면하는 문제를 해결하는 데 결정적인 열쇠를 제공할 수 있었다.

　　우리는 심리학의 역사를 통해 이처럼 합리적인 자기부정과 건설적인 자기창조를 통해 인간의 행동과 정신 현상에 대한 과학적 이해를 확장하고 학습의 문제와 일상의 문제를 정의하고 해법을 찾는 데 위대한 진전을 이룩한 수많은 과학자를 만날 수 있다(Hearst, 1994). 분트와 제임스는 실험심리학의 개척을 위해 선구적인 업적을 남겼고, 파블로프와 스키너는 경험과 행동의 관계에 대한 과학적 인식의 지평을 확장하는 데 결정적 기여를 했으며, 반두라A. Bandura는 사회적 상황에서 이루어지는 관찰학습의 중요성을 부각시켰다. 프로이트S. Freud와 융C. Jung은 무의식 세계에 체계적으로 접근할 수 있는 길을 개척했고, 매슬로A. Maslow와 로저스C. Rogers는 개인의 내면세계에 잠재된 자기실현 가능성을 부각시켰으며, 셀리그만M. Seligman은 인간 정신의 긍정성 회복을 위한 긍정심리학을 주장했다. 또한 비네A. Binet와 시몽T. Simon은 인간의 지적 능력을 측정하기 위한 심리검사를 개발하는 데 성공했고, 스턴버그R. Sternberg와 가드너H. Gardner는 전통적인 지능검사에 기초한 인식의 한계를 지적하고 인간의 지적 능력을 실제적 영역으로 확장했으며, 드웩C. Dweck은 정신 능력의 변화 가능성에 대한 개인의 신념이 그의 지적 능력에 결정적인 영향을 미친다고 주장하고 성장 마인드셋growth mindset을 육성하기 위한 혁신적 프로그램을 개발했다. 그리고 피아제J. Piaget와 그의 추종자들은 인간의 지적 능력에 대한 인식의 틀을 근본적으로 변화시켰으며, 비고츠키L. Vygotsky와 그의 추종자들은 고등 정신 기능의 사회적 구성을 부각시켜 공동체 복지 구현을 위한 협력 학습의 중요성을 강조했다. 맥클리랜드J. McClelland와 러멜하트D. Rumelhart를 중심으로 한 PDP 연구 집단은 창의성의 비밀을 푸는 열쇠를 제공했고, 칙센트미하이M. Csikszentmihalyi와 피셔G. Fisher는 창의성이 대개 한 개인의 두뇌에서 일어나는 것이라기보다는 사회적 맥락에서 다른 사람이나 인공물과의 상호작용을 통해 집단 지식을 구체화하는 과정에서 일어난다고 주장하여 사회적 차원에서 창의성의 중요성을 강조했다.

이처럼 심리학자들은 인간의 정신 현상에 대한 탐구의 주제와 방법을 확장시켜 심리학의 학문적 진화를 이룩함으로써 인간의 행동과 정신 과정에 대해 식자들 사이에서조차 상식으로 굳어 버린 부정확하고 왜곡된 신념 체계를 더욱 현실적이고 합리적인 구성 개념으로 전환하고, 이를 통해 인간의 행동을 좀 더 통합적으로 이해하고 건설적으로 대처할 수 있는 합리적인 책략을 구상하는 데 큰 기여를 해 왔다. 서두에서 언급했듯이, "심리학은 과학이다."라는 명제에 대한 인식의 변화는 과학으로서의 심리학이 이룩한 역사적 진화의 과정을 반영할 뿐만 아니라 또한 심리학을 공부하는 학도들이 자신과 세상을 바라보고 관계 맺는 방식의 변화를 견인할 수 있다. 따라서 과학으로서 심리학을 공부하는 학도들은 단지 심리학자들의 업적을 음미하는 것만으로는 자신의 학습목표를 달성했다고 할 수 없을 것이다. 여러분은 심리학자들이 불합리한 상식을 극복하기 위해서 도전했던 문제와 그것을 해결하기 위해 시도했던 탐구활동을 모방하고 체화함으로써 자신의 직관적인 경험이나 왜곡된 정보로부터 잘못 구성했을 수도 있는 다양한 수준의 상식적 관념 체계를 비판적이고 경험적으로 검증하여 좀 더 과학적인 개념 체계로 재무장해야 한다. 그리하여 학습의 문제는 물론 일생의 문제를 해결하는 과정에서 인식 영역의 확장을 추구하고 합리적인 판단과 지혜로운 결정을 내리기 위한 지식 기반과 신념 체계를 구축할 수 있어야 한다.

3) 교육심리학의 출현과 교실 수업 연구

물론 심리학은 교육을 안내하는 유일한 학문은 아니며, 철학, 사회학, 인류학 등 수많은 학문들이 교육에 대해 나름대로 시사점을 제공하고 있다. 그러나 심리학은 인간의 행동과 정신세계를 직접적인 탐구 대상으로 한다는 점에서 그것을 변화시키려는 의도를 가지고 체계적으로 접근하는 교육과 가장 직접적이고 공변적인 관계를 갖고 있음을 부인하기 어렵다.

초기의 교육심리학은 심리학의 원리와 방법을 교육에 응용하는 분야로서 출발했으나, 오늘날에는 독자적인 연구 대상과 과제 그리고 방법론을 구축한 독립적인 과학의 한 분야로 자리매김하고 있다(이성진, 1999). 초기 교육심리학의 발전에 공헌한 사람으로는 손다이크E. L. Thorndike와 저드C. H. Judd를 들 수 있다. 손다이크(Thorndike, 1913a/b/c)는 세 권의 교육심리학 시리즈를 출간하여 교육심리학이 독립적인 학문으로 성장하는 토대를 구축했다. 제1권은 인간의 생득적 성질에 관한 것이고, 제2권은 학습심리학에 관한 것이며, 제3권은 개인차와 그 요인에 관한 것이다. 그는 학습이론과 동물실험 그리고 자료의 수량화를 강조했다. 또한 저드(Judd, 1939)는 학교 현장에 초점을 맞추어 교과목과 교수법에 대한 실험적·이론적 연구에 전념하고 교육의 기회균등과 같은 교육 민주화의 필요성을 강조했다. 그 밖에도 위트록(Wittrock, 1967, 1992)은 끊임없이 교육심리학이 기초학문이라는 관점을 부각시켰으며, 스키너(Skinner, 1954, 1957)의 강화이론에 대한 반성은 브루너(Bruncr, 1966)의 발견학습이론과 오수벨(Ausubel, 1963)의 유의미학습이론을 촉발시키는 촉매제가 되었다.

오늘날 교육심리학은 유능한 교사가 되기 위해서 알아야 할 학습자와 교수-학습 과정에 대한 다양한 이론과 실제에 관한 지식을 다루고 있다(김언주, 구광현, 1999). 교육심리학 개론서의 내용은 대개 학습자의 발달과 개인차, 학습이론과 과정, 동기, 교실관리와 수업, 평가의 다섯 가지 영역으로 구성되어 있다. 게이지와 베를리너(Gage & Berliner, 1998)가 제시하고 있는 교수-학습 과정 모형은 다음과 같다.

- 교사는 수업 전에 학습자의 다양한 특성을 고려하여 수업목표를 설정해야

한다. 이때 교육심리학은 학습자의 인지적 · 정의적 발달과 개인차는 물론 수업목표의 설정 및 세분화에 관한 이론적 · 실제적 지식을 다룬다.

- 유능한 교사는 학습동기의 특성과 효과적인 동기유발 방법에 관한 교육심리학의 다양한 연구 결과를 활용할 수 있다.
- 교사는 학습내용의 특성과 학습자 및 집단의 특성을 고려하여 최적의 교수방법을 선택하여 적용하기 위해 교실관리와 수업에 대한 교육심리학적 지식을 활용할 수 있다.
- 교사는 검사와 평가에 관한 지식을 활용하여 처음에 설정했던 목표가 얼마나 효과적으로 달성되었는지를 확인할 수 있다.

교육심리학은 교육과 훈련이 일어나도록 의도된 특수한 환경 속에서 사람들이 가르치고 배울 때 생각하고 행하는 바가 무엇인지를 연구해야 한다. 이러한 주장은 가장 효과적이고 유능한 교사가 되기 위해서는 학습자의 지적 · 정의적 발달과 사회문화적 차이, 학습과 인지적 문제해결 과정, 자아존중감과 동기, 그리고 검사와 측정 등과 같은 다양한 측면을 이해할 필요가 있음을 시사한다.

최근 미국심리학회 교육사무국에서는 교육을 개선하기 위한 노력은 학습자 중심 수업을 위한 14개 심리학적 원리에 기초해야 한다고 제안함으로써 교실 학습에서 이러한 논제의 중요성을 부각시켰다(American Psychological Association, 1997). 이 원리들은 크게 인지 및 초인지적 요인(학습 과정, 지식의 구성, 전략적 사고, 사고에 관한 사고, 학습환경), 정서적 요인(학습에서의 동기와 정서, 내적 학습동기 유발, 노력에 대한 동기의 효과), 발달 및 사회적 요인(학습에 대한 발달적 및 사회적 영향), 개인차 및 평가 요인(개인차, 다양성, 표준과 평가)을 포함한다.

3. 교육심리학의 학문적 성격과 역할

여러분이 꿈꾸고 있는 이상적인 교실(수업사태)은 어떻게 창조될 수 있는가? 아래의 물음에 대답하면서 이상적인 교실을 창조하는 방법에 대한 자신의 생각을 정리해 보라.

- 교실(수업사태)은?
- 이상적인 교실(수업사태)은?
- 이상적인 교실을 창조하기 위한 구체적인 전략은?

　교육심리학educational psychology은 학생들이 교실 장면에서 형식적인 수업을 통해 다양한 능력을 획득하는 방법에 대한 이해 증진에 관심을 기울이는 과학적 학문으로 정의된다(Snowman & Biehler, 2004). 그것의 목표는 교육과정의 질과 결과를 향상시키기 위해 교육에 관계되는 심리학 지식을 이용하는 것이다. 따라서 교육심리학자들은 사람을 교육하는 최선의 방법을 구하는 질문에 대해 과학적인 대답을 발견하려고 노력한다. 이러한 노력은 교사와 다른 교육전문가들이 자신의 업무를 최선으로 해내기 위한 여러 가지 문제에 해답을 줄 수 있다.

1) 교육심리학이 교사에게 주는 가치

교육심리학의 목적은 교사를 비롯하여 교육에 관여하는 사람들에게 도움이 되는 다양한 이론을 경험적으로 검증하는 것이다(Slavin, 2013). 교실에서 수업이 진행되고 있는 동안에 어떤 학생이 떠들거나 장난을 치거나 하여 교실 규칙을 어기고 수업을 방해하는 행동을 한다면 여러분은 어떻게 대처하겠는가? 그 이유는 무엇인가? 어떤 학생이 수업 중에 교실 규칙을 무시하는 행동을 했을 때, 교사는 그 학생이 잘못된 행동을 하고 있는 이유와 적절한 행동을 할 수 있도록 동기를 부여할 수 있는 것이 무엇인가를 설명하는 이론에 기초해서 여러 가지 대안을 생각해 볼 수 있다. 이를테면, 교사는 그 학생을 꾸짖거나 교무실로 부를 수도 있고, 무시하거나 학년 초에 세운 자신들의 규칙을 상기시킬 수도 있으며, 또는 좋은 학습환경을 유지하는 것에 대한 공동의 책임을 물어 모든 학생에게 쉬는 시간의 일부를 박탈할 수도 있을 것이다. 이러한 상식적인 반응들은 그 나름대로 이론적 근거를 가지고 있을 것이다. 그러나 어떤 반응이 성공할 것인가는 교사의 능력, 즉 교사가 얼마나 교실의 특성을 구성하는 다양한 요인들의 독특한 배합을 이해하고 가장 적절한 이론을 적용할 줄 알고 있는가에 달려 있다.

교육심리학은 교사가 되고자 하는 학생들에게 유능한 교사가 되도록 도움을 줄 수 있다. 초보적인 교사와는 달리 유능한 교사는 지식의 양과 깊이, 효율성, 그리고 업무상 발생하는 문제에 관한 통찰력이 있다(Sternberg & Williams, 2010). 교육심리학은 유능한 교사가 되기 위해 알아야 할 학습자와 교수-학습 과정에 대한 다양한 이론과 실제에 관한 지식을 다룬다. 이러한 지식은 교사가 되려는 사람들이 유능한 교사의 자질을 발달시킬 수 있도록 안내할 것이다. 그리고 그것은 교사에게 매일 사용할 수 있는 중요한 배경 지식을 제공하고, 효과적인 교수활동에 필요한 기술을 검토하여 효율적인 교사가 되도록 돕고, 또한 교직생활에서 부딪히게 될 문제에 대한 통찰력을 발달시키는 데 도움이 될 것이다.

교육심리학은 학습자, 학습 그리고 교수(수업, 교실관리, 평가)에 관한 학문이다. 그것은 교수-학습 과정에 연관된 누적된 지식과 지혜, 그리고 모든 교사가 교육 현장에서 부딪치는 일상적인 문제를 현명하게 해결하기 위해 지니고 있어야 하는 실천적 이론이다(Eggen & Kauchak, 2011). 해마다 교육심리학자들은 교사들에게 도움이 되는 교수-학습 원리를 발견하거나 개선한다. 이러한 원리 중에는 상식적인 것에다 증거만 뒷받침한 것도 있지만 매우 놀라운 것도 있다. 우리 인간은 대개 자신을 교육심리학 주제에 대한 전문가로 생각하는 경향이 있다. 그러나 우리의 상식이 항상 진리인 것은 아니며, 서로 상충되는 것도 있다. 교사는 이처럼 자신의 상식과 학문적 이론 사이에서 갈등하는 목표에 대해서 특정한 학생과 특정한 상황의 요구에 따라 균형을 이루어 가야 하는 과제를 안고 있다. 교육심리학은 교사에게 구체적으로 어떻게 하라고 정답을 말해 줄 수는 없지만, 의사결정 과정에 필요한 원리와 자신의 경험 및 생각을 논의하기 위한 정신적 도구를 제공할 수는 있다.

교육심리학의 연구 결과는 다양한 교실 상황에서 교사의 의사결정에 직접적으로 영향을 미친다. 발달 연구는 성인의 통제에서 벗어나려고 애쓰는 청소년의 행동이 흔히 규칙을 무시하는 것으로 나타난다고 한다. 그리고 행동주의 학습 이론에 기초한 연구는 어떤 행동이 반복되는 것은 반드시 그 행동을 강화하는 보상이 있기 때문이며, 부적절한 행동을 교정하려면 강화 요인을 찾아서 제거하거나 벌을 사용하는 것을 고려해 볼 수 있다고 제안한다. 또한 구체적인 교실관리 전략에 관한 연구는 부적절한 행동을 사전에 예방하고 그러한 행동이 발생했을 때 대처할 수 있는 효과적인 방법을 제시하고 있다. 그리고 학급운영에 관한 연구는 학생들이 자율적으로 규칙을 세우면 규칙의 중요성을 직접 깨달아 올바른 수업태도를 갖게 하는 데 도움이 된다고 한다. 이런 정보로 잘 무장되어 있는 교사는 학생이 그런 행동을 하는 이유와 그 상황에 대처할 수 있는 전략을 알고 있기 때문에 적절한 반응을 선택할 수 있으며, 또한 그 반응의 결과를 관찰하여 효과가 없다면 다른 전략을 시도해 볼 수 있다. 이와 같이 교사는 교육심리학의 연구 결과에 기초해서 학생의 행동에 대한 동기를 이해하고 적절한 대응 전략을 수립할 수 있으며, 또한 자신의 경험과 판단에 기초해서 문제해결을 위한 합리적인 방안을 강구할 수 있다. 이는 교사로서 자신의 효능감을 성취하는 한 방법이기도 하다.

교생실습 기간 중이나 교사가 된 첫해 동안에 교사가 배워야 할 가장 중요한 것들을 거의 다 배운다고 한다. 그러나 교사는 매일 수많은 결정을 하며 각 결정 뒤에는 그 교사가 의식하든 의식하지 못하든 그것을 뒷받침하는 이론이 숨어 있기 마련이다. 그리고 그 이론의 힘과 정확성 그리고 유용성이 궁극적으로 그 교사의 성공을 결정한다.

2) 효과적인 교수를 위한 길잡이

교육심리학의 목적은 과학적인 방법을 통해 학생들의 학습과 관련된 요인에 대한 다양한 아이디어를 검토함으로써 애매한 문제는 물론 명백한 문제에 대해서도 주의 깊게 연구하는 것이다(Slavin, 2013). 모든 과학에 기저하고 있는 것은 줄기찬 호기심, 즉 오류를 범하지 않으면서 탐구하고 이해하려는 열정이다. 과학자로서 심리학자들은 호기심으로 가득 찬 회의적 태도와 겸손한 자세를 견지하고 행동의 세계에 접근한다(Myers, 2008). 이러한 과학적 태도는 그들에게 비판적 사고를 조장하여 가정들을 조사하고 숨겨진 가치를 밝혀내며 근거를 평가하고 결론의 타당성을 검증하도록 안내한다.

교육심리학자들은 과학적 태도를 과학적 방법으로 무장하여 교육 장면에서 발생하는 심리적 현상을 관찰하고 이론을 구성하며 새로운 관찰에 근거하여 자신들의 이론을 정교화한다. 이론theory은 학습, 행동, 또는 다른 관심 분야의 광범위한 측면을 설명하는 것과 관련된 원리와 법칙들의 집합이다. 원리principle는 둘 이상의 사건들 사이에서 잘 알려지고 확립된 관계를 말한다. 그것은 대안적인 평가 체계가 학생들의 동기에 미치는 영향과 같이 요인들 간의 관계를 설명한다. 법칙law은 간단히 말하면 철저하게 검증되고 여러 상황에 적용된 원리다. 만일 어떤 특정한 영역에 대해 충분한 연구가 완성되거나 연구 결과가 반복하여 일관된 결론을 보여 준다면, 드디어 어떤 원리를 찾았다고 할 수 있다. 예를 들어, 가정에서 갖춰진 준비 상태가 학교에서 배우는 내용을 강화하는 데 중요하다는 것은 하나의 원리다. 이론은 일련의 사건이 왜 특정한 방식으로 일어나는지를 과학적으로 설명하는 것이다. 일단 어떤 주제에 대해 몇 가지 원리가 드러나면 이러한 원리들로부터 어떤 이론을 전개할 수 있다. 예를 들어, 외적 보상과 벌이 학생의 학습 행동과 시험이 끝난 후의 후속 행동을 조성하는 데 중요하다고 하는 것은 이론의 한 가지 예다. 이론이 없다면 발견된 사실과 원리들은 캔버스 위에 묻어 있는 얼룩에 불과하다. 이론은 이런 사실과 원리를 함께 묶어 우리에게 큰 그림을 보여 준다.

좋은 이론은 합리적인 설득력을 갖추어야 할 뿐만 아니라 어떤 현상에 대해 검증 가능한 예언을 내놓을 수 있어야 한다. 가설hypothesis은 어떤 결과가 이론을 지지하는 것이고 어떤 결과가 이론을 부정하는 것인지를 명시적으로 기술함으로써 연구에 방향을 제공하고 이론을 체계적으로 검증할 수 있게 한다. 예를 들어, 학생의 학습 행동에 대한 외적 보상과 벌의 효과를 검증하기 위해서 학생들에게 "나는 과제를 마칠 때까지 유혹을 참고 견딜 수 있다."와 같은 진술에 얼마나 동의하는지를 평가하게 함으로써 학습동기의 정도를 평가할 수 있다. 그러나 연구자가 이와 같이 특정한 가설을 세우게 되면 기대하는 것을 관찰하려고 편향될 가능성이 있다. 따라서 연구자의 주관적인 관찰로 인해 편향되지 않도록 조심해야 한다. 이러한 편향을 점검하기 위해서는 다른 연구자들이 자신의 관찰 결과를 반복해서 연구할 수 있도록 구성 개념에 대한 조작적 정의operational definition와 함께 연구 결과를 보고할 필요가 있다. 만일 다른 연구자들이 상이한 참가자와 실험재료

[그림 4-1]　과학적 방법의 세 가지 요소

를 가지고 연구를 반복하여 유사한 결과를 얻는다면 연구 결과의 신뢰도는 증가할 것이다. 요컨대, 이론은 광범위한 자기보고와 관찰을 효과적으로 체계화하고 누구든지 이론을 검증하고 실제로 적용하기 위해서 사용할 수 있는 명확한 예언을 함축할 때 유용성을 갖게 되는 것이다([그림 4-1] 참조).

하지만 어떤 이론이나 연구도 어떤 상황에서 어떻게 하라고 교사에게 직접적으로 말해 줄 수는 없다. 적절한 결정과 선택의 요건은 문제가 발생하는 상황, 교사가 생각하는 목적, 그리고 여타의 많은 요인을 교육적인 상식에 비추어 어떻게 판단하는가에 달려 있다. 예를 들어, 학생에게 정보나 기술을 직접 가르치는 것이 스스로 발견하도록 하는 것보다 훨씬 경제적일 수 있지만, 교사가 학생에게 정보를 찾는 요령이나 스스로 생각하는 방법을 가르치고자 한다면 수업의 흐름을 빠르게 하는 것이 성취도 향상에 기여한다는 연구 결과는 전혀 도움이 안 된다. 따라서 실제 교실 상황에서 교육심리학 연구에서 밝혀진 원리를 적용할 때 교사는 풍부한 상식과 함께 어떤 학생에게 어떤 목표를 가지고 무엇을 가르치는가에 대한 분명한 식견을 갖고 있어야 한다.

교육심리학 연구는 또한 특정 교수방법이나 프로그램의 효과에 대한 검증도 제공한다(Rhine, 1998). 특정 교과를 가르치기 위한 새로운 교수방법부터 학교 전체를 개선하기 위한 혁신적인 교육전략에 이르기까지 널리 사용되는 프로그램의 효과에 대한 증거는 무수히 많다. 그것은 때로는 교육정책 수립에 간접적인 영향을 미치기도 하지만, 때로는 교육과정, 교육방법, 교수자료 또는 전문적인 프로그램 개발에서 획기적인 변화를 초래하기도 한다. 유능한 교사는 자신이 가르치는 교과는 물론 학년 전체를 위한 프로그램을 알고 있어야 하며, 학생들의 성장과 발달에 효과적인 것으로 밝혀진 교수방법을 학습하기 위해 전문적인 역량 개발의 기회를 적극적으로 찾아 나서야 한다. 또한 유능한 교사는 교육심리학의 연구 결과나 전문가의 조언을 절대적인 진리로 받아들이기보다는 연구 결과에 대한 현명한 소비자가 되어야 한다.

　　궁극적으로 교육심리학은 성찰적 태도와 능력을 안내하고 촉진함으로써 전문적인 교사의 길을 가도록 도움을 줄 수 있다. 심리학적 개념과 그것을 교육 장면에 적용하는 일에 관한 지식이 여러분이 더 나은 교사가 되도록 도와주는 잠재력을 가지고 있다는 점은 의문의 여지가 없다. 그 잠재력을 얼마나 충족시키느냐 하는 것은 전적으로 자신에게 달려 있다. 여러분이 열린 마음을 갖고 긍정적인 자세를 유지하려는 의지를 충분히 갖고 있다면, 교육심리학 강좌는 여러분에게 전문적이고 유능한 교사가 되는 길을 성공적으로 안내할 것이다.

4. 교육심리학의 주요 접근과 연구방법

교육심리학자들은 교육의 심리적 현상에 관한 개별적 질문에 대한 대답을 찾는 과정에서 같은 주제에 대해 제기될 수 있는 여러 가지 질문에 답하는 주요 원리를 개발하고 다양한 이론을 정립했다. 교육심리학의 이론들은 교수-학습 과정에 대한 중요한 물음에 대답하는 과정에서 일정한 방향성을 제시하는 몇 가지 독특한 접근방식을 발전시켰다. 또한 그들은 원리를 발견하고 이론을 정립하기 위해 체계적인 연구방법을 적용하여 자료를 수집하고 분석한다.

1) 이론적 접근

동일한 교육 현상과 원리들은 교육심리학자들이 채택하는 이론적 접근에 따라 서로 다른 방식으로 해석될 수 있다. 이론적 접근은 교육심리학의 탐구 대상인 구체적인 사건을 일정한 관점에서 접근하도록 유도한다. 교수-학습 과정을 설명하는 교육심리학의 대표적인 이론적 접근에는 행동주의 접근, 인지적 접근, 인간주의 접근 그리고 사회인지적 접근 등이 있다(송재홍, 2015).

(1) 행동주의 접근

행동주의 심리학자는 객관적 실재로서 지식의 절대성에 기초하여 엄격한 과학주의를 지향한다. 그들에게 학습이란 새로운 행동을 습득하는 것을 의미하며, 새로운 행동은 외적 자극에 의존한다. 따라서 수업은 특정 자극이 제시되었을 때 기대되는 반응이 일어날 가능성을 높일 수 있는 조건을 정비하고 이해하는 일이다.

(2) 인지적 접근

인지심리학자는 마음과 그 작동 방식에 주로 관심을 갖는다. 그들은 일차적으로 지식 기반을 확장하고 세상을 이해하고 반응하도록 하는 마음의 과정을 연구한다. 초기 정보처리이론에서 수업은 학생들이 정보를 밖으로부터 안으로 효과적으로 전달하도록 도와주는 조건을 창조하는 것이었다. 그러나 신경망에 기초한 구성주의자들은 학생들이 실제에 대해 유의미한 관점을 형성할 수 있는 기회를 제공하는 데 중점을 둔다.

(3) 인간주의 접근

인간주의 심리학자는 학습에서 학생의 욕구, 정서, 가치 및 자기 지각과 같은 비인지적 변인에 좀 더 관심을 갖는다. 그들은 학습내용이 개인적으로 유의미하고 학급 환경이 자신들의 노력을 지지한다고 믿을 때 학습동기가 높아진다고 가정한다. 그들은 학생들이 자신을 좀 더 잘 이해하도록 돕고 내재된 학습 욕구와 자기실현 경향성을 활성화하는 지지적인 분위기를 만들려고 노력한다.

(4) 사회인지적 접근

사회인지이론가는 학습에서 관찰이나 모방과 같이 사회적 상호작용의 중요성을 강조하고, 특히 학습동기를 유발하는 내적 요인으로서 자기효능감과 자기조절학습 능력의 개발을 중요시한다. 그들은 또한 협력 학습을 통하여 학습자 상호 간에 서로 학습하는 방법을 가르치는 일에 관심을 둔다.

각기 다른 연구자들에 의해 개발된 이론은 그 설명이나 예측에서 차이가 난다. 그것들은 세계를 다르게 가정하고 있으며, 같은 사건을 다르게 설명한다. 그러나 교육심리학의 이론은, 그 다양성에도 불구하고, 교사가 어떻게 가르치고 학생들이 어떻게 학습하는지의 경향성을 밝혀내고 그 이유를 설명함으로써 교사들이 교실에서 어떤 일이 왜 발생하는지를 이해하도록 도울 수 있다. 그것은 교육 전문성을 개발하고자 하는 사람이라면 누구에게나 힘 있는 도구가 될 수 있다.

2) 연구방법

교육심리학은 교사가 문제를 해결하고 효과적으로 가르치는 데 도움을 줄 수 있는 정보를 알아내기 위해 과학적인 연구방법을 사용한다. 어떤 이는 특정 질문에 답하기 위해 개별적인 연구를 실시하고, 다른 이는 수많은 개별 연구의 결과를 종합하고 결합시켜 일관된 설명을 엮어 낸다. 교육심리학자들은 특정 질문에 대답하기 위해 다음의 세 가지 유형의 연구를 직접 실시하고 있다(송재홍, 2015; Slavin, 2013; Woolfolk, 2007).

(1) 기술연구

기술연구 descriptive research는 특수한 상황에서 일어나는 현상에 대해 아무런 인위적인 변화를 가하지 않고 그대로 관찰하여 상세하게 기술하는 것이다. 이 연구는 관찰 이외에도 조사, 면접, 녹음 등의 방법을 사용하고 때로는 이러한 방법을 혼합해서 사용한다. 이 연구의 보고들은 자주 학급 활동의 기록이나 학급에서 일어나는 실제 대화 내용 또는 면담이나 조사 결과를 포함한다. 이 학급 기술은 인류학에서 빌려 온 민족지학에 의존한다. 민족지학 ethnography은 집단생활에서 자연적으로 일어나는 사건을 연구하고, 이러한 사건이 관련된 사람들에게 어떤 의미가 있는가를 이해하기 위한 노력을 포함한다. 기술연구에서 연구자는 집단행동을 좀 더 잘 이해하기 위해 참여관찰 participant observation을 하거나 학급에서 찍은 비디오테이프를 분석하기도 한다. 기술연구의 또 다른 형태로는 어떤 상황에서 한 개인에 대해 심층적인 관찰을 하는 사례연구 case study가 있다. 예를 들어, 돈이나 자원이 부족한 도심 빈민가 학교에서 꾸준히 훌륭한 인물을 배출한 뛰어난 교사들에 대해 기술하는 연구는 전형적인 사례연구에 해당한다. 기술연구는 일반적으로 과학적인 객관성이 결여되어 있으나 이러한 결점을 관찰의 세밀함과 해석의 풍부함으로 보충하고 있다.

(2) 상관연구

상관연구 correlational study는 변인을 조작하지 않고 있는 그대로의 상태에서 변인들 간에 어떤 관계가 있는지를 보려고 한다. 변인들 간에는 정적으로 상관이 있을 수도 있고 부적으로 상관이 있을 수도 있으며 또는 아무런 상관이 없을 수도 있다. 예를 들어, 학생들의 수업 집중도에 따라 성취도가 다르게 나타나는지를 알아볼 수 있다. 연구자는 이를 위해 어떤 학급을 대상으로 수업 중에 학생들이 주의집중하는 시간을 관찰한 다음 집중도와 언어 및 수학 성취도 사이에 상관계수를 산출할 수도 있다. 상관계수는 −1.00(완전 부적 상관)에서 0(상관없음)을 거쳐서 1.00(완전 정적 상관)까지의 범위를 갖는다. 정적 상관 positive correlation은 "수업 집중도가 증가함에 따라 성취도도 증가한다."와 같이 한쪽 변인이 증가하면 다른 변인도 증가함을 의미한다. 부적 상관 negative correlation은 "숙제가 많아질수록 성적이 떨어진다."와 같이 한쪽 변인이 증가하면 다른 변인은 감소함을 나타낸다. 상관연구는 연구자가 인위적으로 조작하지 않고 있는 그대로의 상황에서 변인들을 연구할 수 있고 동시에 여러 가지 변인 간의 관계를 알아볼 수도 있다. 그러나 상관연구는 변인들 간의 가능한 관계를 제시할 뿐이고, 어떤 것이 원인이 되고 어떤 것이 결과가 되는 것인지를 밝혀 주지 못한다([그림 4-2] 참조). 따라서 인과관계에 관한 질문에 답하기 위해서는 좀 더 잘 통제되고 타당한 실험을 할 필요가 있다.

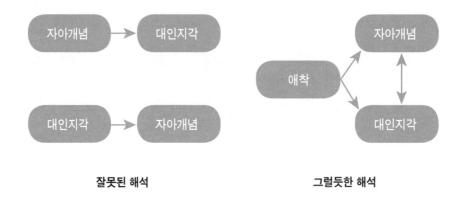

[그림 4-2]   상관관계의 세 가지 가능한 해석

(3) 실험연구

실험연구experimental research는 인과관계를 밝혀 주기 때문에 교사들이 특정한 교수법의 유의미한 효과를 알아보고자 할 때 유용한 도구를 제공한다. 연구자는 어떤 변인의 변화를 관찰하기 위하여 다른 한 변인을 매우 섬세하게 조작한다. 연구자의 관심은 단순히 상황을 관찰하고 기술하는 것뿐만 아니라, 연구 대상에게 처치를 가하고 이러한 처치의 효과를 입증하는 것이다. 어떤 전형적인 실험연구에서 레퍼, 그린과 니스벳(Lepper, Greene, & Nisbett, 1973)은 아동들에게 매직펜으로 그림을 그리도록 하는 실험 상황을 제시하고, 그림을 그리고 나면 일부 아동에게는 상을 주고 다른 아동에게는 상을 주지 않았다. 그런 다음 모든 아동에게 매직펜과 여러 가지 기구를 주고 자유롭게 선택하여 놀도록 했을 때 상을 받은 아동들은 상을 받지 않은 아동들에 비해 절반 정도만이 매직펜을 가지고 그림을 그렸다. 이 결과는 이미 좋아하는 과제 수행에 대해 보상을 주면 보상이 주어지지 않는 상황에서는 과제 수행에 대한 흥미가 줄어들 수 있음을 시사하고 있는 것으로 해석되었다. 이 실험에서 상 유무와 같이 연구자가 조작한 변인을 독립변인independent variable이라 하고, 과제 수행에 대한 흥미도와 같이 독립변인의 조작에 의해 측정된 변화를 종속변인dependent variable이라고 한다.

　　이 실험에서 연구자의 해석이 정당화되기 위해서는 두 가지 조건이 충족되어야 한다. 한 가지는 두 집단의 실험 전 상황이 대체로 동질적이어야 한다는 것이고, 다른 한 가지는 처치(상) 유무를 제외하고는 두 집단의 모든 실험과정이 동일해야 한다는 것이다. 이 연구에서는 두 집단의 실험 전 조건이 동일했다는 것을 보증하기 위해서 아동들을 상을 받은 집단이나 상을 받지 않은 집단에 무선으로 배치했다. 무선배치random assignment는 두 집단의 균등성을 보증하기 위해 무선으로 선택하여 서로 다른 집단에 배치하는 것을 말한다. 또한 이 연구에서 아동들은 동일한 방에서 같은 성인이 지켜보는 가운데 동일한 장난감을 가지고 놀았으며, 연구자는 같은 시간 동안 아동들이 그림을 그리는 것을 관찰했다. 이는 과제 수행에 대한 흥미에서 두 집단 간의 차이가 오직 처치(상) 유무에 따른 결과 때문이라는 해석을 가능하게 해 준다. 이와 같이 실험 결과를 다른 요인이 아니라 처치 요인에 귀인할 수 있는 정도를 내적 타당도internal validity라고 한다. 실험에 참여하는 아동을 피험자subject라고 하고, 실험 중에 처치(예: 상)를 받은 집단을 실험집단experimental group이라고 하며, 특별한 처치를 받지 않은 집단을 통제집단control group이라고 한다. 내적 타당도는 피험자의 역사와 성숙, 검사, 도구, 통계적 회귀, 피험자 선정, 탈락률 등에 의해 심각하게 저해될 수 있다.

이와 같이 조건이 엄격하게 통제되는 실험을 실험실 실험laboratory experiment이라고 하는데, 이 실험의 장점은 연구자가 그 연구에 관련된 제반 요인을 고도로 통제할 수 있기 때문에 내적 타당도가 높다는 것이다. 이는 실험에서 발견되는 차이의 원인이 다른 어떤 요인보다도 처치 그 자체에 있다고 자신 있게 말할 수 있다는 것을 뜻한다. 교육 현장에서는 실험실 연구를 수행하기가 현실적으로 쉽지 않을 뿐만 아니라 실험 결과에 기초한 이론이 모든 실제 상황에 적용될 수 있는 것도 아니므로 반드시 실제 상황에서 검증되어야 한다. 따라서 교육 현장에서 자주 사용되는 실험연구는 무선 현장 실험randomized field experiment이다. 무선 현장 실험에서는 교실과 같은 실제적인 조건에서 교육 프로그램이나 실제적인 처치가 비교적 오랜 기간에 걸쳐 수행된다. 이 현장 실험 역시 실험실 실험의 두 가지 조건을 충족하지만 서로 다른 교사가 실험집단과 통제집단을 맡기 때문에 내적 타당도를 위협할 수 있다. 그러나 실제 교실에서 오랫동안 수행되었기 때문에 외적 타당도는 실험실 실험보다 더 높다. 외적 타당도external validity란 실험 결과가 실제 상황에 적용될 수 있는 정도를 말한다. 이는 연구 결과를 얼마나 다양한 상황에 일반화할 수 있는가를 말하며, 반복적인 검사에 대한 반동 효과, 특정 집단의 피험자 선정에 따른 상호작용 효과, 혁신의 반동 효과, 복수의 프로그램 제공에 따른 간섭 또는 시너지 효과 등에 의해 저해될 수 있다. 실제 학교 현장에서는 교사들이 어느 한 집단에 무선으로 배치되는 것을 꺼리기 때문에 무선 현장 실험을 하기란 매우 어렵다. 이런 이유로 실제 현장 실험에서는 종종 한 가지 방법을 사용하는 교사나 학급을 실험집단으로 하고 다른 방법을 사용하는 교사나 학급을 통제집단으로 정하여 대응시키는 방법을 사용한다. 대응matching은 무선배치보다 훨씬 더 실용적이지만, 교사들이 서로 다른 방법을 사용하는 데에는 그럴 만한 이유가 있기 때문에 그 결과를 조심스럽게 해석해야 한다.

[자료] 심리학을 빛낸 학자들

W. Wundt(1832~1920)

W. James(1842~1910)

J. Watson(1878~1958)

I. Pavlov(1849~1936)

B. Skinner(1904~1990)

A. Bandura(1925~현재)

S. Freud(1856~1939)

C. Jung(1871~1965)

E. Erikson(1909~1994)

A. Maslow(1908~1970)

C. Rogers(1902~1987)

M. Seligman(1942~현재)

A. Binet(1908~1970)

J. Piaget(1894~1980)

L. Vygotsky(1894~1939)

H. Gardner(1943~현재)

R. Sternberg(1949~현재)

C. Dweck(1946~현재)

제 5 장

인간의 발달과 학습

4장에서 언급했듯이, 교육심리학은 학습자, 학습 그리고 교수(수업, 교실관리, 평가)에 관한 학문이다. 그것은 교수-학습 과정에 연관되어 누적된 지식과 지혜의 보고이며, 모든 교사가 교육 현장에서 부딪치는 일상적인 문제를 현명하게 해결하기 위해 지니고 있어야 하는 실천적 이론이다. 또한 교육심리학은 학생들이 교실 장면에서 형식적인 수업을 통해 다양한 능력을 획득하는 방법에 대한 이해의 증진에 관심을 기울이는 과학적 학문으로 정의된다. 그것의 목표는 교육과정의 질과 결과를 개선하기 위해 교육에 관계되는 심리학 지식을 이용하는 것이다. 교육심리학자들은 교육과 훈련이 일어나도록 의도된 특수한 환경 속에서 가르치고 배울 때 사람들이 생각하고 행하는 바가 무엇인지를 연구해야 한다. 이러한 주장은 가장 효과적이고 유능한 교사가 되기 위해서는 학습자의 지적·정의적 발달과 사회문화적 차이, 학습과 인지적 문제해결 과정, 자아존중감과 동기, 그리고 검사와 측정 등과 같은 다양한 측면을 이해할 필요가 있음을 시사한다.

오늘날 교육심리학은 유능한 교사가 되기 위해서 알아야 할 학습자와 교수-학습 과정에 대한 다양한 이론과 실제에 관한 지식을 제공한다. 교육심리학 개론서의 내용은 대개 학습자의 발달과 개인차, 학습의 원리와 과정, 학습동기, 수업과 교실관리 그리고 측정 및 평가의 다섯 가지 영역으로 구성되어 있다. 이 장에서는 우선 인간을 바라보는 심리학자의 다양한 관점을 알아보는 것으로 시작하여, 학습자의 발달과 개인차, 학습과 인지 그리고 학습동기 등 교육심리학의 주요 쟁점을 고찰하고, 심리학적 연구 결과로부터 도출될 수 있는 유능한 학습자의 특성을 확인한다.

1. 인간의 행동과 정신 과정을 바라보는 시선

인간의 행동을 관찰하고 그 속에 자리 잡고 있는 심리세계를 탐구하는 일은 마치 장님이 코끼리를 더듬고 그것을 바탕으로 코끼리의 실체를 설명하는 것에 비유될 수 있다. 심리학자들은 인간의 심리세계를 설명하기 위해 여러 가지 방법을 동원하여 인간의 행동을 관찰하고 그렇게 관찰된 결과를 토대로 정신작용의 원리를 설명하기 위한 다양한 관점을 제시하고 있다(조화태, 김계현, 전용오, 2008). 하지만 인간의 행동과 정신 과정에 대한 심리학자들의 견해를 종합적으로 고찰하면 마치 퍼즐을 맞추어 가는 것처럼 인간의 정신작용을 체계적으로 이해할 수 있는 몇 가지 지적 도구를 발견할 수 있게 된다(송재홍, 2015).

1) 생물학적 존재로서의 인간

무엇보다 생물학적 존재로서 인간의 행동과 정신 과정은 연령에 따른 신체와 두뇌의 발달에 의해 크게 영향을 받는다. 특히, 선천적인 유전적 결함이나 태내 및 생애 초기의 영향 결핍에 의한 신체적 이상은 아동의 지적 및 정서적 발달에 치명적인 영향을 미칠 수 있다. 또한 연령의 증가와 함께 진행되는 두뇌의 신경 발달 패턴에 따라 아동의 언어와 기억 및 사고 능력이 비약적으로 발달하기도 하고, 특정 연령 단계에서 나타나는 체내 성장 호르몬의 분비는 급격한 신체적 성장과 이차 성징의 발달에 따른 정서적 민감성을 증가시키기도 한다.

2) 행동적 존재로서의 인간

인간의 행동과 정신 과정을 바라보는 심리학자들의 대표적인 시각은 인간이 끊임없이 학습하고 발달하며 행동하는 존재라는 것이다. 행동적 존재로서 인간은 주변 환경에 적응하기 위해 삶의 과정 동안 끊임없이 변화하지 않으면 안 된다. 즉, 인간은 성장하고 발달한다. 인간의 성장과 발달은 부분적으로 유전적으로 정해진 바에 의존하기도 하지만, 대부분은 유전과 학습의 상호작용에 의해 이루어진다. 학습과 발달은 인간의 전유물은 아니지만 인간의 학습은 다른 동물보다 훨씬 광범위하고 복잡하다. 많은 심리학자들은 인간의 학습과 발달에 관해서 다양한 이론과 원리를 제시하고 있다.

3) 지적 존재로서의 인간

인간은 또한 생각하는 지적인 존재다. 인간은 사물을 관찰하고 그것으로부터 정보를 추출하여 지식을 구성할 뿐만 아니라 삶의 과정에서 부딪치는 여러 가지 문제를 해결하는 데 지식을 활용한다. 지적 존재로서 인간에 대한 심리학적 관심은 지능intelligence에 대한 연구에서 분명하게 드러나고 있으며, 인간정보처리모형의 등장과 함께 시작된 인지심리학의 핵심 주제를 형성하고 있다. 최근에 인지심리학은 발달과 학습의 기본 주제는 물론 기억과 지식, 사고와 언어, 문제해결에 이르기까지 다양한 연구 분야에서 혁명적인 변화를 이끌고 있다.

4) 개성적 존재로서의 인간

인간은 개성을 지닌 존재로서 각자 독특한 성격체계와 행동양식을 지니고 살아간다. 개성적 존재로서 인간은 각자가 타고난 기질과 성장 환경의 영향에 의해 독특한 성격체계를 형성할 뿐만 아니라 자아개념이나 동기와 같은 내적 신념체계에 기초해서 자신의 학습과 발달을 일정한 방향으로 이끌어 간다. 이와 같이 인간이 자아정체성을 확립하고 자기방향성을 찾아서 인격적으로 성숙해 가는 과정을 융C. Jung은 개성화individuation라고 말했고, 매슬로A. Maslow는 자기실현self-actualization이라고 말했다. 따라서 인간의 행동을 제대로 이해하려면 지적 특성에 대한 분석뿐만 아니라 성격, 자아개념, 동기와 같은 정의적 특성에 대한 분석도 함께 이루어져야 한다.

5) 사회적 존재로서의 인간

인간은 사회적 동물로서 다른 사람과 적절한 관계를 맺지 않으면 건강한 생활을 영위할 수 없다. 사회적 존재로서 인간은 가족을 구성하고 친구를 사귈 뿐만 아니라 직장, 동호회, 향우회와 같은 다양한 조직 속에서 어떤 역할을 수행한다. 사회적 존재로서 인간에 대한 심리학적 연구는 친사회적 행동과 공격성의 기원을 비롯하여 사회적 조망social perspectives과 도덕성의 발달에 이르기까지 광범위한 주제를 다룬다.

6) 자기실현하는 존재로서의 인간

인간은 또한 무한한 가능성을 지니고 태어나며 타고난 잠재력을 실현하기 위해 끊임없이 노력하는 존재다. 인간은 보통 일과 활동을 통해서 잠재력을 실현해 간다. 인간에게 일은 단순히 생계를 유지하는 것 이상의 목적과 의미를 갖는다. 인간의 일은 문화적 환경에 따라 다를 뿐만 아니라 시대적 변화에 따라 생성되거나 소멸된다. 자기를 실현하는 인간이 되기 위해서는 일의 성과도 중요하지만 일을 행하는 목적과 의미가 자기의 이상과 가치를 어느 정도 반영할 수 있어야 한다.

7) 초월적 존재로서의 인간

인간은 자기의 한계를 알고 그것을 벗어나기 위해 몸부림치는 존재다. 인간의 행동과 정신 과정에 대한 심리학적 연구의 눈부신 성장에도 불구하고 인간이 겪고 있는 심리적인 문제는 날로 증가하고 있으며 더욱 복잡한 양상을 띠고 있다. 최근에는 이러한 문제를 해결하기 위해서 자기초월성과 영성 개발에 대한 관심이 날로 증대하고 있으며, 그 영향력은 앞으로 더욱 증가할 것으로 전망된다.

2. 학습자의 발달과 다양성에 대한 이해

발달development은 출생에서 죽음에 이르기까지 일생 동안 삶의 과정에서 일어나는 성장, 적응, 변화를 가리키는 말이다(이대식 외, 2010). 사람은 발달 과정을 통해 신체적 변화를 겪는 동시에, 언어를 사용하고 다른 사람과 상호작용하며 경험을 통해 정보를 처리하고 의미를 구성하는 능력 등 다방면의 중요한 변화를 이룩한다.

　인간의 발달을 이해하는 것이 교사에게 왜 중요한가? 만일 교사들이 특정 교과목 영역에 대한 전문적 지식만을 가지고 있다면, 즉 지식 창고로서의 역할만을 한다면, 발달에 대한 지식을 쌓는 것은 중요한 일이 아닐 수도 있다. 물론 교과내용에 대한 지식을 쌓는 것이 중요하기는 하지만, 효과적으로 잘 가르친다는 것은 그 내용을 가지고 학생들과 충분히 의사소통하는 것이다(Seng et al., 2006). 그것은 일관되게 학습을 이끌어 내고 촉진하려는 의도를 가지는 일련의 활동이다. 교사는 교과내용 전문가이기도 하지만 학생들에게 정보를 전달하는 것에 관한 전문가이기도 한 것이다. 따라서 '어떻게' 가르칠 것인가를 아는 것은 '무엇'을 가르쳐야 하는가를 아는 것만큼이나 중요한 일이며, 이는 학생의 개성과 욕구, 그리고 여타의 제약을 고려하여 결정되는 문제다.

　어떻게 가르칠 것인가를 결정하기 위해서는 교실에 앉아 있는 학생들이 누구인가를 이해하는 것이 무엇을 가르칠 것인가와 연결되는 핵심적인 요소가 된다. 말하자면, 교사가 가르치기 위해서 사용하는 전략들은 학생의 신체적 · 인지적 · 사회적 발달과 맞아야 한다. 따라서 교사가 교수-학습 계획을 수립하기 전에 학생의 발달적 필요를 이해하는 것은 당연한 의무다.

1) 학습자의 발달에 대한 이해

인간의 발달에는 많은 영역이 있다. 스위스의 심리학자 피아제(Piaget, 1950, 1952)는 생물학의 발생학적 원리와 인식론을 결합하여 아동의 지적 발달에 대한 이론을 정립하여 아동 교육을 위한 심리학적 토대를 확립했으며, 에릭슨(Erikson, 1950, 1988)은 개인의 자아가 일생에 걸쳐서 끊임없이 변화하는 사회적 위기를 극복하고 점진적으로 발달하는 과정을 체계적으로 기술하여 심리교육psycho-education의 이론적 기반을 마련했다. 또한 해비거스트(Havighurst, 1952, 1972)는 인간 발달에 대한 다양한 이론을 바탕으로 특정 연령 단계에서 반드시 이룩해야 할 발달과업developmental tasks을 제시했다.

(1) 피아제의 인지발달이론과 고등정신의 진화

피아제는 도식, 적응, 동화, 조절, 평형화 등의 개념을 사용하여 인지발달이 어떻게 그리고 왜 일어나는지를 설명했다(Piaget, 1950, 1952). 사람들은 자신들이 경험한 것을 이해하고 평형상태에 이르기 위해 도식을 만들고 이를 사용하여 세상과 상호작용한다. 도식schema은 세계에 대한 구조화된 이해를 나타내는 정신적 형태를 말한다. 적응adaptation은 동화와 조절에 의해 환경에 반응하는 도식의 순응과정이다. 동화assimilation란 현존하는 도식에 의해 새로운 경험(대상 또는 사건)을 이해하는 것을 말하고, 조절accommodation은 새로운 상황에 맞추기 위해 현존하는 도식을 수정하는 것을 말한다. 아동은 새로운 물리적 세계를 경험하거나 다른 사람과 사회적으로 상호작용함에 따라 새롭게 경험하는 대상이나 사건을 현존하는 도식으로는 더 이상 다룰 수 없게 되는 불평형의 상태에 놓이게 된다. 이때 그는 자신이 이해한 것과 새롭게 직면한 것 간의 평형을 회복하려고 애쓴다. 평형화equilibration는 이와 같이 현재 이해와 새로운 평형을 회복하려는 과정을 말한다.

피아제에 따르면, 아동의 인지발달은 유아기와 아동기를 지나서 청소년기에 도달할 때까지 감각운동기, 전조작기, 구체적 조작기, 형식적 사고기의 네 단계 발달 과정을 순차적으로 이동한다. 아동은 감각운동기를 거치는 동안 대상영속성object permanence을 획득하며, 2세를 전후해서 내적 표상을 형성한다. 전조작기 아동은 세 산 모형 과제를 수행할 때 자기중심성ego-centrism을 드러내며, 보존 과제를 수행할 때 이전의 사고로 되돌아가지 못하고 어느 한 순간의 직관에 의존하기 때문에 종종 논리적으로 모순된 사고를 전개한다. 그러나 아동은 초등학교에 입학하면서 보존 개념, 분류 개념, 서열 개념과 같은 논리적 조작이 가능해지고, 초등학교를 졸업할 때에는 초보적인 형태의 형식적 사고를 할 수 있게 된다([그림 5-1] 참조). 따라서 초등학교 시기는 아동의 지적 발달에서 매우 중요한 전환점이라고 할 수 있다.

잘 알려져 있듯이, 피아제에게서 아동은 끊임없이 세계를 이해하는 자신의 인지구조를 검증하고 개선하는 과학자다. 여기서 핵심 생각은 아동 스스로 세계를 이해하고 적응할 수 있는 내적인 자기조절체계를 지니고 있다는 점이다. 아동

숨은 그림 찾기 과제
(감각운동기)

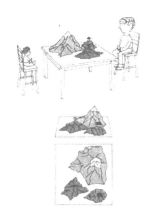

세 산 모형 과제
(전조작기)

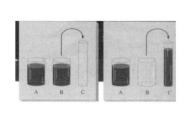

보존 과제
(구체적 조작기)

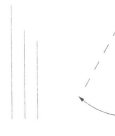

진자 과제
(형식적 사고기)

[그림 5-1] 피아제의 인지발달 단계에 따른 실험 과제들

은 성찰적 추상화의 과정을 통해서 세계에 적응하는 방식을 점차적으로 발달시킨
다. 피아제는 성찰reflection이란 낮은 차원의 지적 요소를 조절하려는 노력을 통해
더 높은 차원의 지식을 창조하는 변증법적 과정이라고 하였다. 그러나 아동이 지
식을 창조하는 일은 또 어느 정도의 성숙과 지적 호기심 그리고 불확실성에 대한
인내를 요구한다.

그러나 모든 발달이론가들이 피아제의 이론에 동조한 것은 아니다. 일부 정
보처리이론가는 인지발달의 단계가 정보처리용량의 지속적인 증가에 따라 나타
나는 자연스런 현상이라고 주장하고, 다른 발달이론가는 아동이 인지발달의 단
계를 거치는 동안 일시적으로 퇴보의 시기를 겪는다고 주장한다. 시글러(Siegler,

실험 자극

1. 쥐 인형을 제시한다. 2. 스크린으로 가린다. 3. 쥐 인형을 추가한다. 4. 빈손으로 나온다.

검사 자극

기대된 결과   기대되지 않은 결과

5. 스크린을 제거하자, 쥐 인형 2개가 나타났다.   5. 스크린을 제거하자, 쥐 인형 1개가 나타났다.

[그림 5-2] 윈의 기대 위반 실험 과제(Wynn, 1992)

1980)는 저울 과제를 이용하여 아동의 인지발달의 U-패턴u-pattern, 즉 문제해결 책략이 진화하는 과정에서 일시적으로 문제해결 오류가 증가되는 역전 현상을 발견했다. 아동의 지적 발달은 끊임없는 전진 과정이라기보다는 '일보후퇴 이보전진'의 역동적인 과정인 것이다.

또 다른 연구자들은 좀 더 세련된 연구기법을 동원하여 어린 아동이 피아제가 생각하는 것보다 훨씬 유능하며 기본수, 중력, 생명과 같은 생존을 위한 기초 개념을 인식하는 기본적인 정신 능력을 선천적으로 타고난다고 주장했다. 예를 들어, 윈(Wynn, 1992)은 일련의 실험을 통해 인형의 개수를 변화시킨 후 영아의 주의집중 시간을 관찰함으로써 생후 5개월 된 영아가 이전에 노출된 인형의 개수를 정확히 파악하고 있다는 사실을 확인했다([그림 5-2] 참조).

한편 비고츠키(Vygotsky, 1994)는 아동의 지적 발달에서 문화가 미치는 영향과 사회적 상호작용의 중요성을 강조했다. 그에 따르면, 고등 정신 기능의 발달은 처음에는 사회적 수준에서 일어나고 다음에는 개인의 정신 내적 수준에서 일어난다. 특히, 비고츠키는 지식이란 개인적으로뿐만 아니라 또한 사회적으로 구성된다고 주장하는 사회적 구성주의social constructionism의 등장에 결정적으로 기여했으며, 오늘날 교실 수업에 대한 그의 영향력은 피아제의 영향력을 초월하고 있다.

비고츠키의 입장에 동조하는 사회적 구성주의자의 관점에서 볼 때, 지식 구성의 변증법적 과정은 성숙한 안내자의 도움에 의해 더욱 촉진될 수 있다. 아동은 이러한 지적 성장의 과정을 통해 세계와의 거리감을 좁혀 나갈 수 있으며 불평형에 의한 내적 구속 상태로부터 해방되어 정신적 자유를 만끽하게 된다. 발달은 곧 정신적 자유를 향한 끊임없는 도전인 셈이다. 교사의 중재는 학습에 대한 아동의 열망을 믿고 그러한 선천적 경향을 회복하도록 도와주는 활동이다. 교사는 아동의 발달 상태를 계속적으로 점검하고 근접발달영역zone of proximal development, ZPD에서 비계설정scaffolding을 통해 아동의 지적 발달을 촉진할 수 있다(Wertsch, 1998).

인지적 도제학습cognitive apprenticeship은 읽기, 쓰기, 수학과 같은 기초학습 과제에서 아동들의 창조적인 학습을 돕기 위해 개발된 전략들을 일컫는다(Collins, Brown, & Newman, 1989). 그러나 여기서 교사의 도움은 단순히 읽고 쓰거나 수학적 문제를 해결하는 데 효과적인 전략을 시범 보이고 따라 하도록 하는 것과는 차원이 근본적으로 다르다. 이러한 도움을 통해서 아동이 배워야 하는 것은 단지 글을 잘 읽거나 쓰는 요령을 기술적으로 답습하는 것이 아니라 미지의 세계를 창조하는 예술가의 정신이다. 이처럼 새로운 세계를 창조하는 학습은 다분히 개별적이고 개성적이다. 따라서 이러한 수준의 학습에 도달하려면 사전학습이나 효과적인 학습전략을 습득하는 것만으로는 충분하지 않고 불확실성에 대한 호기심과 인내, 그리고 미지의 세계에 대한 탐구정신과 개인적 책임에 기초한 주도적 참여 정신이 함께 요구된다.

유능한 교사는 이를 위해서 직접 코치의 역할을 수행해야만 하는 것은 아니며, 아동의 이질성과 다양성에 기초한 협력적인 학습 공동체를 창조함으로써 학습자들끼리 새로운 문화의 창조를 독려할 수 있다(Arends, 2007). 오늘날 학교 교육은 대부분 교실수업에서 사회적 상호작용의 중요성을 인정하고 다양한 형태의 협동학습(예를 들어, 지그소jigsaw, 팀 프로젝트 등)을 적극적으로 개발하여 적용하고 있다.

(2) 애착 형성과 자아발달

영아는 선천적 행동양식, 곧 기질temperament을 갖고 태어나며, 성장 과정에서 양육자와 특수한 정서적 유대, 곧 애착을 형성한다. 애착attachment은 두 사람 간의 친밀하고 상호적인 정서적 관계로서, 특정한 사람을 가까이 하려는 유아의 경향성을 말한다. 유아는 또한 일차 양육자와 상호작용하면서 내적 작동 모델internal working model, 곧 자기 자신과 타인에 대한 인지적 표상을 발달시켜 이를 통해 사회적 상황을 해석하고 인간관계의 특성에 대한 기대를 형성한다(Bowlby, 1980). 부모의 양육 방식은 타인에 대한 작동 모델을 형성하고, 유아의 욕구에 대한 양육자의 반응 양식은 자기에 대한 작동 모델을 형성한다. 유아의 욕구에 대한 양육자의 민감한 반응성sensitive responsiveness은 안정 애착을 초래하고 자신과 타인에 대해 긍정적인 작동 모델을 형성하여 건강한 자아 발달과 대인관계를 촉진한다.

한편 에릭슨(Erikson, 1950, 1988)은 일생 동안 개인의 자아가 사회적 위기를 극복하고 점진적으로 발달해 가는 과정을 여덟 단계로 나누어 설명했다. 즉, 학령기 전의 아동은 기본 신뢰감 대 불신감, 자율성 대 수치심, 주도성 대 죄의식의 세 단계를 거치며, 초등학교 시기에는 근면성 대 열등감의 발달 특징을 드러낸다. 또한 청소년기의 자아정체성 대 역할 혼미 단계를 지나고, 성인이 되면 친밀성 대 고립감, 생산성 대 침체감, 통합성 대 절망감의 세 단계를 밟아 간다. 이처럼 에릭슨은 각 단계의 발달 특징을 기술할 때 긍정적인 면과 부정적인 면을 함께 제시하고 있는데, 이는 발달이 반드시 긍정적인 방향으로만 진행되는 것은 아니라는 점을 부각시킴으로써 개인의 학습과 성장을 저해하는 심리적 문제의 기원을 체계적으로 설명해 준다.

에릭슨(Erikson, 1988)에 따르면, 아동이 학교생활에 전념할 수 있으려면 적어도 이전의 발달 시기에서 삶의 밑천으로 삼을 수 있는 몇 가지 덕virtues을 성취해야 한다. 초등학교 아동은 자신이 힘들 때 누군가 적어도 한두 사람은 아무런 조건 없이 자기편이 되어 줄 것이라는 믿음과 희망이 있어야 하고, 자율 또는 자유에 대한 의지를 갖고 자기가 선택한 것에 대한 가치를 느낄 수 있어야 한다. 또한 초등학교 아동은 현실 검증을 통해 구체적인 목표를 갖고 꾸준한 노력을 기울이는 일이 합당한 결과를 가져올 것이라는 덕을 형성해야 한다. 초등학교 교사는 아동의 자아발달에 가장 커다란 걸림돌로 작용하는 것이 열등한 측면에서 타인과 비교를 당하는 것이라는 사실을 분명하게 자각할 필요가 있다. 이처럼 열등감에 기초하여 아동들에게 주어지는 평판이나 낙인은 자기성장을 향한 발목을 붙들어 매고 만다. 아동을 지도할 때 우리가 기대하는 보편적 상식이 빗나간다면, 우리는 그의 상처받은 내면아이inner child가 더 시급한 어떤 것을 원하고 있는 것은 아닌지를 눈여겨 살펴보아야 한다(Bradshow, 2004).

2) 학습자의 지능과 다양성에 대한 이해

초등학교 아동은 신체적 특징뿐만 아니라 지적 발달 수준에서 상당한 차이를 보일 수 있다. 특히, 지적 능력의 차이는 학업 성취와 밀접한 관계가 있기 때문에 초기 심리학자들은 지능의 측정에 지대한 관심을 보였다([그림 5-3] 참조). 원래 지능검사는 특수한 교육적 요구를 갖고 있는 학습자를 사전에 파악하여 적절히 도와주기 위한 목적으로 개발되었다(Binet & Simon, 1905). 지능검사 결과는 지능지수intelligence quotient, IQ로 표시되며, 전반적인 발달장애나 특수학습장애를 판별하는 핵심 준거로 사용되었다. 그러나 미국에서 표준화된 지능검사가 개발되어 상업적인 목적으로 활용되면서 많은 부작용을 낳기도 했다. 한때 교육심리학자들은 지능intelligence을 아동의 학업 능력을 결정하는 단일의 고정된 실체로 인정하고 지능검사의 결과에 기초해서 학급을 달리 편성하여 지도했으며, 이 전통의 흔적은 오늘날에도 변형된 형태(예: 수준별 반편성)로 남아 있다.

그러나 오늘날 심리학자들은 지능을 더 이상 단일 요인으로 간주하지도 않으며 고정된 실체로 인정하지도 않는다. 가드너(Gardner, 1993, 1998)는 지능이 뚜

WISC-IV

WAIS-IV

[그림 5-3] **개인용 지능검사도구의 예시**

렷이 구분되는 여덟 가지 이상의 능력으로 구성되어 있다고 하는 다중지능Multiple Intelligence, MI 이론을 제안했다. 다중지능의 요인에는 언어지능, 논리수학지능, 공간지능과 같이 전통적 지능검사에서 측정하고자 했던 능력 외에도 신체운동지능, 음악지능, 자기성찰지능, 인간친화지능, 자연지능이 새롭게 포함되어 있다. 그리고 스턴버그(Sternberg, 1991, 1997)는 분석적 능력, 창의적 능력, 실제적 능력의 세 가지 하위능력을 포함하는 성공지능Successful Intelligence, SI 이론을 확립했다. 그들은 지능을 훨씬 더 다양하고 광범위하게 정의하고 예전에는 포함되지 않았던 많은 심리적 요인을 지능의 하위 요인으로 가정한다. 더욱이 많은 학자들은 체계적이고 적극적인 훈련을 통해서 인간의 지적 능력을 향상시킬 수 있다고 가정하고 있으며, 일부 학자들은 아동의 지능을 계발하기 위한 체계적인 프로그램(예: 도구심화, 오디세이 등)을 개발하여 성공을 거두고 있다.

인간의 지능과 관련하여 새롭게 인식되고 있는 또 다른 주제는 지능에 대한 암묵이론과 분산지능에 관한 것이다. 지능에 대한 암묵이론implicit theory of intelligence은 지능의 유동성에 대한 개인적 신념을 말하는 것으로, 개인의 특정한 목표 지향성으로의 편향 또는 우세를 결정하는 데 기여한다(Dweck, 2000; Dweck & Leggett, 1988). 지능의 실체관entity view을 지닌 사람은 인간이 태어날 때 이미 고정된 지능을 가지고 있으며 그 지능은 향상될 수 없다고 믿는 반면에, 지능의 증식관incremental view을 지닌 사람은 인간이 일정한 지능을 가지고 태어나지만 그 지능은 얼마든지 변화할 수 있다고 믿는다. 이 차이는 학교교육에서 학습에 대한 태도나 동기, 실제적 노력 그리고 성취 결과에 지대한 영향을 미친다.

또한 분산지능Distributed Intelligence, DI의 관점에서 보면, 사람은 자신의 물리적·사회적·문화적 환경으로부터 도움을 받을 때 지적으로 훨씬 더 수월하게 생각하고 행동할 수 있다(Jordan & Porath, 2008; Ormrod, 2011). 이를테면, 우리는 컴퓨터를 이용하면 훨씬 더 많은 정보를 조작할 수 있고, 여럿이 머리를 맞대면 복잡한 문제를 쉽게 해결할 수 있다. 또한 다양한 문화적 배경을 가진 사람들이 함께 만나면, 그들은 자신이 접하는 상황을 다양한 상징 체계와 인지적 도구를 사용해서 표현하고 생각할 수 있다. 이러한 관점에서 보면, 지능은 한 개인 내부에만 존재하는 것도 아니고 표준화검사로 쉽게 측정될 수 있는 것도 아니다. 대신에

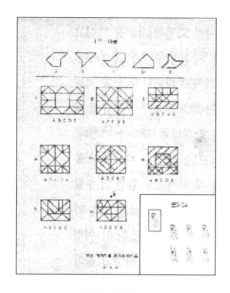
인지양식검사

창의성검사

[그림 5-4] **개인의 정신 능력을 측정하기 위한 대안적인 접근들**

지능은 적절한 환경적 지원을 통해 증가하는 매우 변화무쌍하고 맥락에 의존하는 특수한 능력이다.

한편, 교육심리학자들은 일반지능을 아동의 학습 결과에 영향을 미치는 여러 가지 요인 중 단지 한 가지로 간주하며, 개인의 정신 능력을 측정하기 위해 다양한 대안적 접근을 제안하고 있다([그림 5-4] 참조). 학생들은 인지적 처리, 생리학적 양식, 정의적 양식에 따라 학습에 대한 선호를 달리하고 있으며, 이러한 학습양식learning style의 차이는 학습 방법과 학습 결과에 차이를 가져올 수 있다(Eggen & Kauchak, 2011; Sternberg & Williams, 2010). 창의성creativity은 개인이 아이디어 산출의 다양성뿐만 아니라 변화하는 환경에서 적응 유연성을 확보하기 위해서 갖추어야 할 핵심 역량이다.

한편, 학생들은 다양한 사회경제적 지위와 서로 다른 문화적 배경을 갖고 교실에 들어온다. 이런저런 사정에 따라 사회경제적 지위와 학생들의 성취도 간에는 정적 상관이 존재하고 있으며, 인종과 민족성, 언어 등 문화적 다양성이 계속 증가하고 있다. 이 다양성은 학생들이 교사와 다른 것처럼 학생들끼리도 서로 다름을 나타내는 모습이다. 많은 교사는 다양성의 문제를 자신의 수업 상황으로 끌어들이는 것을 꺼리는 경향이 있다. 교사들은 먼저 다양성에 대한 자신의 관심, 신념, 기대, 편견 등을 검토하고 인정할 필요가 있다. 그들은 차이는 그냥 차이일 뿐이라는 사실을 받아들여야 하고, 다양성이 날로 증가하고 있다는 사실도 인정해야 한다. 그리고 어떤 입장을 선택할 것인가에 대해 폭넓게 정의된 문화와 수업 방법 간의 상호작용에 대해 민감할 필요가 있다.

학습자의 발달과 다양성에 관련된 교육심리학의 주요 탐구 주제를 정리하면 〈표 5-1〉과 같다.

〈표 5-1〉 학습자의 발달과 다양성에 관련된 심리학적 탐구 주제(송재홍, 2015)

---

(1) 인간 발달의 쟁점
- 유전론(천성) 대 환경론(육성): 발달적 변화는 유전적 프로그램에 의해 천성적으로 나타나는가, 아니면 외부 환경의 작용에 의해 적극적으로 육성되는가?
- 단계설 대 연속설: 발달적 변화는 질적으로 다른 단계를 거치면서 일어나는가, 아니면 계속해서 양적으로 증가하는가?
- 결정적 시기critical period 대 민감한 시기sensitivity period: 생애 초기 경험은 후기 경험보다 아동 발달에 더 강력한 영향을 미치는가?
- 영역 보편성 대 영역 특수성: 인간 발달의 과정은 모든 영역에서 같은 속도로 일어나는가, 아니면 특수 영역에 국한되어 경험의 함수에 비례하는가?

(2) 인지발달에서 피아제의 위치와 대안들(핵심지식이론, 정보처리이론, 사회문화이론)
- 아동은 어떻게 세상을 이해하고 지식을 구성하는가?
- 아동은 어떤 발달단계를 거쳐 성숙한 지적 상태에 도달하는가?
- 아동의 인지발달에서 문화 도구(언어)와 사회적 중재는 어떤 기능을 하는가?
- 교사는 아동의 인지발달을 돕기 위해서 구체적으로 어떤 역할을 할 수 있는가?
- 최근 정보처리이론과 인지신경과학자들은 아동의 인지발달에 대해 어떤 주장을 펴고 있는가?

(3) 자아와 사회성 발달에서 전통적 접근과 사회인지이론의 영향
- 아동은 어떻게 자아의 존재를 인식하고 사회의 요구에 반응하는가?
- 아동은 어떤 발달단계를 거쳐 성숙한 자아 상태에 도달하는가?
- 아동의 사회성 발달에서 인지발달 수준과 사회적 모델링은 어떤 기능을 하는가?
- 교사는 아동의 사회성 발달을 돕기 위해서 구체적으로 어떤 역할을 할 수 있는가?
- 최근 사회인지이론과 인지신경과학자들은 아동의 사회성 발달에 대해 어떤 주장을 펴고 있는가?

(계속)

(4) 개인차의 원천으로서 지능과 대안적 구성 개념(창의성, 인지양식)
- 지능은 단일 요인인가, 아니면 다중 요인인가?
- 지능은 어떻게 측정하고, IQ란 무엇을 말하는가?
- 아동의 지적 능력에 따라 학급을 달리 편성하면 학업 성취에 도움이 되는가?
- 특수한 지적 능력이나 결함을 지닌 학생(GT, MR, LD, ADHD)은 어떤 도움이 필요한가?
- 최근 인지양식과 창의성에 관심 있는 학자들은 아동의 지능에 대해 어떤 주장을 펴고 있는가?

(5) 개인차의 원천으로서 생물학적 차이(성차)와 사회문화적 영향(계층과 민족의 차이)
- 지적 능력과 사회적 행동에는 남녀 차이가 존재하는가?
- 아동은 어떻게 성 역할에 대한 고정관념과 성 정체성을 발달시키는가?
- 사회경제적 수준과 문화적 차이는 아동 발달에 어떤 결과를 초래하는가?
- 교사는 사회계층 및 문화적 배경이 다양한 학생들을 어떻게 지도할 수 있는가?
- 최근 양성평등교육과 다문화교육 이론가들은 교실의 다양성에 대해 어떤 주장을 펴고 있는가?

3. 학습과 인지 및 동기에 대한 이해

학습과 인지 그리고 동기는 심리학자들의 가장 큰 관심사다. 교육심리학자들에게 특히 더 그렇다. 학습learning이란 경험을 통해서 획득된 변화를 말한다. 그것은 한때 습관 형성과 거의 같은 의미로 사용되었다. 즉, 학습은 낯선 것들에 대한 만남의 연속적인 과정이다. 개인은 학습 과정을 통해 전에는 낯설었던 것들에 점차 익숙해지고 편안하게 된다. 그러나 때로는 개인이 이미 갖고 있는 한정된 지식이나 낡은 습관을 버리지 않고서는 새로운 것을 만나기가 쉽지 않을 수도 있다. 따라서 학습의 참모습은 개인이 익숙했던 것과 결별하는 것일 수도 있다. 학습에 관한 이론은 개인이 환경과의 상호작용을 통해 어떻게 변화되는지를 설명해 준다. 그러나 행동주의와 인지적 접근은 변화의 시점을 어디로 보느냐와 관련해서 서로 견해를 달리한다.

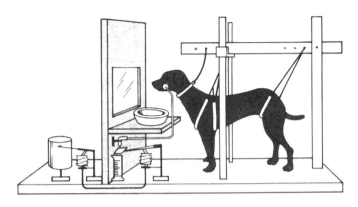

[그림 5-5] 파블로프의 실험장치

1) 학습에 대한 행동주의 관점

행동주의behaviorism는 관찰 가능한 외현적 행동의 변화에 초점을 맞추고 있다. 그 핵심 주장은 학습이 자극과 반응의 연합에 의해 이루어진다는 것이다. 학습에 관한 초기 연구는 반사행동에 대한 자극의 영향을 연구했다. 파블로프(Pavlov, 1999)는 중립 자극이 반사행동을 일으키는 무조건 자극과 연합을 통해 행동적인 반응을 유발하는 능력을 얻을 수 있다고 하는 고전적 조건화의 원리를 제안했다([그림 5-5] 참조). 그는 또한 유기체가 반복적인 경험을 통해 다양한 자극에 대해 상이한 반응(변별) 또는 유사한 반응(일반화)을 할 수 있음을 설명했다.

손다이크(Thorndike, 1913b)는 미래의 행동을 결정하는 데 현재 행동의 결과를 강조하는 효과의 법칙을 발전시켰으며, 스키너(Skinner, 1953, 1957)는 행동과 결과의 관계에 관한 연구를 계속하여 강화와 벌이 행동을 조형한다는 조작적 조건화의 원리를 설명했다([그림 5-6] 참조). 강화reinforcement는 행동의 발생 빈도를 증가시키는 반면, 벌punishment은 행동의 빈도를 감소시킨다. 조작적 조건화에서는 자극과 반응의 근접성보다는 유관성contingency을 더 중시한다. 스키너는 행동 조형, 상표제도, 용암법 등 여러 가지 강화 방법과 강화 계획을 제안했다. 사회에 만연해 있는 상표제도token economy는 하나의 강력한 강화 체계로서 널리 사용되고 있다. 강화 계획reinforcement schedule은 바람직한 행동의 가능성, 빈도, 또는 지속성을 높이는 데 사용된다.

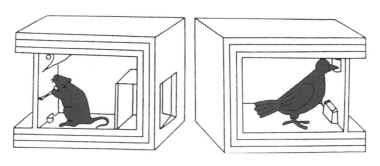

[그림 5-6]　스키너의 실험장치

　　또한 반두라(Bandura, 1984)는 사회적 상황에서 모델의 행동을 관찰하는 것만으로도 행동의 변화가 일어날 수 있다고 주장하고, 관찰학습의 과정을 주의집중, 기명(또는 파지), 운동재생, 동기유발의 네 단계로 나누어 제시했다. 그는 또한 학습과 수행을 구분하고, 대리강화 또는 대리처벌과 같은 전략이 어떻게 다른 학생들의 행동에 영향을 미칠 수 있는지를 체계적으로 설명했다. 그는 학생들이 자신의 수행에 대한 기대를 갖고 스스로 강화하는 것을 배워야 한다고 제안했다.

　　행동주의 학습이론은 수업 과정에서 학생의 바람직한 행동을 증가시키고 바람직하지 못한 행동을 감소시키는 데 매우 효과적인 원리를 제공한다. 그것은 교사가 학급에서 유관성 강화를 사용하여 학생의 행동을 원하는 방향으로 변화시킬 수 있다고 제안한다. 그것은 또한 교실에서 벌의 남용을 피하기 위한 전략을 제시하고 있으며, 교사에게 학생의 행동을 변화시키려고 하는 전략의 운영자가 될 것을 제안하고 있다. 이런 이유로 행동주의 학습 원리는 교실에서 가장 많이 사용되고 있다. 따라서 학생들의 행동을 다루어야 하는 교사는 조건화의 원리를 체계적으로 이해할 필요가 있다.

　　스키너(Skinner, 1953, 1957)의 강화이론과 반두라(Bandura, 1984, 1986)의 사회인지이론은 특히 시사하는 바가 크다. 이 두 학자로 대표되는 행동주의 학습이론의 기본 가정은 특정 자극 상황에서 요구하는 행동을 습관화하는 일이다. 그러나 새로운 행동을 습관화하려면 먼저 이전의 행동 습관에서 벗어나야 한다. 즉, 학습은 차별화된 자극 사태에 대한 특정한 반응의 습관화 또는 탈습관화로 정의될 수 있다. 이 이론에서는 특히 자극의 차별화와 유관성에 기초한 지속적인 강화가 중요하다. 자극의 차별화에 대한 발상은 교육목표분류학(Bloom et al., 1978; Krathwohl, Bloom, & Masia, 1978)이나 학습 과제의 유형화(Gagné, 1974, 1996)로 진화한다. 자극의 차별화는 복잡한 학습 과제를 단순하고 구체적인 자극으로 세분화하는 것이다. 이처럼 세분화된 자극은 비교적 명확한 특정 반응을 요구하기 때문에 학습은 특별한 전략을 요구하지 않으며, 모델링과 연습에 의해서 쉽게 이루어질 수 있다. 따라서 학습성과는 특수한 자극 사태에서 요구되는 비교적 단순한 반응을 얼마나 오랫동안 반복적으로 유지할 수 있는가에 의존한다. 말하자면, 학습성과는 학습시간, 특히 특정 학습 과제에 집중한 시간의 함수다.

그러나 동일한 자극 사태에 반복적으로 노출되는 것은 학습자에게 자칫 지루함과 무력감을 유발할 수 있다. 이는 학습자에게 때로 감당하기 어려운 인내를 요구할 수도 있다. 학습 사태에 학습자를 붙들어 매기 위해서는 학습 사태를 매력적으로 만들어야 한다. 다시 말해서 학습 사태에 어울리는 반응에 대해서는 강력한 보상을 제공할 필요가 있다. 즉, 동일한 학습 사태에 학습자를 오래 머물도록 하기 위해서는 지속적인 강화가 주어져야 한다. 지속적인 자극은 인간의 성장과 발달에 필수 불가결한 요소이며, 특히 아동이 겪는 생애 초기의 자극 결핍은 성장기의 원인 모를 왜소증이나 질병 발생과 깊은 상관을 보인다는 점에서 자극의 중요성을 간과해서는 안 된다(Spitz, 1945). 아동의 특정 반응과 연결되는 일관된 자극은 아동으로 하여금 미래 상황에 대한 예측과 통제를 가능하게 함으로써 궁극적으로 자기의 행동을 스스로 추구하는 목적에 맞게 조율할 수 있는 자기조절 학습자self-regulated learner가 되게 한다(Schunk & Zimmerman, 2008).

요약하면, 행동주의 학습이론의 가장 큰 매력은 잘못 형성된 습관을 재학습을 통해서 더 바람직한 행동으로 변화시킬 수 있다는 것이다. 무엇보다 아동의 장점을 발굴하여 부각시키는 일은 아동에게 씌워진 낙인을 제거하고 인생을 긍정적으로 인식하도록 전환하는 매우 효과적인 전략이다. 또한 자기효능감과 자기조절학습에 대한 강조는 학습이 단지 차별화된 자극 사태에 어울리는 행동을 습득하는 것, 그리고 좋은 점수를 받는 것 이상으로 확대되어야 함을 시사한다. 즉, 초등학교 아동이 적응행동의 습득과 성취점수의 향상을 통해서 학습해야 하는 더욱 중요한 것은 자신의 학습 능력에 대한 믿음과 희망, 의지와 인내심이다.

2) 학습에 대한 인지적 접근

행동주의 학습이론은 인간정보처리이론의 등장으로 비난의 표적이 되어 왔으며, 학습성과를 학습시간의 함수로 인식하던 기본 가정 역시 인지적 혁명을 거쳐 새로운 패러다임으로 대치되었다. 인지적 접근cognitive approach은 사고의 변화에 초점을 둔다. 그것은 학습하는 동안 정보를 처리하고 표상하는 정신기제를 강조한다는 점에서 행동주의와 다르다. 학습에 대한 인지적 접근은 형태심리학에 뿌리를 두고 있다. 형태심리학자들Gestalt psychologists은 기억에 대한 지각의 역할과 학습에서 기억의 역할을 강조함으로써 지각이 학습에 가장 중요하다고 강조했다(예: Wertheimer, 1945).

인지적 접근은 한때 행동주의 학습이론에 밀려났으나 현대에 와서 컴퓨터 유추에 의한 정보처리모형이 등장하면서 다시 부활했다. 초기의 인간정보처리모형은 단기기억과 장기기억으로 구성된 다중저장모형을 가정하고 단기기억의 한계에 초점을 맞추었다(Atkinson & Shiffrin, 1968; [그림 5-7] 참조). 그것은 객관주의의 전통을 유지하면서 학습의 효율성을 강조했다. 말하자면, 동일한 학습 과제라 하더라도 효과적인 전략을 사용하면 학습시간을 단축시킬 수 있다는 것이다 (Gagné, Yekovich, & Yekovich, 2005). 예를 들면, 의미의 단위를 확장하거나 정보의 규칙성을 발견하여 조직화하는 일은 대표적인 학습전략이다. 또한 언어적

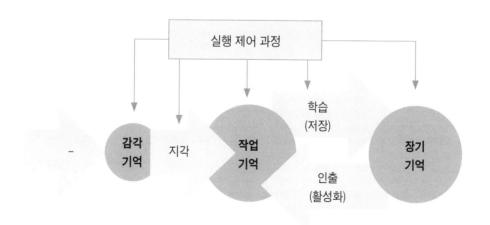

[그림 5-7] 인간정보처리모형

정보를 시각화하거나 그 반대 역시 학습시간을 단축시킬 수 있다.

뿐만 아니라 효과적인 학습전략은 학습 과제의 성질에 따라 좌우되기 때문에 여기서도 학습 과제의 유형화는 중요하다. 학습 과제는 크게 선언적 지식과 절차적 지식으로 구분될 수 있으며, 선언적 지식은 다시 복잡한 텍스트와 간단하게 요약 정리된 항목들로 세분화되고, 절차적 지식은 지적 기능과 운동 기능으로 세분화될 수 있다. 텍스트와 같은 비교적 복잡한 학습 과제는 SQ3R이나 PQ4R과 같은 효과적인 읽기전략을 요구하는 반면, 잘 요약 정리된 항목들로 구성된 학습 과제는 기억술memonics과 같은 체계적인 전략을 활용한다. 반면에 절차적 지식, 즉 기능의 학습은 절차화와 자동화를 통해 학습의 능률을 극대화한다. 이러한 가정에 기초해서 읽기, 쓰기, 수학적 문제해결에서 정보처리 과정에 대한 분석이 이루어졌으며, 효과적인 지도전략이 개발되어 교과교육에 반영되고 있다(Bruning, Schraw, & Norby, 2011).

현대의 인지심리학자들은 장기기억에서 지식의 표상에 더 많은 관심을 갖고 있으며, 학습할 때 이중부호화 전략을 사용하는 것과 선행학습 또는 도식schema을 새로운 학습 과제와 연계시키는 것이 중요하다는 것을 깊이 인식하고 있다(Gagné, Yekovich, & Yekovich, 2005; [그림 5-8] 참조). 그들은 또한 학생들이 새로운 자료와 선행지식을 연결시킬 수 있고 정보를 선택적으로 조직할 수 있으며, 학생들이 만족하는 형태로 정보를 제시할 때 장기적인 학습이 촉진된다고 주장한다. 이 주장은 발견학습 또는 설명식 수업과 같은 새로운 교실수업모형의 이론적 기초를 형성했으며, 오늘날 구성주의constructionism라고 불리는 혁명적인 학습이론으로 진화했다(Bruning, Schraw, & Norby, 2011). 교사나 학생들 모두 학습한 것을 단순히 암기하는 것뿐만 아니라 그것을 제대로 이해하여 나중에 이용할 수 있기를 바란다면 인지학습의 기본 원리를 이해하는 것이 중요하다. 인지심리학자들은 적절한 이해 없이 기억된 지식은 쓸모없는 지식이라고 말한다. 기억이 학습에서 핵심 요소이기는 하지만 어떤 방법을 적용하는 것을 알지 못한 채 암기하는 것은 불완전한 학습을 의미한다. 따라서 교사는 교과를 가르칠 때 학습내용을 학생들에게 유의미하게 제시하고 가능하다면 그들의 삶에 관련되도록 노력할 필요가 있다.

교사는 또한 학생들에게 개념적 이해뿐만 아니라 비판적 사고와 문제해결 능

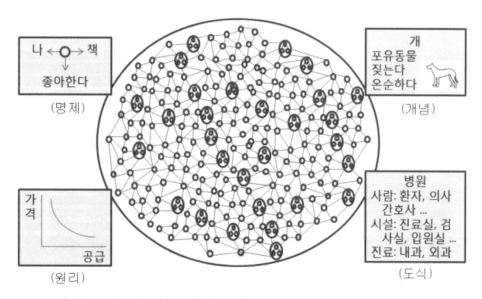

[그림 5-8] 다양한 형태의 지식 표상(Gagné, Yekovich, & Yekovich, 2005)

력을 함께 길러 주어야 한다. 학생은 관행적으로 사고하는 데 머물러서는 안 되고 좀 더 효과적으로, 곧 더 비판적이고 더 논리적이며 더 창의적으로 사고할 수 있어야 한다. 관행적 사고mindlessness가 습관적으로 틀에 박힌 자동적인 사고 패턴에 따라 문제를 해결하는 것을 말한다면, 비판적 사고critical thinking는 문제해결을 위해 의도적으로 자신의 생각을 일정한 방향으로 집중시키는 것을 말한다(Halpern, 1997, 1998). 교사는 학생들에게 관행적 사고를 하기보다는 비판적이고 분석적인 사고를 하도록 가르쳐야 한다. 이러한 사고에는 아이디어와 대상 분류하기, 순서대로 정돈하기, 추정하기, 준거 평가하기, 결론 내리기, 유추하기 등의 활동이 포함될 수 있다. 학습내용을 잘 이해하려면 자료를 깊게 분석하고 평가하는 능력이 요구된다. 비판적 사고는 성공적인 학업 수행을 위해 필요할 뿐만 아니라, 졸업 후 가지게 될 직업 수행이나 사회생활 속에서 부딪히는 복잡한 문제를 더 잘 해결하는 데 많은 도움이 된다(Nickerson, 1987, 1997).

또한 학생은 자신의 사고과정과 자주 범하는 사고 오류를 이해할 필요가 있다. 이처럼 자신의 인지과정을 이해하고 관리하는 초인지는 학습과 기억 그리고 사고에서 모두 중요하다. 초인지metacognition란 자신의 인지장치와 그 장치가 어떻게 작동하는지에 대해 갖는 인식이다(Meichenbaum, Burland, Gruson, & Cameron, 1985). 그것은 대체로 자기인식과 자기조절로 구분된다(Brown, 1978, 1987). 자기인식self-awareness은 자신의 인지활동에 대해서 아는 것을 말하며, 한 개인이 '그 자신', '과제', 그리고 '전략'이 학업성취에 어떻게 영향을 주는지에 대해 알고 있는지의 여부를 나타낸다. 유능한 학습자는 새로운 경험을 통해서 자신에 대해 배우는 능력, 과제의 성질에 따라 자신의 능력을 발휘하는 융통성, 학업에 실패할 때 효과적으로 대처하는 능력, 그리고 자신의 학습 경험으로부터 이점을 살리는 능력이 탁월하다. 자기조절self-regulation은 자신의 인지과정을 통제할 줄 아는 것을 말하며, 한 개인이 자신의 인지활동을 어떻게 통제하고 계획하며 점검하는가를 나타낸다. 학생은 자신의 인지수행에 대해서 적극적으로 조사하기, 계획하기, 점검하기, 교정하기, 평가하기, 성찰하기 등의 과정을 통해 학습할 때 인지활동을 조정할 수 있어야 한다. 유능한 학습자는 학습 과제에 따라 인지전략을 일관되고 융통성 있게 사용하는 능력이 탁월하다. 따라서 교사는 학생의 비판적 사고와 창의적 문제해결 능력뿐만 아니라 학생 스스로 자신의 사고과정을 이해하고 관리할 수 있는 초인지에 대해서도 깊은 관심을 가져야 한다.

3) 학습에 대한 동기와 신념

동기motivation는 목표를 향해 행동을 유발하고 방향을 제시하는 힘을 말한다(Schunk, 1991). 통상적인 의미로 동기는 무엇을 행하게 하고, 계속하게 하며, 어디로 가려고 하는지를 결정하게 한다. 그것은 개인의 욕구가 행동의 방향과 강도에 미치는 영향이다.

동기이론가들은 일반적으로 동기를 외적 동기와 내적 동기로 구분한다. 스키너와 같은 행동주의자들은 동기를 강화의 결과로 본다. 그러나 강화물의 가치는 많은 요인들에 의존하며, 동기의 강도는 학생들의 내적 욕구에 따라 다를 수 있다. 일부 학자들은 동기를 유발하는 필수적인 요소로 가치와 기대를 들고 있다(Wigfield, 1994; Wigfield & Eccles, 2000). 어떤 학생이 공부를 잘하고 싶다고 말하면서도 실제로 노력을 하지 않는다면, 학생은 활동이나 목표에 대해 가치를 적게 부여하거나, 아니면 스스로 자신의 성취도가 낮을 것이라고 생각할 수도 있다.

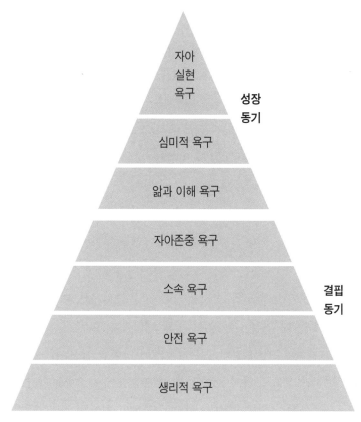

[그림 5-9]　매슬로의 욕구위계모형(Maslow, 1992)

사람은 욕구가 강할수록 충동이 강해지고 목표 지향적 활동에 더 적극적으로 참여한다. 매슬로(Maslow, 1992)는 인간의 욕구를 결핍 욕구와 성장 욕구의 두 범주로 구분하고 각 범주 안에서 다양한 욕구를 우선순위에 따라 위계화했다([그림 5-9] 참조).

　　기대-가치 이론의 관점에서 보면, 무엇을 성취하고자 하는 개인의 동기는 성공의 가능성에 대한 추정의 결과와 성공에 부여하는 가치에 달려 있다고 가정된다(Wigfield & Eccles, 1992). 동기는 성공 가능성이 적절한 수준에서 최대가 된다. 기대는 동기유발의 필수적인 요소다. 반두라(Bandura, 1977)는 사람들이 자신의 목표를 이룰 수 있다는 믿음(기대)에 의해 노력의 정도와 지속 기간이 달라진다고 주장했다. 그는 적절한 모델링과 언어적 설득을 통해 도전적 과제에 대한 성공 경험을 증가시킴으로써 학습자의 자기효능감self-efficacy을 향상시킬 수 있음을 입증했다. 와이너(Weiner, 1980, 1985)는 사람이 지각하는 행동(성공 또는 실패)의 원인이 후속 행동에 어떤 영향을 미치는가를 설명하고자 했다. 성취 수준이 높은 사람들은 성공의 원인을 내적이고 안정적인 요소에서 찾는다. 그들은 스스로 똑똑하며 또 노력하면 성공할 수 있다고 믿는다. 그는 재귀인reattribution 훈련을 통해 노력귀인을 강화함으로써 학습자의 학습동기를 향상시킬 수 있다고 제안했다.

또한 학습자가 어떠한 성취목표를 지향하는가에 따라 학습 행동의 차이를 드러낸다(Pintrich, 2000; Urdan & Mestas, 2006). 학습목표learning goal를 지닌 학습자는 배우고 있는 기술에서 능력을 얻는 것을 공부의 목표로 삼으며, 도전적인 과제를 선택하고 능동적이고 지속적인 학습 행동을 나타내는 경향이 있다. 수행목표performance goal를 지닌 학습자는 우선적으로 자신의 능력에 대한 부정적인 판단을 피하고 긍정적인 판단을 추구하는 것을 공부의 목표로 삼으며, 경쟁적인 상황에서 좋은 점수를 받는 데 초점을 두고 쉬운 과목을 택하거나 도전적인 과제를 회피하는 경향이 있다. 이와 같이 성취목표 지향성이 상이한 학습자는 전반적인 지능에서 다르지 않지만 그들의 과제 수행은 확연하게 다를 수 있다. 학습목표 지향적인 학습자는 장애물을 만나면 계속 노력하는 경향이 있으며, 학습에 대한 동기와 수행이 실제로 증가할 수 있다. 그러나 수행목표 지향적인 학습자는 장애물을 만나면 쉽게 좌절하는 경향이 있고 학습 과제의 수행이 심각하게 방해를 받으며, 반복적으로 실패를 경험하는 경우 학습된 무기력learned helplessness에 처하게 되고 부정적 피드백으로부터 자신을 보호하기 위해 '방어 비관론defensive pessimism'을 발달시킬 수도 있다.

드웩(Dweck, 1999, 2010)은 학습동기를 육성하기 위해서 학습자의 성장 마인드셋growth mindset을 개발하는 것이 결정적이라고 주장했다. 성장 마인드셋을 지닌 학습자는 인내하고 노력하며 배움 자체에 중점을 둔다면 지능이 얼마든지 성장하고 발달할 수 있다고 믿으며, 학습활동에 더욱 능동적으로 참여하고 실패를 경험해도 도전과 회복에 대한 욕구를 드러낸다. 반면에 고정 마인드셋fixed mindset을 지닌 학습자는 지능이나 재능에는 이미 정해진 양이 있어서 자신이 영리하거나 그렇지 못하다고 믿는 경향이 있으며, 도전적인 과제보다는 쉬운 과제를 선호한다. 상대 평가와 능력별 집단화를 강조하는 학교 문화는 저성취 학생들에게 고정 마인드셋 신념을 전달하여 교육 불평등을 초래하고 그들의 참여와 성취를 전반적으로 저하시킬 수 있다. 학교 차원에서 학교 구성원은 신경과학으로부터 신경가소성neuron plasticity에 대한 연구 결과를 공유함으로써, 그리고 학급 차원에서 교사는 학습자의 다양성에 기초한 차별 교수differentiated teaching와 비판적 사고 경험 프로젝트를 도입함으로써 성장형 마인드셋 문화를 창조할 수 있다(Ricci, 2016). 또한 교사는 실패를 대하는 학생들의 태도를 변화시키고 신경망 만들기와 뇌 건강 챙기기 같은 학습 과제를 도입하여 그들의 성장 마인드셋을 육성함으로써 학습에 대한 동기와 신념을 변화시킬 수 있다.

동기는 학습 과정에서 필수적인 요소다. 학습동기는 능력 다음으로 학생의 학습 행동과 성취 결과에 영향을 미치는 강력한 요인이다. 많은 연구들은 동기와 성취 간에 상관관계가 있음을 잘 나타낸다. 동기화된 학생은 학교에서 성취를 더 잘하는 경향이 있다. 그들은 학교에서 좀 더 오래 머물고 학습하기를 좋아하며 시험 성적도 좋다. 그래서 유능한 교사는 수업을 하기 전에 학습을 위한 동기를 촉진시켜야 하고 학생의 동기를 어떻게 지지할 것인지를 결정해야 한다. 유능한 교사는 또한 성차 또는 집단에 따라 동기를 부여하는 방법을 다르게 사용할 수 있으며, 교실에서 목표 달성을 위해 학생들이 함께 노력하는 협동적 구조를 창안하도록 노력을 기울인다. 학습과 인지, 학습동기에 관련된 교육심리학의 주요 탐구 주제를 정리하면 〈표 5-2〉와 같다.

〈표 5-2〉 **학습과 인지 및 학습동기에 관련된 심리학적 탐구 주제**(송재홍, 2015)

---

(1) 학습과 인지의 쟁점
- 학습이란 무엇인가? 행동의 변화인가, 아니면 인지의 재구성인가?
- 어떤 행동의 변화를 학습의 결과로 인정하려면 어떤 조건이 필요한가?
- 인간은 환경에 수동적으로 반응하는가, 아니면 능동적으로 자기 변화를 도모하는가?
- 인간은 자극들 간의 차이에 더 민감한가, 아니면 자극들의 공통된 특징에 더 민감하게 반응하는가?

(2) 행동주의의 등장과 학습에서 강화 및 모델링의 역할
- 고전적 조건화와 조작적 조건화의 공통점과 차이점은 무엇인가?

(계속)

- 학생들의 행동을 강화하기 위해서 어떤 강화인과 강화 계획을 사용할 수 있는가?
- 어떻게 처벌의 부작용을 최소화하면서 학생들의 부적응 행동을 감소시킬 수 있는가?
- 강화나 벌을 사용하여 학생의 부적응 행동을 수정하려면 어떤 절차를 밟아야 하는가?
- 사회학습이론은 학습을 이해하는 데 어떻게 기여했으며, 교사는 어떻게 바람직한 모델이 될 수 있는가?

(3) 인간 기억에 대한 정보처리모형의 대두와 인지적 혁명
- 인간의 기억과 사고에 관한 인지적 모형은 어떻게 진화해 왔는가?
- 초기 정보처리모형에서 가정하는 기억의 세 가지 구성요소는 어떻게 다른가?
- 교사는 학생들에게 주의를 집중시키기 위해서 어떤 방법을 사용할 수 있는가?
- 교사는 학생들에게 기억을 향상시키기 위해서 어떤 전략을 사용할 수 있는가?
- 교사는 효과적이고 유의미한 학습을 촉진시키기 위해서 어떤 전략을 사용할 수 있는가?

(4) 개념적 이해와 문제해결에서 초인지와 상황적 맥락의 효과
- 초인지 전략은 학생들의 학습에 어떤 도움을 줄 수 있는가?
- 학생들에게 개념적 이해를 촉진하기 위해서 어떻게 접근해야 하는가?
- 사람들이 자주 사용하는 논리적 사고와 사고의 오류에는 어떤 유형이 있는가?
- 교사는 학생들에게 비판적 사고를 육성하기 위해서 어떤 노력을 기울여야 하는가?
- 교사는 학생들의 창의적인 문제해결능력을 길러 주려면 어떤 노력을 기울여야 하는가?

(5) 학습자의 학습동기를 유발하는 내적 · 외적 조건과 자기조절학습 능력의 육성
- 인간의 동기를 유발하는 주요 구성요소는 무엇인가?
- 학생들의 성취동기와 학습동기를 향상시키려면 어떻게 해야 하는가?
- 성취 불안이나 학습된 무기력을 드러내는 학생들은 어떻게 지도해야 하는가?
- 교사는 학생들의 수행과 노력 그리고 향상에 대해서 어떻게 보상할 수 있는가?
- 학생들이 자신의 학습 행동을 스스로 유발하고 조절하도록 돕기 위한 체계적 전략은 무엇인가?

---

4. 유능한 학습자의 조건

유능한 학습자가 되도록 조력하는 일은 교사의 주된 직업적 책무다. 실천적인 학문으로서 교육심리학의 궁극적인 목표는 유능한 학습자의 특징을 밝히고 미숙한 학습자를 유능한 학습자가 되도록 조력하기 위한 효과적인 교수설계의 원리를 규

명하는 것이다. 학습자의 발달과 다양성, 학습과 인지, 그리고 학습동기에 대한 일련의 심리학적 연구 결과에 따르면, 유능한 학습자는 미숙한 학습자와는 다른 몇 가지 특징을 지니고 있다(Ormrod, 2011; Sternberg & Williams, 2010).

첫째, 유능한 학습자는 지적 호기심이 강하다. 호기심은 인간이 불확실성에 직면하여 적당히 각성이 유발된 상태를 말한다. 인간은 무엇인가 신기하고 놀랍고 모순되거나 복잡한 것을 경험할 때 각성 상태가 최고조에 달하게 되는데, 이때 지적 호기심은 자극 사태에 대한 탐색 행동을 유발하여 각성 상태를 감소시키고 생존 가치를 증대시키는 역할을 한다. 따라서 호기심은 모든 학습의 출발점이라고 할 수 있다. 호기심은 색다른 형태의 외적 자극에 의해 유발될 수도 있으나, 학습자는 개인적으로 선호하는 주제나 활동에 좀 더 흥미를 가지고 적극적으로 참여하며 장기적으로 꾸준한 향상을 유지하는 경향이 있다. 유능한 학습자는 외부 상황에 의해 형성된 지각적 호기심을 인식적 호기심으로 전환시켜 내적 모순을 자각하고 그것을 극복하기 위해 적극적으로 자기 변화를 모색한다.

둘째, 유능한 학습자는 정보를 효율적으로 처리하고 효과적인 학습전략을 사용한다. 유능한 학습자는 제한된 시간에 많은 정보를 기억할 수 있고 학습이나 문제해결에 관련된 정보와 덜 관련된 정보를 구분하는 능력이 탁월하다(Weinstein, 1994). 또한 유능한 학습자는 효과적인 읽기전략(이를테면, PQ4R, READS, CAPS)이나 기억전략(이를테면, 언어매개, 핵심어법, 시각적 심상) 또는 초인지전략(이를테면, 목표설정, 자기점검)을 사용하여 정보를 효과적으로 학습하고 기억하며 활용한다. 이러한 전략은 교사나 부모 또는 동료 학생으로부터 배울 수도 있고 학습자 스스로 만들어 낼 수도 있다. 그러나 학습자는 처음에는 이러한 전략을 누군가로부터 배워야 하고 어떤 방식으로든 학습된 전략을 유지하기 위해 노력해야 한다. 유능한 학습자는 또한 자신이 배운 전략을 새로운 교과목이나 상황에 활용함으로써 전략을 전이하는 요령을 배운다. 예를 들면, 역사적 사실을 외우는 데 사용했던 기억전략이 외국어 단어를 외울 때는 물론이고 사람 이름이나 구입할 물건의 목록을 외우는 등 실생활에서도 많은 도움이 될 수 있다. 뿐만 아니라 유능한 학습자는 어떤 전략이 수행을 높이는지를 점검하고 효과가 있는 전략을 좀 더 자주 그리고 더욱 효과적으로 사용한다. 따라서 유능한 학습자가 되려면 다양한 전략에 따라 수행이 어떻게 달라지는지에 대해서도 민감해야 한다.

셋째, 유능한 학습자는 지능에 대해 증식적 관점을 지니고 있다. 많은 학생들이 지능을 타고난다고 여기며 향상시키기 어렵다고 생각한다. 그러나 이와 같이 지능이 고정되어 있다고 보는 것은 상당히 비생산적인 견해다. 그것은 학생으로 하여금 자신의 능력과 수행을 부정적으로 평가하게 하며 실패를 정당화하고 도전을 회피하게 한다. 반면에 지능이 향상될 수 있다고 믿는 학생들은 부정적인 평가를 더 많은 노력과 훈련을 통해 극복할 수 있는 것으로 생각하며 실패에 도전하기 위해서 더 열심히 공부한다. 앞에서 언급했듯이, 최근의 연구는 지능이 향상될 수 있다고 보고 실제로 지능을 향상시키기 위한 노력을 기울이고 있다. 특히, 교사가 학생들에게 제공하는 피드백은 학생들의 지능에 대한 신념을 형성하게 하고 따라서 동기와 성취도에도 영향을 미친다(Dweck, 2000, 2002). 지능에 대해 증식적 관점을 지닌 학생들은 또한 실수를 학습의 일부로 생각하고 배우기 위해 열심히 노력하는 숙달 지향적인 목표를 가지는 경향이 있다. 그들은 자신들에게는 실수를 만회할 기회가 있다고 믿고 끈기를 갖고 노력하기 때문에 시간이 지나면서 성적이 꾸준히 향상된다.

넷째, 유능한 학습자는 높은 포부 수준과 자기효능감을 지니고 있다. 높은 포부는 삶에서 긍정적인 동기로 작용한다. 유능한 학습자는 현실적으로 높은 성취를 할 수 있다고 믿고 그러한 믿음을 이루기 위해 노력한다. 그는 또한 성공의 길목에는 수많은 장애물이 가로놓이기 마련이라는 것을 알고 있으며, 장애를 만나더라도 중도에 포기하지 않고 꾸준히 노력하면 좋은 결과를 성취할 가능성이 높아진다는 것을 알고 있다. 한편 자기효능감self-efficacy은 특정 과제 영역의 행동을 학습하거나 수행하는 능력에 대한 개인의 신념을 의미한다(Bandura, 1977, 1997; Schunk & Zimmerman, 2007). 정서와 감정을 조절하는 자기효능감은 개인이 자신의 학업을 향상시키고 반사회적 행동을 유도하는 사회적 압력에 저항하며 다른 사람의 정서적 경험을 공감할 수 있다는 자신감에 의해 생긴다. 유능한 학습자는 학교에서 성공할 능력이 있다고 믿는다. 이처럼 지각된 자기효능감은 동기와 학습에서 중요한 역할을 한다. 그것은 과제 선택, 노력과 인내, 성취 등에 영향을 미친다. 자기효능감이 높은 학생은 더 어려운 과제를 시도하며 열심히 참여하고 어러움에 처해도 오래 견디며 효과적인 학습전략을 사용하고 학년이 올라갈수록 높은 성취를 이루게 된다. 또한 자기효능감이 높으면 성인생활에서 실업자가 될 가능성이 낮고 자기 직업에 대한 만족도도 높다.

다섯째, 유능한 학습자는 과제를 끝까지 완수하려고 한다. 학생들 중에는 시작은 하지만 중간에 좌절하거나 중단해 버리는 학생이 여럿 있다. 그러나 유능한 학습자는 장애를 극복하고 과제를 끝까지 마칠 수 있는 여러 가지 방법을 사용한다(Corno, 1986, 1994). 즉, 그는 의지력을 높이고 시간을 효율적으로 관리하며 불안을 극복하는 방법을 알고 있다. 또한 그는 과제의 성공적인 수행을 예측하고 그것이 가져오는 보상에 집중함으로써 자신을 동기화하고, 자신이 선호하는 학습환경을 알고 집중을 방해하는 요소들을 제거하거나 학습과 전략 사용을 향상시킬 수 있는 특별한 환경을 만들 수 있다. 결국 유능한 학습자는 스스로 성공을 위한 전략을 개발하고 적용함으로써 과제를 끝까지 완수하는 능력을 향상시키는 학생들이다.

여섯째, 유능한 학습자는 자기 자신과 자기 행동에 대해 책임을 진다. 그는 기꺼이 과제에 대해 책임을 지고 자신을 비판할 줄 알며, 자신의 성공에 대해서는 자부심을 느낀다. 사람마다 자기 행동의 원인과 결과에 대해 책임을 지는 정도가 매우 다르다(Rotter, 1966). 많은 학생들은 자신의 실패에 대해 언제나 외적 요인(예를 들어, 불운이나 과제곤란도)을 찾으려 하기 때문에 유능한 학습자가 되지 못한다. 그러나 유능한 학습자는 일이 잘되면 자신의 노력 덕분이라고 생각하고 자신의 실패에 대해서도 기꺼이 책임을 지고 실수를 만회하려는 내재적 성향이 더 강하다. 그는 자기 행동에 대해 책임을 받아들일 때 더 호의적으로 생각하고 부정행위에 대해서는 더 엄한 처벌을 요구한다.

끝으로, 유능한 학습자는 만족을 지연시킬 수 있다. 그는 즉각적인 보상이 없어도 장시간 동안 어떤 과제나 작업을 진행할 수 있다. 인간은 수행 체계go system와 이해 체계know system의 상호작용에 따라 충동적인 행동을 조절하고 현재에 최선을 다함으로써 멀지만 가치 있는 목표를 추구한다(Mischel & Ayduk, 2004; Mischel, Ayduk, & Mendoza-Denton, 2003). 만족을 지연시키는 능력은 아동이 성장한 후 대학수학능력시험의 결과를 예측할 수도 있다. 많은 학생들은 적절한 수행에 대해 즉각적인 보상을 원하지만 보상은 먼 미래에 오는 경우가 많으며 유능한 학습자는 이것을 알고 있다. 따라서 유능한 학습자가 되고자 한다면 만족을 미루는 법을 배워야 한다.

요약하면, 유능한 학습자는 왕성한 지적 호기심을 갖고 효과적인 학습전략을 사용하며 지능이 향상될 수 있다는 신념과 높은 포부 수준을 지니고 있다. 또한 자신에 대해 이러한 포부 수준을 성취할 수 있는 사람이라고 여기며, 과제를 끝까지 완수하고 자신과 자기 행동에 대해 책임을 지며, 필요하다면 자신의 만족을 지연시키는 일의 가치를 알고 행한다. 이와 같은 유능한 학습자의 특징은 선천적으로 타고난다기보다는 적절한 환경적 지원을 통해 육성될 수 있다. 결국 유능한 교사의 임무는 학생들이 궁극적으로 유능한 학습자가 되도록 돕는 것이다. 유능한 교사는 어느 영역에서든 전문성을 발달시키려면 많은 시간과 노력 그리고 인내가 필요하다는 것을 알고 꾸준히 경력을 쌓아 가는 자기주도적 임상경험의 산물이다.

제 6 장

수업, 교실관리, 평가

5장에서 살펴보았듯이, 교육심리학자들은 학습자의 발달과 다양성을 이해하는 데 유용한 수많은 개념 체계를 개발했으며, 학습과 인지 및 동기에 대해 다양한 관점을 제시했다. 이러한 개념 체계와 관점은 교사가 학생의 학습 및 발달 특징에 기초하여 교육 프로그램을 개발하고 적용할 때 직접 활용할 수 있는 지식과 기능은 물론 견지해야 할 태도에 대해 일반적인 오리엔테이션을 제공한다. 그러나 오늘날 교육심리학자들의 관심은 인간의 발달과 학습에 관련된 심리학의 기본 주제에 국한되지 않는다. 그들은 실제 교실 상황에서 교사와 학생 사이에 일어나는 상호작용에 기초해서 교육의 실천적인 주제들에 더 많은 관심을 지니고 있다. 이러한 실천적인 탐구 주제의 영역에는 수업과 교실관리 그리고 교실평가가 포함된다.

　　세계를 이해하는 방식이 다양한 만큼이나 교사가 학습의 본질을 이해하고 교실 수업을 설계하기 위한 접근방식 또한 다양하기 마련이다. 심리학자들은 인간의 행동을 설명하기 위해서 하나의 근본 은유에 기초한 접근방식을 채택하여 왔으며, 이에 따라서 교수-학습의 본질을 설명하고 이상적인 교실 수업의 실제에 대해서 서로 다른 처방을 제시해 왔다. 이 장에서는 먼저 심리학의 네 가지 근본 은유와 교수-학습에 대한 구성주의의 주요 쟁점을 정리한다. 이어서 수업, 교실관리, 교실평가 등 교육 실제의 문제를 개괄하고, 성찰적 교실의 창조를 위한 제언으로 결론을 맺는다.

1. 심리학의 근본 은유와 구성주의

페퍼(Pepper, 1942)는 형이상학의 역사를 추적하여 어떤 이론 또는 '세계가설'이 독특한 하나의 근본 은유에서 비롯된다고 보았다. 근본 은유root metaphor는 세계에서 발생하는 사건들을 엮어 내기 위한 개념 체계를 제공하며, 어떤 사물이나 현상을 이해하기 위해서 시도되는 분석의 범주와 질문의 종류에 제약을 가한다. 심리학자들 역시 인간의 행동을 이해하고 설명할 때에는 자신이 지향하는 근본 은유에 기초한 독특한 세계관에 근거하기 마련이다. 20세기 초의 구조주의 심리학자를 비롯하여 특성·요인에 기초한 성격이론과 각종 정신질환에 대한 공식적 이론을 제안한 많은 심리학자들이 형식주의를 근본 은유로 채택해 왔다. 형식주의formalism는 다양한 실재 간의 유사성과 차이점에 기초해서 세계를 조직화하고자 하는 세계관을 기술하기 위해서 채택된 용어다. 형식은 자연 속에 실재하며, 자연 속의 대상에 대한 주의 깊은 관찰을 통해서 발견될 수 있다. 플라톤과 아리스토텔레스 그리고 스콜라 철학자들은 형식주의 사상가의 전형이며, 셸던W. Sheldon의 체격유형론, 아이젱크H. Eysenck의 성격유형론, 캐텔R. Cattell의 16가지 성격요인론, 서스톤L. Thurstone의 지능유형론 등은 모두 형식주의 근본 은유에서 파생된 것으로 볼 수 있다. 이 접근은 요인분석factor analysis이나 군집분석cluster analysis과 같은 통계적 기법의 발달과 더불어 더욱 진화하고 있다.

페퍼(Pepper, 1942)는 형식주의(유형론) 이외에 기계론, 유기체론, 맥락주의(상황론)를 심리학자들이 채택한 근본 은유로 제시했다. 앞에서 언급했듯이, 오늘날에는 구성주의 인식론이 교실 수업을 개발하고 관리하는 전략을 수립하는 데 지배적인 영향력을 행사하고 있다. 구성주의 입장을 취하는 교사는 수업이 단지 학습자에게 지식을 전수하는 활동이라기보다는 그들의 지식 형성과 초인지적 과정을 촉진하는 활동이라고 인식하고 있다. 그러나 교사는 교실 수업을 개발하고 관리할 때 다양한 형태의 구성주의 사이에 존재하는 차이점을 이해할 필요가 있는데, 이는 세계를 이해하는 근본 은유의 차이에서 비롯된 것이다(송재홍, 2015).

1) 기계론과 외생적 구성주의

기계론mechanism은 세계를 기계 유추에 의해서 설명하고자 하는 관점이며, 서구 문화권에서는 지배적인 세계관이다. 채택된 기계의 종류는 시계, 발전기, 내부연소 엔진, 컴퓨터 또는 도시의 상하수도 체계 등 매우 다양하다. 기계론을 근본 은유로 채택하는 학자들은 자연 속에서 발생하는 사건들을 동력 또는 에너지의 전달에 의한 산출물로 간주한다. 근대 과학과 철학은 인과성(원인 또는 이유)에 관한 자신들의 탐색을 뒷받침하는 형이상학적 기초로 이러한 세계관을 채택해 왔다. 근대 과학자들은 기계론적 세계관 안에서 한 가지 패러다임이나 다른 패러다임을 가지고 작업하면서 체계적인 관찰에 기초하여 인과성을 효율적으로 기술하는 것을 주된 목표로 삼았다. 프로이트S. Freud의 정신분석학(증기기관의 피스톤)에서부터 파블로프I. Pavlov와 스키너B. Skinner의 행동주의(전기 스위치)를 거쳐 초기 정보처리모형(컴퓨터의 기억저장고)에 이르기까지 20세기 심리학자들의 주된 접근은 이러한 세계관에 의해 지배되어 왔다. 이들은 "과거가 현재를 결정한다."라는 공통된 가정을 지니고 있으며, 결정론적 관점에서 인간의 행동을 이해하고 설명하고자 했다. 특히, 행동주의와 급진적인 경험주의는 기계론적 세계관에 충실한 심리학적 및 철학적인 운동의 좋은 본보기가 되고 있다.

기계론은 또한 교수-학습 장면에서 외생적 구성주의의 근본 은유로서 작용한다. 이 관점에 따르면, 지식 형성이란 기본적으로 외부의 실재에 존재하는 구조들의 재구성이다. 따라서 지식 구성은 본질적으로 외생적인 것으로 정신 구조는 세계의 조직화를 반영한다. 외생적 구성주의는 지식 구성에 대해서 강력한 영향을 미치는 외적 요인을 강조하며, 얇은 외부 구조를 정확하게 모사하고 있는 정도만큼만 '참'이다. 기계론적 관점에서 교수-학습 이론은 수업의 효과성에 초점을 맞추고 명시적인 수업목표와 위계적 과제분석의 중요성을 강조하고 있다.

2) 유기체론과 내생적 구성주의

유기체론organism은 세계를 일련의 형식이나 기계로서 설명하기보다는 오히려 하나의 살아 있는 유기체로서 바라보고자 하는 관점이다. 유기체론자들은 전체적인 틀 안에서 부분적인 것들의 위치를 찾아서 구조적으로 배치하려고 시도한다. 그들은 모든 실제적인 사건에는 어느 정도 유기체적인 구조가 숨겨져 있다고 가정한다. 그들은 또한 점진적인 변화와 진화의 단계를 거쳐서 최종적으로 도달하게 되는 하나의 이상적인 구조를 가정하고 있다. 따라서 이러한 근본 은유를 채택하는 학자들은 실제적인 사건으로부터 추론되는 점진적 계단 또는 단계를 거치게 되면 하나의 이상적인 구조를 발견할 수 있다고 본다. 이 세계관은 헤겔G. Hegel의 철학과 깊은 연관을 맺고 있으며, 심리학에서는 매슬로A. Maslow, 로저스C. Rogers 등 인간주의자와 피아제J. Piaget, 에릭슨E. Erikson, 레빈슨D. Levinson 등 발달이론가들이 포함된다. 이들은 또한 "미래가 현재를 방향 짓는다."라는 가정을 공통적으로 지니고 있다. 특히 매슬로(Maslow, 1992)는 자아실현 욕구를 위계의 최상층에 두는 욕구위계이론을 제안했으며, 피아제(Piaget, 1952)는 아동의 사고가 일정한 단계를 거쳐 형식적 사고의 수준에 도달하게 된다는 인지발달이론을 제창했다. 이들의 사고는 성숙의 단계들에 대한 관점에 의존하고 있다.

유기체론은 또한 교수-학습 장면에서 내생적 구성주의의 근본 은유로서 작용한다. 이 관점에 따르면, 지식은 좀 더 추상적인 수준에서 존재하며 인지적 활동을 통해서 발달한다. 따라서 지식 구성은 본질적으로 내생적인 과정이며, 인지적 행위 간의 협응에 의해서 초기의 구조로부터 새로운 인지구조가 추상화된다. 구조의 '참'은 외부 실재와 부합하는 정도보다는 내적 일관성의 문제다. 유기체적 관점에서 교수-학습 이론은 예측 가능한 불변적 계열을 따라서 발달하도록 체계적인 환경을 구성하는 것을 교사의 주된 역할로 인식하고 있다.

3) 맥락주의(상황론)와 사회구성주의

맥락주의contextualism는 비교적 최근에 광범위하게 채택되고 있는 세계관이며, 역사적 사건을 근본 은유로 채택하고 있다. 이러한 세계관을 채택하는 사람들은 특정한 시공간 속에서 개인이 경험하는 사건에 의미를 부여함으로써 이야기를 구성하고자 한다. 맥락주의의 근본 은유는 역사적 사건이다. 그러나 이야기를 구성하는 사건이 반드시 과거에 경험했던 사건일 필요는 없으며, 또한 직접적인 경험에 국한되지도 않는다. 그것은 현재 진행 중에 있거나 상상을 통해서 창조되는 미래의 사건일 수도 있다. 그것은 현재의 삶에 의미를 가지고 살아 움직인다. 이러한 의미에서 역사는 일련의 사건을 재현하고 복원시키며, 또 그것에 생명을 불어넣어 그 안에서 살아 숨 쉬게 하는 하나의 시도라고 할 수 있다. 페퍼(Pepper, 1942)는 역사적 사건을 실제적인 사건, 곧 역동적인 극중 행위로서 기술했다. 인간은 한마디로 동기유발된 이야기꾼motivated story-teller인 것이다. 제임스(James, 2005)는 주격대명사 'I'를 인식 주체로서의 자기self as knowing로 묘사하고, 목적격인 'me'를 인식 대상으로서의 자기self as known로 묘사하고 있다. 즉, 개인은 스스로 작가가 되어 자신의 삶에 대한 이야기를 엮어 낸다. 맥락주의는 진보주의 학자의 업적에 대한 반성에서 유래하고 있으므로 그것의 뿌리가 결코 다른 세계관에 비해서 짧지는 않다.

　심리학에서 맥락주의의 근본 은유는 사회구성주의(또는 변증법적 구성주의)와 내러티브 접근narrative approach의 기초가 된다. 맥락주의에 따르면, 우리의 생각과 경험은 상황적 맥락과 불가피하게 뒤얽혀 있다. 이는 삶의 시간성과 공간성에 기초를 두고 있으며, 역사적 관점에서 정신세계의 변화를 설명하려는 입장이다. 현재는 단순히 과거의 연장이나 미래의 전조가 아니며, 흩어진 과거들의 재통합이다. 지식의 원천은 학습자와 환경의 사회적 상호작용에 있으며, 지식 구성의 내적 요인과 외적 요인의 상호작용에 주의의 초점이 모인다. 만일 어떤 수업의 일차적 관심이 정보 구조의 정확한 지각에 있다면 외생적 구성주의이고, 과학적 개념의 인지적 성장에 있다면 내생적 구성주의다. 그러나 문학적 해석과 과학적 개념에 도전하는 것이 목적이라면 상황적 맥락주의다. 오늘날 학교교육의 실제는 맥락주의의 근본 은유에서 파생된 여러 가지 실천적 전략에 의해서 새롭게 변모하고 있다. 〈표 6-1〉은 지금까지 논의한 교수-학습에 관한 주요 관점을 정리하여 제시한 것이다.

〈표 6-1〉 교수-학습에 관한 주요 관점의 비교(송재홍, 2015)

구분	객관주의		구성주의	
	행동주의	상징적 정보처리 (외생적 구성주의)	인지적 구성주의 (내성적 구성주의)	사회적 구성주의 (변증법적 구성주의)
지식	고정된 지식체계; 외부로부터 자극을 받음	고정된 지식체계; 외부로부터 자극을 받음(과거 지식이 정보처리에 영향을 미침)	가변적 지식체계(사회적 상황에 의존); 학습자가 갖고 있는 것을 기초로 형성됨	가변적 지식체계(상황적·맥락적·사회문화적으로 구성됨); 구성원의 공헌에 기초하여 공동 구성함
학습	사실, 기술, 개념 등의 습득; 훈련과 연습을 통해 일어남	사실, 기술, 개념, 전략 등의 습득; 효과적인 전략 사용을 통해 일어남	과거 지식을 능동적으로 재구성함(평형화); 주변 세계와의 상호작용을 통해 일어남	사회적으로 정의된 지식과 가치를 협동으로 구성함; 사회적 참여와 교섭적 상호작용을 통해 일어남
교수	직접 전달(언어적 교시)	전달(학생들에게 더 참되고 완전한 지식을 제공함)	개념적 이해를 촉진함(더 완전한 이해에 도달할 수 있도록 사고를 안내함)	학생들과 함께 지식을 구성함(협동 학습, 참여적 학습 공동체 운영)
교사의 역할	지식의 기본 출처; 감독자, 관리자로 오답을 수정해 줌	(자료와 함께) 지식 출처의 하나; 전략을 가르치고 시범을 보이며, 사고 오류를 수정함	(학생·자료·환경과 함께) 지식 출처의 하나; 촉진자, 안내자로서 학생의 현재 생각과 아이디어를 경청함	(타인, 자료, 사회적 유물, 환경과 함께) 지식 출처의 하나; 촉진자, 안내자, 공동 참여자로서 지식에 대해 각자 다른 해석을 창안함
동료의 역할	보통 고려되지 않음	필요하지 않지만, 정보처리에 영향을 줄 수 있음	필요하지 않지만, 사고를 자극하고 의문을 제기할 수 있음	지식 구성 과정의 일상적인 부분임

2. 수업: 생산적인 학습환경의 창조

교사 일과의 가장 중요한 측면은 교실에서 학생들에게 맞대면 수업을 제공하는 것이다. 수업instruction은 학습이 일어날 수 있도록 학습자의 내적 및 외적 조건을 체계적으로 조정하는 과정을 말한다(Gagné, 1974, 1996). 교수활동teaching은 학생의 개인적·사회적 발달과 교과에 대한 이해에서 변화를 가져온다. 만일 어떤 학생이 2~3년 동안 계속해서 무능한 교사를 만난다면 사실상 따라잡기는 쉽지 않다. 성공적인 학습은 학생 참여, 사회적 지원, 학습 기회, 좋은 교수활동이 적절히 어우러질 때 가능하다. 좋은 가르침은 성공적인 학습을 생산하는 결정적인 요인이다.

잘 가르치기 위해서는 우선 배워야 한다. 가르치기 위한 학습은 하나의 점진적인 과정이다. 교사는 경력을 쌓아 감에 따라서 관심을 갖는 문제도 달라진다. 초년 시절에는 주로 생존에 주의를 초점화하는 경향이 있다. 훈육 유지하기, 학생 동기화하기, 학생의 업적 평가하기, 부모 상대하기는 초보 교사들의 보편적인 관심사다. 그러나 경험이 풍부한 교사는 폭넓은 범위의 학생들을 대상으로 하는 전문직 성장과 효과성에 좀 더 많은 관심을 보인다. 전문적인 교사가 되려면 수업의 실제뿐만 아니라 조직력을 갖추고 리더십을 발휘할 수 있어야 한다(Arends, 2007; [그림 6-1] 참조). 교사는 계획 수립, 동기유발, 학습활동의 촉진을 통해 학생들에게 리더십을 발휘한다. 교사의 역할은 다른 조직에서 일하는 리더의 역할과 비슷하다. 그는 계획을 세우고, 학생을 동기유발하며, 생산적인 학습 공동체를 구축하고 교실규칙을 확립하고 관리하며, 또 학생의 진보를 평가하고 가치를 부여한다. 또한 전문적인 교사는 수많은 구체적인 교수활동 상황에 관해서 잘 조직화된 지식을 풍부하게 저장하고 있다. 이것은 그들이 가르치는 교과는 물론이고 그들의 학생, 일반적인 교수전략, 특정 교과의 교수방법, 학습을 위한 무대, 교육과정 자료, 그리고 교육의 목표에 관한 지식을 포함한다. 따라서 전문적인 교사가 되는 데에는 많은 시간과 경험이 필요하다.

1) 교수계획

교수활동의 첫 단계는 계획을 수립하는 일이다. 훌륭한 교수활동은 좋은 계획에서 시작된다. 교수계획은 교수활동과 관련해서 교사가 행하는 거의 모든 것을 망라하는 다면적이고 지속적인 과정이다(Arends, 2007). 그것은 또한 전반적인 수업 회로의 한 부분이기도 하다. 교사는 수업 전 계획은 물론 수업을 진행하는 동안과 수업 후에도 다양한 의사결정에 참여한다. 계획은 시간과 자료를 어떻게 학생들을 위한 활동으로 전환할 것인가를 결정한다. 수업 전에는 내용과 접근방법을 선택하고 시간과 공간을 배정하며 구조와 동기를 결정한다. 수업을 진행하는 동안에는 자료를 제시하고 질문을 하며 학습활동을 지원하고 연습문제를 제공하고 교실관리와 훈육을 실시한다. 그리고 수업 후에는 학습 결과를 평가하여 이해도를 점검하고 피드백을 제공하며 성적을 부여하고 보고서를 작성한다. 하지만 교수계획의 전체 과정은 순환적이다.

평가 정보는 후속 수업의 계획과 실천에 영향을 미친다. 더욱이 교수계획의 정신적 과정은 국면마다 다양하다. 예를 들면, 내용을 선정하는 일은 학생들의 사전 지식, 교사의 교과 이해, 교과 자체의 본질에 대한 세심한 분석을 요구한다.

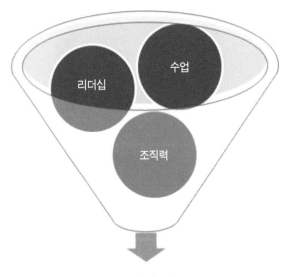

전문적인 교사

[그림 6-1] **전문적인 교사의 세 가지 역량**(Arends, 2007)

교사는 연도별, 학기별, 단원별, 주간별, 그리고 일일 계획 등 여러 수준의 계획 수립에 참여한다. 모든 수준은 조화롭게 균형을 유지해야 한다. 연간 계획을 달성하려면 업무를 학기별로 나누어야 하며, 학기는 단원으로, 단원은 다시 주간 및 일일 계획으로 세분화해야 한다. 단원은 유사한 형식의 지식 구조를 공유하는 일련의 학습 과제들로 구성되며, 교수계획 수립의 기본단위다(송재홍, 2001).

계획 수립에 단지 한 가지 모델만 존재하는 것은 아니며, 모든 계획은 융통성 있게 수립되어야 한다. 하지만 대부분의 계획은 수업목표를 포함한다. 수업목표instructional objectives는 학생들에 대한 교사의 교육적 의도를 분명하고 명확하게 기술한 내용이다. 그론런드와 동료들(Gronlund, 1976; Linn & Gronlund, 1995; Gronlund & Tro, 2004)은 교사가 먼저 하나의 일반적인 목표를 진술하고 다음에 학생들이 그 목표에 도달했다는 증거를 제공할 표본 행동들을 열거함으로써 명료화해야 한다고 제안한다. 블룸과 동료들(Bloom et al., 1978; Krathwohl, Bloom, & Masia, 1978)은 인지, 정의 및 심체운동 영역에서 기본적인 목표들을 범주화하는 교육목표분류학을 개발했다. 이것은 관련된 목표들과 그것들을 평가하는 방법에 관해서 체계적인 사고를 하도록 장려한다. 그러나 실제 상황에서는 세 가지 영역의 행동이 동시에 나타난다.

최근 블룸의 제자들(Anderson & Krathwohl, 2005)이 개정한 인지적 영역의 목표분류체계에서는 일부 유목의 명칭과 순서를 바꾸어 인지과정의 차원으로 명명했으며, 분류체계의 인지과정들이 무엇을 처리하는가를 확인하기 위해 새로운 차원을 추가하여 지식 차원이라고 했다. 따라서 개정된 분류학에서는 지식과 인지과정의 두 차원으로 이루어진 이차원적 목표 진술 방식을 제안하고 있다([그림 6-2] 참조). 지식 차원knowledge dimension은 사실적 지식, 개념적 지식, 절차적 지식, 초인지적 지식 등 네 가지 범주로 구분되는 서로 다른 종류의 지식을 기술한다. 사실적 지식은 학습자가 어떤 주제에 익숙해지기 위해 알아야만 하는 기본 요소들을 포함한다. 개념적 지식은 기본 요소들 사이의 상호 관련성에 관한 지식이고, 절차적 지식은 어떤 일을 행하는 방법에 관한 지식을 말한다. 그리고 초인지적 지식은 특수한 개념적 또는 절차적 지식을 언제 사용해야 하는지 아는 일과 자기 자신의 인지에 관한 지식을 말한다. 이러한 지식은 매우 구체적

지식 차원 (명사)	인지과정 차원(동사)					
	1 기억하다	2 이해하다	3 적용하다	4 분석하다	5 평가하다	6 창조하다
사실적 지식						
개념적 지식						
절차적 지식			X			
초인지적 지식						

(교육목표)
학생들은 절약-재활용-재순환 접근
을 자연보호에 적용할 수 있다.

[그림 6-2] 앤더슨과 크라솔의 개정된 교육목표분류체계(Anderson & Krathwohl, 2005)

인 것(사실적 지식)부터 좀 더 추상적인 것(초인지적 지식)까지 연속적으로 놓여 있다.

인지과정의 차원에는 기억, 이해, 적용, 분석, 평가, 창조 등 특정한 형태의 사고방식을 나타내는 여섯 가지 기본적인 범주가 포함되어 있다. 기억하기는 장기 기억으로부터 관련 정보를 인출하는 것을 의미하고, 이해하기는 수업 자료의 메시지로부터 의미를 구성하는 것을 의미한다. 적용하기는 어떤 절차를 수행하거나 사용하는 것을 의미하고, 분석하기는 자료를 그것의 부분들로 나누고 그것들이 서로 어떻게 관계되는지를 결정하는 것을 뜻한다. 그리고 평가하기와 창조하기는 각각 어떤 준거에 비추어서 판단을 내리는 것과 요소들을 모아서 하나의 새로운 패턴이나 구조를 형성하는 것을 의미한다. 각각의 인지과정은 고유한 동사를 갖고 있으며 위에서 열거한 네 가지 유형의 지식에 작용할 수 있다. 지식 차원과 마찬가지로 인지과정의 범주 역시 인지적 복잡성의 연속선을 따라서 위치하는 것으로 가정된다. 즉, 어떤 것을 이해하는 것은 단순히 기억하는 것보다 더 복잡하고 어떤 아이디어를 적용하고 분석하는 것은 그것을 이해하는 것보다 더 복잡하며, 평가하기와 창조하기는 연속선에서 가장 복잡한 끝부분에 위치한다.

수업목표는 지식과 인지과정의 두 차원으로 진술될 수 있으며, 이러한 이차

원적 목표 진술은 수업목표뿐만 아니라 그것의 평가방법을 이해하는 데 유용하
다. 예를 들면, "학생들은 절약-재활용-재순환 접근을 자연보호에 적용할 수 있
다."라는 수업목표는 절차적 지식으로 분류되고 적용하기의 인지과정을 요구한
다. 이와 같이 수업목표를 진술하는 능력은 교사가 학습자에게 수업목표를 제시
할 수 있는 다양한 가능성을 생각하도록 자극하며, 교사는 학생들이 공부할 단원
에서 다루게 될 일련의 수업목표가 일관성을 유지하고 있는지 그리고 효과적인
평가방법이 무엇인지를 체계적으로 검토할 수 있다.

2) 교사 중심 수업 대 학생 중심 수업

수업의 계획과 실제에서 중요한 쟁점의 하나는 교사 중심 접근 대 학생 중심 접근
이다. 교사 중심 접근teacher-centered approach에서는 교사가 학습목표를 선정하고 학
생들에게 그 목표를 충족할 수 있게 할 방법을 계획한다. 교사는 학습의 '내용'과
'방법'을 통제한다. 반면에 학생 중심 접근student-centered approach은 학생 스스로 이
해를 구성하기 때문에 구성주의constructionism라고도 한다(Jordan & Porath, 2008).
교사와 학생들이 계획 세우는 일을 공유하고 협상을 벌이며, 함께 내용과 활동 및
접근에 관해서 의사를 결정한다. 교사는 특정한 학습 행동을 목표로 정하기보다
는 오히려 전반적인 목표나 '큰 주제'를 갖고 계획 수립 활동을 안내한다. 통합된
내용과 주제별 교수활동이 계획 수립의 주된 부분이다. 학습에 대한 평가 역시 교
사와 학생들이 서로 공유하면서 계속적으로 진행한다.

계획을 수립하고 나면 실제로 교수활동이 이어진다. 몇 년 동안 연구자들은
교실 관찰, 사례연구, 면담, 실험연구 등 다양한 방법을 사용하여 효과적인 교수
활동을 통달하기 위한 비밀을 규명하려고 시도해 왔다. 특히, 교사의 특징과 관
련하여 보면 교과에 대한 철저하고 전문적인 지식, 자료 제시의 조직화와 명료성,
그리고 온정과 열정이 효과적인 교수활동에서 중요한 역할을 하는 것으로 알려지
고 있다(Hoy & Hoy, 2009). 좀 더 박식한 교사는 자료를 더 분명하고 더 조직적으
로 제시할 수 있다. 교과에 대한 지식은 효과적인 교수활동에 필요하지만 그것만
으로는 충분하지 않다. 자료 제시의 조직화와 명료성은 훌륭한 교수활동의 중요

한 특징이다. 분명한 자료 제시와 설명을 제공하는 교사들은 학생들에게 좀 더 많은 것을 학습하게 하고 또 그들로부터 좀 더 긍정적인 평가를 받는 경향이 있다. 명료성은 계획을 수립하는 과정에서 시작된다. 교사는 학생들에게 그들이 무엇을 학습하게 될 것인지, 그들이 어떻게 그것에 접근할 수 있을 것인지를 분명하게 제시해야 한다. 수업을 하는 동안에는 가급적 애매한 언어 사용을 피해야 하고, '왜냐하면', '만일 ～한다면', '따라서'와 같은 설명고리explanatory links를 사용하여 사실이나 개념들 간의 연결 관계를 분명하게 제시해야 한다. 끝으로, 교사의 온정, 친절 그리고 이해심은 학생들에게 긍정적인 태도를 갖게 하는 중요한 특성으로 인식되고 있다.

교사 중심 접근의 대표적인 교수전략은 직접교수다. 직접교수direct instruction에서는 교사가 잘 조직된 자료 제시, 명료한 설명, 주도면밀하게 고안된 촉진자극, 그리고 적절한 피드백과 비계설정을 포함하는 안내된 발견을 제시한다(Hunter, 1982; Rosenshine & Stevens, 1986). 이러한 실천행동은 학생들이 이해를 구성할 때 지지 자원으로 활용될 수 있다. 이를테면, 학습자료를 위계적으로 조직하거나 어떤 과제를 제시할 때 다양한 형태의 표현방식을 사용하면 좀 더 많은 학생들이 좀 더 쉽게 과제에 접근할 수 있으며(Bower et al., 1969; Schwartz & Riedesel, 1994), 또한 효과적인 노트 정리법을 소개하고 시범을 보인다면 학생들은 정보를 좀 더 쉽게 요약할 수 있다.

반면에, 학생 중심 접근에서는 교사는 학습자의 다양성과 학습환경의 복잡성을 수용하고 사회적 상호작용을 통한 학습을 강조하며 심리학적 원리를 사용하여 수업을 구조화한다. 또한 참된 과제를 고안하고 학생의 사고과정을 점검하며 질문을 던지고 탐구를 자극하여 의미 있는 학습이 일어나도록 지원한다.

학생 중심 접근의 대표적인 교수전략은 상호교수와 협동학습이다. 상호교수reciprocal teaching는 독해력을 증진시키는 질문 전략을 학습하기 위해 교사와 학생들이 상호작용한다(Palincsar & Brown, 1984). 협동학습cooperative learning은 보통 3～5명의 구조화된 학생집단을 통하여 개인 상호 간의 학습과 발달을 증진시키기 위한 구체적인 전략을 사용한다(Slavin, 1995).

또한 과학 교실에서 구성주의 접근은 단순 암기보다는 개념적 이해, 토론과 설명, 학생들의 암묵적 이해에 대한 탐구를 강조한다(Bruning, Schraw, & Norby, 2011; Eggen & Kauchak, 2011). 많은 교육자들이 과학에 대한 이해의 핵심은 학생들이 자신들의 이론을 직접 검토해서 약점을 보완하는 것이라고 지적하고 있다. 학생들에게 변화가 일어나려면, 처음에 자신의 생각이나 신념에 불편을 느끼고, 자신의 이론과 그들에게 제시된 근거 간의 모순을 해명하려는 시도, 개인적 이론에 맞추어서 측정과 관찰 사실을 조정하려는 시도, 의심, 동요, 그리고 마지막으로 개념적 변화의 여섯 단계를 거쳐야 한다(Nissani & Hoefler-Nissani, 1992). 때로는 학생들에게 텍스트를 읽고 이해한 것을 바탕으로 개념도conceptual map와 같은 지식지도knowledge map를 작성하도록 요구하면 교사가 설명하는 것보다 좀 더 쉽게 이해를 촉진할 수 있다(Novak & Musonda, 1991).

많은 교육학자들은 직접교수법을 주의 깊게 사용하면 학생들이 이해를 구성할 때 자원으로 활용할 수 있다고 생각한다. 하지만 모든 학습 사태에서 항상 효과적인 접근이 존재하는 것은 아니며, 두 가지 접근의 교수활동은 각기 다른 학습 상황에서 좀 더 적절할 수도 있다. 어느 경우에서든, 교수방법은 학습 상황에 맞는 것을 찾아내야 한다. 좀 더 많은 연구자들은 직접교수가 구성주의 접근보다 더 효과적이라는 연구 결과를 내놓고 있지만, 학생 중심의 교수활동 모형으로부터 얻은 구성주의의 원리를 좀 더 받아들이는 것이 현명할 수도 있다. 새로운 접근들을 평가하려면, 그것들이 학습 및 동기의 원리에 맞아떨어지는지 주의 깊게 검토해야 한다.

3) 정보통신 공학의 발달과 수업 혁명

정보통신 공학의 발달은 교수활동에 많은 변화를 초래해 왔으며, 특히 제4차 산업혁명의 도래는 캠퍼스 없는 학교를 등장시켜 학교 학습의 본질과 교과 중심의 교실 수업에 근본적인 혁신을 요구하고 있다(Schwab, 2016). 이러한 변화의 몇 가지 특징은 다음과 같다.

첫째, 수업 공간의 해체다. 원래 교실은 가르치는 유일한 공간이지만, 인터넷의 등장과 통신매체의 발달이 가상교육 프로그램의 개발을 촉진함으로써, 더 이상 교실은 학생들에게 지식을 가르치는 유일한 수업 공간도 아니며 학습이 이루어지는 다양한 공간 중 하나일 뿐이다. 원래 평생교육은 학교교육의 시공간적 제약을 극복하여 교육의 영역을 확장하려는 시도였는데, 정보통신 공학의 발달은 교실 없는 강의(예: 무크)와 캠퍼스 없는 학교(예: 미네르바)를 등장시켜 진정한 의미의 평생학습시대를 선도하고 있다(Anand, 2017).

둘째, 수업 방식의 해체다. 정보통신 공학의 발달은 기존의 강의 중심 수업 방식에 근본적인 변화를 가져오고 있다. 수업 전에 무크를 통해 강의를 들은 후 실제 교실에서는 토론식 수업을 진행함으로써 비판적 사고를 개발하는 이른바 플립러닝flip learning(일명 거꾸로 학습)이 새로운 수업 방식을 선도하고 있다. 더 이상 수업은 교과를 매개로 지식을 획득하는 과정이 아니라 지식을 매개로 삶의 문제를 성찰하고 프로젝트 기반 학습을 통해 집단 지성을 개발하는 진정한 학습의 장이 되어 가고 있다.

셋째, 학습자의 역할 해체다. 전통적인 교실에서 많은 학생은 교사의 강의에 의존해서 지식을 습득하고 시험을 치르는 수동적인 역할에 머물곤 했다. 그러나 인간의 제한된 지적 능력은 인공지능의 도움으로 즉각적이고 정확하게 극복될 수 있다. 인공지능은 인간이 수십 년 동안 학습해야 축적할 수 있는 지식을 불과 며칠 또는 몇 시간 만에 구축할 수 있다. 이제 학생들은 더 이상 교사의 강의에 의존하여 개인적 성취를 추구하는 수동적인 학습자가 아니며, 삶의 문제에 대해 공동의 질문을 공유하고 공동체 복지를 위해 함께 협력하는 능동적인 학습자로 전환해야 한다. 교사 역시 학생들에게 무엇을 가르치려 하기보다 먼저 무엇을 배우는 자의 모범을 보일 필요가 있다.

끝으로, 학습의 본질 파괴다. 전통적인 교과학습은 읽기와 쓰기 중심의 지식 획득을 주요 목표로 설정했다. 그러나 새로운 학습은 공동체 구성원의 신뢰 회복과 협력적 노력을 위한 관계학습으로 전환되어야 한다(송재홍, 2018). 관계학습의 요체는 구성원 간의 상호 존중과 소통 그리고 화합, 즉 갈등 해결이다. 존중은 모든 인간관계의 시작점인 동시에 종착점이다. 자신과 타인을 존중하는 마음이 없으면 진정한 만남이 이루어질 수 없다. 존중에 기초한 소통과 화합을 통해서만 개인의 자아존중감이 향상되고 공동체의 협력 학습 역시 활성화될 수 있다.

　　이러한 인식의 변화는 또한 "공부는 왜 하는가?" 그리고 "학생들은 공부를 통해 궁극적으로 무엇을 얻게 되는가?"라는 궁극적인 물음에 대답할 수 있는 대안적인 접근방식을 제공한다. 공부工夫의 한자어를 풀이해 보면 이렇다. '공工'은 하늘과 땅을 연결한다는 뜻을 내포하고, '부夫'는 사람人과 공工이 결합된 형상이니, 곧 사람이 하늘과 땅을 연결한다는 의미다(신영복, 2015). 하늘은 이상이요 꿈이고 땅은 현실이니, 이상과 현실의 간극을 극복하는 것이 바로 공부의 요체라 할 수 있다. 때로 우리는 실현되지 못한 이상을 버거워하고 괴로워하지만, 실현되지 않은 이상이야말로 삶을 견인하는 원동력인 것이다. 한 개인의 이상은 때로는 개인적 욕망에서 기인하고 때로는 공동체 복지에서 비롯된다. 그 이상이 어디에서 비롯되는가에 따라 공부와 삶의 양식이 확연히 달라질 수 있다. 이상의 원천이 개인적인 욕망에 기초할 때 자칫 지나친 탐욕으로 흐를 수 있으므로 자기를 성찰하는 마음가짐이 요구된다. 농자천하지대본農者天下之大本의 사전적인 의미는 "농사짓는 일을 하는 것은 천하의 사람들이 살아가는 큰 근본"이다. 농사를 짓는 일은 하늘의 뜻을 헤아려 땅을 다스림으로써 만물을 소생하게 하는 삶의 미묘한 양식을 내포한다. 이 명구는 단지 생명의 원천인 식량의 공급만을 의미하는 것은 아니다. 우리는 농사짓는 사람을 일컬어 '농부農夫'라 말하지만 공장에서 물건을 만드는 사람이나 물건을 팔아서 이윤을 남기는 사람에 대해서는 '장인匠人'이나 '상인商人'이라 말하지 '장부匠夫'나 '상부商夫'라고 하지 않는다.

　　따라서 인간이 공부의 본질을 추구하려면 익숙한 사고나 행동으로부터 자유로워질 수 있어야 하고, 낯선 것에 대해 인식론적 호기심을 갖고 개방적으로 접근하려는 성찰적인 삶의 자세를 지녀야 한다. '경험에 대한 개방성'이야말로 제한된 인식의 한계를 극복할 수 있는 유일한 원천이라 할 수 있다. 그러나 왜곡된 교육은 새로운 경험에 대한 학생들의 개방적인 자세를 처벌함으로써 오히려 자신의 경험으로부터 이익을 얻을 수 있는 기회를 차단한다. 학습은 실수를 통해서만 가능하다. 진정한 교육은 학생들이 모험을 결행하고 실수를 감내할 수 있는 용기를 갖도록 허용적이고 지지적이며 안정적인 공부 환경을 제공할 때 가능하다.

4) 자아성찰을 촉진하는 무지개 학습

학습에 대한 정의는 가르치고 배우는 사람의 지적 통찰에 의해 끊임없이 해체되고 새롭게 재구성될 수 있다. 그리고 이는 가르치고 배우는 과정을 근본적으로 변화시킬 것이다. 가령, 학습에 대한 집짓기의 비유는 기계론적 은유에 기초한 전통적인 관점과는 근본적으로 다른 학습의 과정과 결과를 요구하는 것이다. 학습의 과정은 단순히 지식을 전달하고 수용하는 과정도 아니요, 자료를 압축하여 개념을 형성하는 지식 구성의 과정만도 아니다. 학습의 과정은 바로 황무지를 개간하여 터를 잡고 집을 짓는 것처럼 개인이 자신의 두뇌에 길을 내고 지식 빌딩을 건설하는 지도 확장의 과정이다. 학습자가 이 지도를 확장하는 과정에서 자신의 두뇌 속을 들여다볼 수 있는 안목이 곧 학습의 궁극적인 성과인 셈이다(송재홍, 2006, 2007).

교육은 성장 가능성을 전제로 개인이 가능성으로서 자기를 발견하고 실현하도록 북돋우는 활동이다. 자기실현을 추구하는 개인의 삶은 자기주도적이고 능동적인 자아성찰을 요구한다. 랜(Lan, 1998)은 자아성찰적인 학습자를 길러 내는 것을 교육의 궁극적인 목표라고 보고 학습자 자신의 학습활동에 대한 체계적인 자기점검의 중요성을 역설했다. 개인의 성공적인 학습에서 초인지(Brown, 1987; Meichenbaum, 1986)와 자기조절학습(Zimmerman, 1998, 2005)에 대한 관심은 학습활동에서 자아성찰의 중요성을 강하게 부각시켰다. 특히 유능한 학습자의 성찰적 사고는 결국 높은 자기효능감(Bandura, 1977), 학습목표성향(Dweck, 1988), 그리고 과제에 대한 내적 흥미(Zimmerman & Kitsantas, 1988)와 같은 학습 전 사고forethought의 신념체계를 강화하고 유지시킨다. 자아성찰self-reflection은 그 용어의 다양성에도 불구하고 심리학자의 공통된 관심 주제인 것은 분명하다. 따라서 자아성찰을 배제하고 가르침과 배움의 본질적 의미를 논의하기는 쉽지 않다. 학습의 진정한 의미는 학습자의 자기발견과 자기완성에 도달하기 위한 자아성찰의 여정이라고 볼 수 있으며, 학교교육의 본질적 의미는 학습자 개인의 자아성찰을 안내하고 촉진하는 체계적인 지도활동으로 성격화될 수 있다(송재홍, 2006, 2007).

무지개 학습rainbow learning은 단순히 교과교육의 차원에서 학습 결과를 확대

적용하는 것 이상의 의미를 갖는다(송재홍, 2006). 무지개 학습에서 학교교육의 궁극적인 목적은 개인의 자기완성 또는 자기관리의 전제조건으로 자아성찰을 안내하는 합리적인 지식 기반을 확충하는 것이며, 교과학습은 이러한 본래적 목적에 도달하기 위한 구체적인 실천적 활동을 의미한다. 그것은 단순히 특정 교과를 이해하고 활용하는 것에 머물러서는 안 되며, 그 이상의 보이지 않는 다리를 건너야 한다. 무지개 학습은 바로 이러한 교과와 비교과의 경계를 넘나드는 학습활동을 언급할 때 좀 더 유용하게 채택될 수 있는 가설적인 구성 개념이다. 가시 세계의 경험에 기초하여 구성된 교과지식을 활용하여 개인의 내면세계에 대한 이해와 성찰을 안내하고 촉진하려면 무지개와 같은 상징적인 교량을 설정하는 것이 유용할 수 있다.

자아성찰 학습을 구현하려면 교사는 교과의 본질적 의미와 교과학습의 기본적 성격을 새롭게 인식하고, 이를 바탕으로 교육과정을 재구성하여 교과학습의 실제에 반영하는 창의적이고 자발적인 노력을 기울여야 한다. 이러한 교사의 노력은 일차적으로 교과학습의 목표를 재검토하여 지식의 이해와 구성을 위한 교과학습목표는 물론 자아성찰을 안내하고 촉진하는 새로운 성찰학습목표를 설정하고, 이 새로운 학습목표를 달성하기 위한 학습 과제를 추가적으로 개발하는 일로부터 시작되어야 한다. 예컨대, 초등학교 수학 교과에서 '비율 그래프' 단원의 학습목표는 "그래프를 이용하여 일상생활에서 경험하는 다양한 사건이나 활동의 양을 시각적으로 비교할 수 있다."라는 것이다. 이 단원의 성찰학습목표는 "그래프를 이용하여 자신의 일상생활을 점검하고 합리적으로 조정할 수 있다."라는 것으로, 이는 다시 교과학습을 통해서 구성한 지식을 토대로 학습자의 개인적 삶을 성찰하는 새로운 학습 과제를 요구한다. 그러나 이처럼 자아성찰을 촉진하는 학습목표와 학습 과제를 개발하는 일은 상당 부분 교사의 창의적인 노력에 의존할 수밖에 없다.

또한 자아성찰 학습의 전개과정은 전통적인 교과학습에 대해 적어도 세 가지 면에서 두드러진 변화를 요구한다고 볼 수 있다(송재홍, 2007). 첫째, 알아차리기 단계를 통해 교과학습과 직접적으로 연관된 인지체계를 활성화하여 학습자 개개인의 주관적 경험세계에 대한 자각을 촉진해야 한다. 예를 들어, 일정한 숫자를 일정한 기호로 바꿔 쓰거나 도형의 변이나 입체의 면을 세어서 알맞은 숫자를 지적하는 놀이를 도입하는 것이 유용하다.

둘째, 교과학습의 궁극적인 목표를 지식체계의 구성에서 자아성찰을 통한 주관적 경험세계의 재구성으로 확장하려고 시도해야 한다. 이러한 시도는 학습목표의 확인 단계와 이어지는 학습활동 단계에서 분명하게 의도되어 있다. 교사는 교과학습목표와 성찰학습목표를 함께 제시하여 학습자가 교과학습주제에 연관시켜 자신의 삶을 반추하도록 안내한다. 또한 교과의 지식 구조를 탐구한 후에 자아성찰 단계와 상호작용 촉진 단계를 추가한다. 자아성찰 단계에서 학습자는 새롭게 발견한 교과의 구조를 자신의 주관적인 경험세계와 구체적으로 연결하고 통합할 수 있도록 안내받는다. 상호작용 촉진 단계에서는 학습자 각자가 구성한 자아성찰 결과를 이야기의 형식을 빌어서 학급의 다른 구성원에게 전달하고 피드백을 주고받으면서 그 속에 내포된 자신의 생각과 느낌을 교환한다.

셋째, 학습 과정의 점검활동을 통해 학습자는 개인의 학업성취를 평가하는 것이 아니고 전체 학습 과정에서 자신이 수행한 역할에 대해 스스로 반성하고 동료 학습자의 행동에 대해서 느꼈던 생각이나 감정을 충분히 표현하고 공유하는 기회를 가져야 한다. 이는 흔히 집단 상담에서 행하는 과정 피드백 활동과 유사하다. 이 체험활동은 학습 과정에서 경험했을 수도 있는 부정적인 감정을 해소하고 개인이나 학급의 갈등 문제를 해결하기 위한 건설적인 행동지침을 마련하고 실천하는 계기가 될 수도 있다.

3. 교실관리: 상호작용적 의사소통과 갈등 해결

교실관리classroom management는 교사가 직면하는 가장 도전적인 과업 중 하나다. 그것은 교사가 긍정적이고 생산적이며 비교적 안정적인 학습환경을 창조하고 유지하기 위해 사용하는 전략을 말한다(Eggen & Kauchak, 2011). 교실은 본래 다차원적이고, 동시다발적인 활동으로 가득 차 있으며, 속도가 빠르고 즉각적이며, 예측이 불가능하고, 공공연하며, 학생들과 교사의 활동 내력에 의해 영향을 받는다

(Doyle, 1986). 교실관리자로서 교사는 매일 이러한 사태에 대처하기 위해 신출 귀몰해야 한다. 전문적인 교사가 되려면 수업의 실제뿐만 아니라 교실관리에서 도 조직력을 갖추고 리더십을 발휘할 수 있어야 한다(Arends, 2007; [그림 6-1] 참조).

1) 효과적인 교실관리

효과적인 교실관리의 목표는 학습을 위해 충분한 시간을 확보하는 것, 계속해서 학생들을 능동적으로 참여하도록 함으로써 시간 사용의 질을 향상시키는 것, 참여 구조가 간단명료하며 일관되게 신호로 알려지고 있음을 확인하는 것, 그리고 학생들에게 자기관리를 장려하는 것이다(Hoy & Hoy, 2009). 또한 생산적인 교실 활동은 학생들의 협력을 필요로 한다. 하지만 협력을 유지하는 일은 각 연령 집단마다 다르다. 어린 학생들은 학교에 다니는 요령을 배우고 학교생활의 일반적인 절차를 익혀야 한다. 연령이 높은 학생들은 각각의 교과목을 공부하기 위해 요구되는 세부적인 사실들을 학습해야 한다. 그리고 교사들이 청소년을 대상으로 작업할 때는 또래 집단의 위력을 이해할 필요가 있다.

유능한 교사는 학급의 질서를 유지하기 위한 규칙을 정하고 예측이 가능한 문제들을 다루기 위한 절차들을 수립한다. 이 절차들은 행정 업무, 학생 동정, 가사활동, 수업 진행 일정, 교사와 학생의 상호작용, 그리고 학생들 사이의 상호작용을 망라해야 한다. 또한 규칙과 절차를 따르거나 파괴하는 일에 대해서는 논리적 귀결들을 확립하여 교사와 학생들이 모두 무슨 일이 일어날 것인지를 알고 있어야 한다. 자기관리를 장려하려면 별도의 시간과 노력을 기울여야 하지만, 학생들에게 자신의 행동에 대해 책임을 지는 법을 가르치는 것은 노력을 기울일 만한 충분한 가치가 있는 투자다.

교사가 새 학기를 맞이하여 학급 첫날과 처음 며칠 동안 기본적인 규칙과 절차를 가르치는 데 시간을 보내는 것은 효과적인 교실관리의 본질적인 부분이다 (Evertson, Emmer, & Worsham, 2003). 학생들은 조직적이고 즐거운 활동에 마음을 사로잡힌 채 교실에서 협력적으로 직분을 다할 수 있도록 학습해야 한다. 유능한 교사는 학생의 규칙위반 행위에 대해 빠르고 단호하며 분명하고 일관성 있게 반응한다. 긍정적인 환경을 창조하고 문제를 예방하려면, 교사는 개인차를 고려하고 학생의 동기를 유발하고 또 긍정적 행동을 강화해야 한다. 또한 문제를 성공적으로 예방하려면, 교사는 코닌(Kounin, 1970)이 기술한 네 가지 영역, 즉 꿰뚫어 보기with-it-ness(교실에서 일어나는 모든 것을 알고 있음을 학생들에게 전달하기), 동시에 여러 활동을 감독하기, 집단에 초점 맞추기, 집단의 동태를 관리하기에 유능해야 한다. 또한 교사는 학생들에게 적절한 사회적 기술을 갖추게 하고 긍정적이고 신뢰로운 관계를 수립해야 한다. 그리고 벌칙을 적용할 때는 차분하고 은밀히 처리해야 한다.

　때로는 집단적으로 벌이나 보상을 적용하여 행동을 지원하는 것이 긍정적인 교실관리를 유지하는 데 유용할 수 있다. 교사는 꼭 '착한' 행동이 아니라 학습을 강조하여 이러한 절차를 조심스럽게 사용해야 한다. 또한 훈육을 비롯한 교실관리는 성性 차이는 물론 문화적 특수성을 주의 깊게 반영해야 한다. 예컨대, 전통적으로 아이들의 예쁜 모습이나 행동을 칭찬하기 위해 그 아이의 머리를 쓰다듬어 주는 일이 어떤 문화권에서는 아동학대로 처벌받을 수도 있다. 교육과정과 수업이 그들에게 문화적으로 타당하고 개인적으로 의미 있다는 것을 보장할 때, 민족이나 인종 그리고 사회 및 언어적 배경이 다른 학생들에게 교실관리와 학업성취를 모두 향상시킬 수 있다.

2) 행동문제의 관리와 예방적 개입

아동과 청소년들은 학교에 있는 동안 공격성과 폭력에 노출되기 쉽다. 그 원인은 인지적 요인(예를 들어, 조망수용의 결여, 사회적 단서의 잘못된 해석, 빈약한 사회적 문제해결 기술 등)이나 발달적 요인(예를 들어, 아동의 빈약한 충동 통제력, 청소년기에 사회적 지위를 획득하기 위한 수단)에서 기인할 수도 있고, 공격성을 적절하고 효과적인 갈등해결 수단으로 인식하는 가정이나 이웃 환경, 또는 이성친구를 둘러싸고 대립하거나 학문적·사회적으로 좌절을 겪을 수밖에 없는 학교문화에서 기인할 수도 있다. 이유가 무엇이든 간에, 학교 안에서는 어떤 형태의

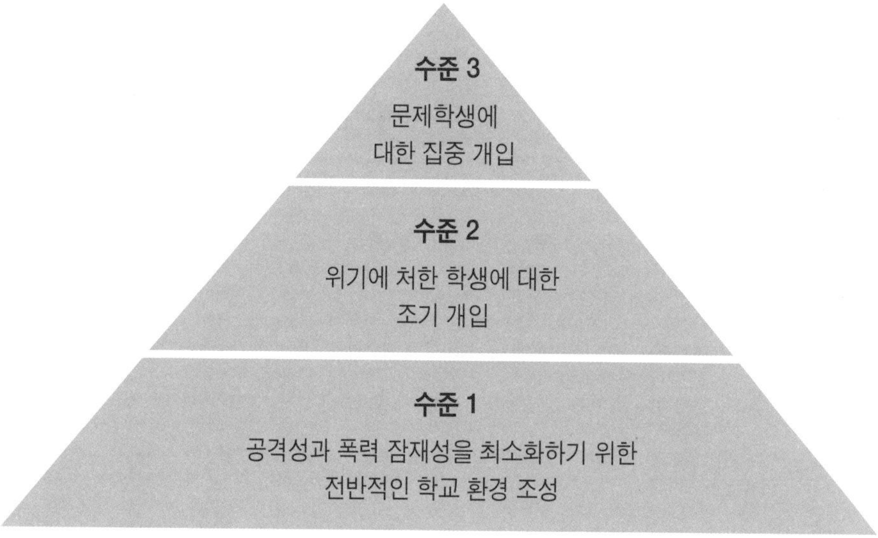

수준 3
문제학생에
대한 집중 개입

수준 2
위기에 처한 학생에 대한
조기 개입

수준 1
공격성과 폭력 잠재성을 최소화하기 위한
전반적인 학교 환경 조성

[그림 6-3] 공격성과 학교 폭력 예방을 위한 세 가지 수준 접근(Dwyer & Osher, 2000)

공격성이나 폭력도 허용되어서는 안 된다. 신체적으로나 심리적으로 안전이 보장
될 때, 학생들은 최적 수준의 학습성과를 이룰 수 있다.

　학교에서 공격성과 폭력을 효과적으로 근절하려면 세 가지 수준에서 공략해
야 한다(Dwyer & Osher, 2000; [그림 6-3] 참조). 첫 번째 수준은 공격성과 폭력
을 최소화하는 평화롭고 비폭력적인 학교 환경을 창조하는 것이다. 학교는 모든
학생의 학문적 · 사회적 성공을 지원하는 일에 헌신하고 신뢰 있는 교사-학생 관
계를 형성하며, 학교 의사결정에 학생들을 참여시키고 지역사회 기관이나 가족과
긴밀한 공조관계를 수립해야 한다. 또한 안전 문제에 대한 개방적인 토론을 유도
하여 학생들이 자신의 관심사를 허심탄회하게 의사소통할 수 있는 개방적인 풍토
를 조성해야 한다.

　두 번째 수준은 학문적 · 사회적으로 실패의 위기에 처한 학생들에게 조기 개
입하는 것이다. 사회적으로 위기에 처한 학생들은 친구가 거의 없고 동료에게 괴
롭힘을 당하거나 자신들이 학교라는 사회생활에서 배제되고 있다는 느낌을 가질
수 있다. 이들에게는 동료와 효과적으로 상호작용하고 교사와 좋은 작업 관계를
수립하며 학교 공동체의 진정한 일원이 되도록 조력할 모종의 개입(예를 들어, 사
회적 기술 훈련, 과외활동 참여, 응용행동분석이나 긍정적 행동지원에 기초한 생

산적 행동의 조성 및 강화 등)이 필요하다. 이러한 개입은 일방적인 접근이 되어서는 안 되고 학생들의 특수한 강점과 욕구에 맞추어 조정되어야 한다.

마지막 세 번째 수준은 말썽을 일으키는 학생들에게 강력한 개입을 제공하는 것이다. 예를 들면, 어떤 학생이 비합리적으로 사고하거나 충동을 통제할 수 없고 매일의 좌절에 적절히 대처할 수 없을 정도로 심각한 정신적 고통을 겪고 있다면, 학교는 지역사회의 정신건강센터, 보호관찰소, 사회복지기관 등과 긴밀한 협력 관계를 유지하여 조직적이고 체계적인 조력을 제공해야 한다. 개입은 학생들이 반사회적 행동의 터널 안으로 들어가기 전에 이루어지고 교사와 여러 분야의 전문가가 참여하는 다학문 팀multidisciplinary team에 의해서 개발될 때 가장 효과적이다.

교사는 학생들과 가장 자주 접촉하기 때문에 강력한 개입이 필요한 학생을 찾아서 학문적·사회적 성공의 궤도에 복귀시킬 수 있는 가장 이상적인 위치에 있다. 교사는 특히 폭력의 조기 경고신호를 경계할 필요가 있다. 이는 사회적 철수, 지나친 고립, 거부와 박해의 감정, 학업 수행의 급격한 하락, 어설픈 대처 기술, 분노 통제의 결여, 우월감과 자기중심성 및 공감의 결여, 사무친 원한, 폭력적인 주제의 그림이나 글, 개인 및 집단 차이에 대한 과민반응, 폭력과 공격성 및 여타 훈육문제의 역사, 폭력적인 동료와의 연합, 부적절한 역할 모델, 빈번한 음주 또는 약물 사용, 화기나 무기에 대한 부적절한 접근, 폭행의 위협 등을 포함한다. 하지만 학교에서는 극단적인 폭력은 극히 드문 현상이며, 앞에서 언급한 경고신호를 한두 가지 드러낸다고 해서 폭력적인 학생이 되지는 않는다. 자칫 잠재적인 학교 폭력에 불합리하게 접근하면 학생들과 효과적으로 공부하는 일에 방해가 될 수도 있다. 무엇보다 교사는 경고신호를 특정 학생을 불공정하게 대하거나 고립시키며 벌하기 위한 구실로 삼아서는 안 되며, 더욱이 다른 학생들이 모두 누리는 교육적 혜택에서 제외시키기 위한 근거로 사용해서는 결코 안 될 것이다.

3) 훈육의 대안으로서의 상담

학생 지도의 궁극적인 목표는 학생 스스로 자신의 행동을 자각하고 조절할 수 있도록 조력하는 것이다. 훈육discipline은 학생들의 부적응적 행동에 초점을 맞춤으로써 처벌의 성격이 강하게 부각되어 부정적으로 인식되는 경우가 많다. 긍정심리학의 관점에서 보면, 학생의 긍정 행동을 적극 지원하여 성장을 촉진하는 예방적 상담이 강조된다.

　문제가 발생할 때는 교사와 학생 간의 의사소통이 본질적이다. 사람 간에 이루어지는 모든 상호작용은, 심지어 침묵이나 무관심조차도, 어떤 의미를 내포한다. 상담counseling은 본질적으로 의사소통의 장벽을 극복하도록 조력하는 활동이다. 이러한 장벽은 개인의 소심함에서 기인할 수도 있고 가정이나 조직에 만연된 암묵적 권위나 제도적 차별에서 기인할 수도 있다. 한자어로 상담相談은 독특한 의미를 지닌다. '상相'은 원래 나무木와 눈目을 결합하여 만든 형상으로, "어린 묘목木의 생장을 눈目으로 지켜본다."라는 뜻에서 '보살피다', '돕다'의 의미를 내포한다(김언종, 2003). 나무는 흔히 주체로서 성장하는 인간을 비유한다. 이렇게 보면 '상相'은 아이가 올곧게 성장하도록 지켜보는 것을 의미한다. 또한 '담談'은 말言과 불꽃炎을 결합한 것으로, 냉정한 대화가 아니라 정감 어린 대화, 공감적 대화를 내포한다. 따라서 상담相談의 본질적 의미는 공감적 대화를 통해 아이가 올곧게 성장하도록 지켜보는 것이라고 풀이될 수 있다(김창대, 2017).

　로저스(Rogers, 1992, 1998)와 같은 인간 중심 교육의 관점에서 볼 때, 초등학교 교사가 진정성 있는 태도와 수용적 자세로 아동을 판단하지 않고 있는 그대로 받아들이며 더 나아가서 공감적 이해를 통해 아동의 입장에서 그의 내면세계에 다가갈 수 있다면, 아동은 자신의 내면세계를 좀 더 정교하게 탐색하여 스스로 심리적 갈등을 극복하고 자기성장을 이룩할 수 있다. 아동이 기대와 어긋나는 행동을 보일 때 평가의 잣대를 들이대고 비난하기보다는 '~구나!'와 '~겠지!'의 공식을 적용하여 수인화validation하게 되면, 아동에게 진정성과 수용적 자세 그리고 공감적 이해를 견지함으로써 아동에게 진정으로 필요한 것이 무엇인지를 알게 될 것이다([그림 6-4] 참조). 또한 혹시 과거의 삶 속에서 형성되어 현재의 성장을 저해할 수도 있는 낙인을 제거하는 일이 한결 수월해질 수도 있다. 학습을 위한 개입은 곧 아동의 성장력을 저해하는 낙인을 제거함으로써 내면아이의 상처를 치유하는 것으로부터 시작해야 한다(Bradshow, 2004).

경청하기 반응하기 조력하기

[그림 6-4] 상담의 주요 기술(Carkhuff, 1993)

인간은 근본적으로 동기화된 이야기꾼motivated storyteller이다(송재홍, 1999; Sarbin, 1986). 즉, 자신의 실생활 경험을 타인과 공유함으로써 진정으로 살아 있음을 실감하며 존재감을 확인할 수 있다. 누군가 진심으로 자신의 이야기에 귀를 기울일 때 긍정적인 자아를 회복하여 성장을 추구할 수 있다. 따라서 교사는 학생들을 상대로 적극적 경청, 촉진적 의사소통 기술(예: 재진술, 반영, 개방적 질문, 명료화 등), 주장성 훈련, 수동적 · 적대적인 반응의 회피, 적극적인 문제해결 기술과 같은 구체적 기법을 사용하면 그들과 신뢰로운 관계를 형성하고 협력적인 대화의 채널을 개방하는 데 도움을 얻을 수 있다. 학생들은 갈등을 해소하는 과정에서 적절한 지도와 개입을 필요로 하지만 단 하나의 효과적인 전략은 존재하지 않는다. 개입 전략의 유용성은 학생들이 경험하는 갈등에서 성취목표가 중요한가, 아니면 관계회복이 중요한가, 또는 양쪽 모두인가에 따라 달라질 수 있다. 때로는 역할을 바꾸어 타인의 눈을 통해서 상황을 바라보도록 하는 것이 도움이 될 수 있다. 상황이 무엇이든 간에, 가족의 적극적인 협력을 이끌어 내고 학생들을 문제해결의 전문가로 인정하여 자발적인 참여를 유도하는 일은 교실이나 학교에서 긍정적인 학습환경을 창조하는 데 도움이 될 수 있다. 때로는 교사와 학교 당국이 의사소통을 가로막는 차별적 요소를 찾아서 제거하는 일에 적극적으로 나서야 한다.

4. 평가: 학습성과의 점검 시스템

교실평가classroom assessment는 학생들의 학업 향상과 관련된 결정을 내릴 때 개입되는 일체의 과정을 말한다(Airasian, 2000). 모든 교수활동은 학생의 학습활동을 평가하는 일을 포함한다. 평가의 중심은 판단, 곧 가치와 목표에 근거해서 어떤 결정을 내리는 일이다. 평가의 과정에서, 교사는 결과를 측정하고 일련의 준거에 성과를 비교한다. 검사 결과는 그 자체로 아무런 의미도 갖지 못하며 모종의 비교를 통해서 해석되어야 한다. 비교에는 두 가지 기본적인 형태가 있다(황정규, 1998). 첫 번째 형태는 규준 지향 비교norm-referenced comparison다. 여기서는 한 개인의 검사 점수가 동일한 검사를 받은 다른 사람들의 점수에 비교된다. 두 번째 형태는 준거 지향 비교criterion-referenced comparison다. 여기서는 비교를 위해서 일정한 표준이나 최소 통과기준 점수가 마련되어 있다.

1) 표준화검사

최근에 표준화검사standardized tests가 학생들에게 점차적으로 확대 실시되고 있다. '표준화'란 말은 검사가 문항 개발, 검사의 실시 및 채점, 그리고 채점 보고에서 표준적인 방법을 가지고 있다는 것을 의미한다. 검사의 최종본은 전국의 학교에서 검사를 치르게 될 학생들과 가급적 유사한 대규모 피험자 표본을 대상으로 실시된다. 이 규준표본norming samples은 검사를 치르게 될 모든 학생에게 하나의 비교 집단으로 작용한다. 개인 및 집단의 검사 점수는 규준표본의 평균과 분산에 기초해서 백분위수, z점수, 스테나인 점수, 또는 T점수로 변환되어 쉽게 비교된다. 예를 들면, 어떤 개인이 얻은 T점수 60은 그 개인이 규준표본의 평균보다 1표준편차 높은 점수를 얻었음을 의미한다. 교장이나 교사가 학생의 진급에 관해서 사정할 때는 학년 균등점수와 같은 다른 비교가 유용하다.

어떤 점수도 개인 또는 집단의 능력이나 진보를 완벽하게 나타내지는 못한다. 그러나 좋은 검사는 신뢰도와 타당도를 갖추어야 한다(황정규, 1998; Arends, 2007). 신뢰도reliability는 검사가 결과를 얼마나 일관성 있게 측정하는가를 말하고,

타당도 validity는 검사가 측정하려고 의도하는 것을 측정하는가를 말한다. 최소한 모든 검사는 신뢰할 수 있고 타당해야 한다. 또한 검사는 모든 수검자에게 공평하게 적용되어야 한다. 즉, 검사 결과가 특정 집단에게 유리하거나 불리하게 작용하지 않도록 검사의 개발과 제작은 물론 실시, 채점, 해석에 특히 신중을 기할 필요가 있다.

오늘날 학생, 교사, 학교에 관한 많은 중요한 결정들은 부분적으로 표준화검사의 결과에 기초해서 이루어지고 있다. 이는 읽기, 쓰기, 수학을 비롯한 기초 교과의 학습내용에 대한 표준화와 그러한 영역에서 학생들의 학습 및 지식을 측정할 표준화검사를 창안하도록 압박한다(황정규, 1998; Howell & Nolet, 2000). 성취도검사는 학생이 특정한 내용 영역에서 학습한 것을 측정하기 위해 고안된 반면에, 적성검사는 어떤 학생의 강점과 약점을 파악하여 종종 학생의 학습과 진보에 도움이 되는 실천 과정을 계획하기 위한 것이다. 초등학교 학생들에게는 중등학교 학생들보다 더 쉽게 진단용 검사를 실시하고, 고등학교 학생들에게는 흔히 SAT와 같은 적성검사를 실시한다. 이는 몇 년에 걸쳐서 발달된 능력을 측정하며, 또 어떤 학생이 장래에 얼마나 잘 수행할 것인가를 예측하기 위한 것이다. 검사 점수에 기초한 결정은 매우 중요하기 때문에, 교육학자들은 이 과정을 고부담 검사 high-stakes testing라고 부른다.

그러나 표준화검사는 많은 비판을 받고 있다(Eggen & Kauchak, 2011). 가장 주된 비판은 검사가 소수집단 학생에게 불리하게 편향되어 있다는 것이다(Lissitz & Schafer, 2002; Platt, 2004; Suzuki, Ponterotto, & Meller, 2000). 특정 집단에 유리하거나 불리하게 적용되지 않는 문화공평검사 culture-fair tests를 개발하는 것은 쉬운 일이 아니다. 더욱이 학생들은 표준화검사에 대비하여 수험 요령 test-taking skills을 학습할 수 있다. 이렇게 되면 표준화검사 결과는 학생들의 실제 능력을 제대로 반영하지 못할 수도 있다.

또 다른 비판은 전통적인 검사들이 단지 어느 특정 시점에서 수행의 표본에 불과하며, 장래 학습에 대한 학생의 잠재력을 제대로 파악하지 못하고 있다는 것이다(Herman, Aschbacher, & Winters, 1992; Kozulin & Falik, 1995). 이에 대한 대안적 견해는 인지적 평가의 목표가 학습을 위한 잠재력을 드러내는 것, 그리고 개인이 이러한 잠재력을 실현하도록 도울 심리학적·교육학적 개입을 확인하는 것이라는 가정에 기초를 두고 있다. 이 견해에 동조하는 사람들은 일지journals, 학생 관찰, 자기평가와 같은 비형식적 형성평가를 통해서 교사들이 학생의 진보에 대한 결정을 내리는 데 도움을 주기 위해 다양한 출처로부터 정보를 수집한다(Eggen & Kauchak, 2011; Hoy & Hoy, 2009).

이와 같이 전통적인 표준화검사들이 고부담 결정을 위한 근거로 활용되고 시민과 정부로부터 교육의 책무성에 대한 요구가 점점 더 커지면서, 많은 학교에서는 교사들이 잘 가르쳐야 한다는 압박감에 시달리고 있으며 '검사에 대비하여' 학생들을 가르치는 경향이 증가하고 있다. 이를 비판하는 사람들은 전통적인 검사들이 실제 세계와 전혀 어울리지 않는 지식과 기능을 평가하는 것이 더 큰 문제라고 지적한다.

2) 참평가 운동과 수행평가

전통적인 표준화검사에 대한 비판에 편승해서, 참평가 운동authentic assessment movement이 탄생했다(Wiggins, 1981; Worthen, 1993). 이것의 목표는 복잡하고 중요하며 실생활 성과를 평가하는 표준화검사를 창안하는 것이다. 참평가는 또한 직접평가, 수행평가, 또는 대안평가로 불리고 있다. 수행평가performance assessment는 교사로 하여금 학생이 학습 과제를 수행하는 과정이나 결과를 관찰하여 그 학생의 지식, 기능, 태도 등을 전문적으로 판단하게 하는 평가방식을 말한다(Airasian, 2000). 이처럼 교실평가에 대한 새로운 접근은 학생들에게 기능과 능력을 실생활에서 적용할 것을 요구하는 참교실 검사를 포함한다.

참평가에 대한 관심은 맥락에 적합한 수행의 목표에 기초하여 몇 가지 새로운 접근의 발달을 이끌었다. 예를 들면, 포트폴리오portfolio는 일정 기간 동안 구체적인 목적에 따라 계획적으로 학생의 수행 정도와 성취도 그리고 향상 정도를 나타내는 산출물의 축적을 통해서 평가하는 방법이다(조한무, 1998; Paulson, Paulson, & Meyers, 1991). 그것은 학생의 노력, 진보 그리고 성취 정도를 입증하기 위해 학생이 쓰거나 만든 작품을 지속적이고 체계적으로 모아 둔 작품집이나 서류

자기성찰 보고서

- **읽기**: 나는 더 많은 책을 읽을 수 있고, 더 잘 읽을 수 있으며, 책을 읽는 것이 재미있다.
- **쓰기**: 나는 더 많은 단어를 쓸 수 있고, 더 장문의 글을 쓸 수 있으며, 좀 더 깔끔하게 글을 쓸 수 있다.
- **수학**: 나는 연산 문제를 더 신속하고 정확하게 풀 수 있으며, 시계와 그래프를 읽을 수 있다.
- **과학/사회**: 나는 과학 공부가 흥미 있고, 친구들과 함께 자석 놀이를 하는 것이 재미있다.
- **공부 습관**: 나는 매일 과제를 해 왔으며, 이제는 과제를 더 신속하고 멋지게 해낼 수 있다.
- **총평(초등학교 3학년)**: 나는 지난 1년 동안 현장학습을 다녀왔으며, 더 많은 친구를 사귀었다.

[그림 6-5] **학습에 대한 반성: 작업 분석(Woolfolk, 2007)**

철을 이용한다. 대개는 학생이 직접 참여해서 작품 내용, 판단 준거, 그리고 학생 자기반성의 근거를 선정하고, 구체적으로 진보와 개선, 학생 자기분석, 그리고 학생이 무엇을 학습했는지에 대한 반성 내용을 포함한다([그림 6-5] 참조). 하지만 신뢰도, 타당도 그리고 공정성의 문제는 이와 같은 대안적인 방법을 사용하는 평가에서도 중요한 과제로 남아 있다(Woolfolk, 2007).

높은 수행표준, 경쟁적인 학급 분위기, 그리고 특히 불리한 학생들의 누적되는 성적 하락은 장기결석과 중도탈락률을 증가시키는 원인이 되고 있다(Hoy & Hoy, 2009). 그것은 마치 재학 중에는 낮은 성적과 실패를 절대로 피해야 한다는 것처럼 들릴 수도 있다. 하지만 상황은 그렇게 단순하지 않다. 실패는 후속 수행에 대해서 긍정적인 효과와 부정적인 효과를 모두 지닐 수 있다. 그것은 전적으로 실패의 상황과 학생의 성격에 달려 있다. 예를 들면, 교사의 피드백과 시범 그리고 비계설정을 통해서 학생들이 왜 실수하는지를 알고 좀 더 적절한 전략을 학습할 수 있다면 실패는 유익할 수도 있다. 하지만 이러한 형태의 피드백이 거의 제공되지 않으며, 학생들은 같은 실수를 반복하는 경우가 적지 않다. 교사들이 오직 단편적이고 세부적인 지식만을 측정한다면 학생들에게 제대로 된 학습이냐, 단지 좋은 성적이냐 중에서 하나를 선택하라고 강요하는 것이 된다. 그러나 성적이 의미 있는 학습을 반영한다면 성적을 얻기 위해 공부하는 것과 배우기 위해 공부하는 것은 결국 같은 것이 된다. 끝으로 학교의 궁극적인 과업은 재능을 확인하는 것이 아니라 오히려 그것을 개발하는 것이다. 높은 성적은 학습에 의미 있게 참여

하는 일에 대한 보상 또는 유인가로서 어떤 가치를 지닐 수도 있지만, 낮은 성적
은 일반적으로 좀 더 많은 노력을 기울이도록 힘을 북돋우는 데 그다지 기여하지
못한다.

5. 에필로그: 성찰적 교실의 창조

루트번스타인 부부(Root-Bernstein & Root-Bernstein, 2007)의 저서 『생각의 탄생
Sparks of Genius』을 보면, 전인을 길러 내는 통합교육이 지향하는 여덟 가지 기본 목
표에는 학생들이 각 과목의 지식을 획득하도록 하는 일 외에 보편적인 창조의 과
정을 가르치는 일에 중점을 둘 것과 과목 간의 경계를 성공적으로 허문 사람들의
경험을 창조성의 본보기로 활용할 것이 포함되어 있다. 또한 혁신을 위해 공통의
언어를 사용함으로써 교과목을 통합할 것과 한 과목에서 배운 것을 여러 분야에서
응용할 수 있도록 할 것을 강조하고 있는데, 이를 위해 교사는 지식을 한 과목에만
고립시키는 '예술', '음악', '과학'과 같은 명칭을 무시할 수 있어야 한다고 역설하고
있다. 한마디로 교육의 목적은 모든 학생이 화가이면서 과학자이고 시인이면서
수학자이며 무용수이면서 공학자로서 사고하도록 도와주는 데 있다는 것이다. 과
연 우리는 이처럼 전인적인 교양인을 길러 내기 위한 통합교육의 제안을 어느 정
도 충실히 반영하고 있는지에 대해 심도 있는 논의가 있어야 할 것이다.

1) 수업사태의 변화 양상

교수-학습의 양상은 교과 내용, 학습자의 발달 그리고 사회문화적 맥락에 따라 다
양한 형태로 나타나기 마련이다. 최근 수십 년 사이에 우리나라의 교실 환경은 빠
른 속도로 변화해 왔으며, 이는 학생들을 가르치는 교사에게 끊임없이 새로운 역
할을 요구하고 있다. [그림 6-6]에 제시한 몇 가지 시나리오는 이러한 수업사태의
변화 양상을 잘 반영하고 있다.

첫 번째 시나리오는 미국 교육수월성위원회(National Commission on Excel-

■ 1970~1980년대의 수업 시나리오

수학시간, 책상이 가지런히 정돈된 교실의 칠판에는 수업목표가 써 있다. 교사는 교실 정면에 서서 이미 배운 것과 관련된 새로운 문제들을 학생들에게 내 준다. 교사는 학생들이 숙제를 해 왔는지 점검하고 나서 수업목표와 학습 범위를 또박또박 일러 준다. 학생들이 이 수업을 이해할 수 있을지를 신중히 결정한 다음, 수업을 진행하면서 이해 여부를 확인하고 새로운 내용을 제시한다. 칠판에는 예문이 제시되고 학생들은 자리에 앉아서 풀 문제를 받는다. 마지막으로 수업을 정리한 후, 다음 날 숙제를 내 준다. 이렇게 이 날의 수업은 끝이 난다.

■ 1990~2000년대의 수업 시나리오

커다란 작업실을 닮은 교실 공간에는 컴퓨터가 들어차 있고, 칠판에는 간단한 메시지가 적혀 있다. 일부 학생은 컴퓨터 주변에 끼리끼리 모여 무엇인가 열심히 하고 있고, 다른 학생들은 대형 학습 탁자에 둥글게 모여 앉아 있다. 어떤 학생들은 주어진 명제를 증명하기 위해 작은 실험을 하려고 다른 영역으로 나가 있다. 교사는 나이가 많다는 것 이외에는 잘 눈에 띄지 않는다. 교사는 소집단 학생들과 수학문제의 '증명'에 관해 토론하다가 자리를 옮겨 문자열string을 조작하는 두 학생과 잠시 대화를 나눈다. 한편 컴퓨터 앞에 앉아 있는 학생들은 지나가는 교사를 전혀 의식하지 않는다. 다른 세 명의 학생은 동료심사단과 학생들과 교사, 지역인사들로 구성된 심사위원회에 선보일 출품작을 제작하고 있으며, 또 다른 학생들은 학교 구내의 다른 장소에서 이루어지고 있는 실험을 점검하고 들어오고 있다. 나머지 학생들은 지역사회에 나가 있으며, 이 가운데에는 초등학교에서 봉사활동을 하는 학생도 있고 지역사회 유관기관이나 기업체에서 인턴 실습을 하는 학생도 있다.

[그림 6-6] **수업사태의 변화 양상에 따른 수업 시나리오의 가상적인 예**(송재홍, 2015)

lence in Education, 1983)에서『위기에 처한 국가*A Nation at Risk*』를 출판했을 당시에 이상적인 교육환경을 묘사한 것이다. 여기에서는 교사가 일정한 교육과정에 따라서 분명한 수업목표를 설정하고 수업을 주도하고 있다. 그러나 10년 후 교육개혁 운동은 이런 학습을 옹호한 사람들이 상상조차 하지 못했던 수업 방법을 전개했으며, 그 결과 두 번째 시나리오가 널리 보급되었다. 이 개선된 학습환경에서는 지시적 수업이나 표준화검사라는 단어는 더 이상 찾아볼 수 없다.

2) 성찰적 교실의 초상

오늘날에는 인간 학습과 행동의 이해에서 인지적 혁명과 함께 지식 기반 사회의 도래와 정보통신 공학의 급속한 발달에 따라 완전히 색다른 학습환경을 예고하고 있다. 만일 학생들에게 능동적인 지식 구성과 성찰하는 습관을 구축하는 것을 수업의 목표로 삼는다면, 이것을 이룩하는 일은 결코 쉬운 문제가 아닐 것이다. 그러나 '이상적인 성찰적 교실'을 성공적으로 창조한다면 그것은 어떤 모습일까? 여기에 하나의 가상 시나리오가 제시되어 있다.

　　교사는 학생들의 지식 구성을 교실 수업의 중심적인 활동으로 간주하고, 이러한 목표를 달성하기 위해서 장기적이고 주제 중심의 프로젝트를 중심으로 학생들이 자신의 목표를 성취하는 데 도움이 되는 지식을 선택해서 활용할 수 있는 수업 활동을 전개할 수 있다. 이처럼 성찰적인 교실에서는 교사가 학생들과 협력자로서 함께 작업하면서 그들 간의 정보 추구와 정보 교류를 중심으로 하는 교실 수업을 조직화하는 장면을 흔히 볼 수 있다. 교사의 일차적인 역할은 학생들에게 직접적인 강의를 통해서 지식을 전수하는 일보다는 학생들이 주도적이고 전략적인 학습자가 되도록 안내하고 지지하는 것이다.

　　이상적인 성찰적 교실에서는 교사와 학생 모두 분명하게 목표의식에 대해서 강한 인상을 지니고 있으며, 프로젝트의 목표를 달성하기 위해서 여러 가지 활동을 번갈아 하면서 함께 일한다. 이러한 활동에는 학생들에게 정보를 발견하여 조직화하는 방법을 코칭하는 전체 학급 수업, 학생들이 독서와 작문을 통해서 정보를 검색하고 발견하여 조직화하며 또 자신들이 그것을 어떻게 발견했는지에 대해서 반성하는 일, 그리고 학생들이 학습한 내용을 보고하고 그들 간의 차이가 나는 견해를 토의하며 또 자신들의 진보를 판단하는 소집단 토의 및 공동연구를 포함한다. 교사는 또한 학생들이 유의미한 목표를 골라잡을 수 있도록 조력하고, 학생들에게 목표에 도달하기 위한 이용 가능한 전략들을 코칭하며, 또 필요할 경우 그들의 사고과정을 돕기 위해서 비계를 설정할 수 있다.

　　시간이 흐르면서, 이상적인 성찰적 교실에서는 학생들이 점점 더 전문적이고 주도적인 학습자가 되어 가는 것을 목격할 수 있다. 그들은 단순히 텍스트에 제시된 불활성 지식inert knowledge을 기억하는 일보다는 자신들의 프로젝트를 중심으로 자신들이 정보를 발견하기 위해서 사용한 전략, 그러한 정보가 유용한 이유, 그리고 그것이 조직화되는 방식들을 쉽게 설명할 수 있다.

이 가상적인 시나리오처럼, 전통적인 교실 생활을 지배하던 공장 모형은 색다른 '학습' 은유에 의해서 도전을 받고 있다. 그리고 ① 능동적이고 구성적이며 자기조절적인 과정으로서의 학습활동, ② 사회적 및 사회언어적인 의사소통 과정으로서의 교수-학습, ③ 학습, 인지 및 지식의 상황적(맥락적) 특수성에 대한 신념, ④ 전통적 학습 과제보다는 '적실한' 실세계 학습경험의 구성, ⑤ 불활성 지식의 암기보다는 이해와 문제해결 및 개념적 변화의 강조 등과 같은 몇 가지 새로운 주제가 지난 10년간 교수-학습에 관한 논의를 지배해 왔다(이성진, 1999; Shuell, 1996).

3) 성찰적 교실의 창조를 위한 제언

수업 과정을 연구하는 학자들은 종종 담임교사의 역할을 오케스트라 지휘자의 역할에 비유한다. 수업을 통해서 교사가 수행하는 역할은 학생들의 학습과 독립심이 증가하도록 격려하고 지원하는 자료, 과제, 환경, 대화와 탐색을 조화롭게 지휘하는 것이다. 효과적인 수업은 수많은 요인의 결집을 필요로 하며, 끊임없이 변화하는 욕구에 반응해서 교수-학습활동을 계속해서 적응시켜야 한다. 또한 성공적인 교사는 대부분 스스로를 역동적인 평가자요, 문제해결자로 인식하고 있다. 따라서 유능한 교사가 되려면 시종일관 교실에서 행하고 있는 것을 관찰해서 분석해야 하고 다른 학생 집단에는 상이한 접근방법을 사용해야 할 것이다.

또한 유능한 교사는 성찰적인 태도와 능력을 개발하여 사려 깊은 수업목표와 수업계획을 수립하고 제반 계획을 이행하며 그것의 효과를 관찰하여 목표가 충족되었는지를 판단할 수 있어야 한다. 좀 더 성찰적이고 유능한 교사가 되기 위해 노력할 때, 자신이 행하는 것을 분석하고 새로운 상황 여건에 적응하는 데 도움이 될 수 있는 여러 가지 방법이 있다. 학생들에게 평가나 제안을 요청할 수도 있고 동료평가나 자기평가 기법을 채택할 수도 있으며, 아니면 어떤 성찰일지를 사용해서 자신의 교수활동을 수정하고 동시에 자신의 목표와 기법을 체계적으로 분석할 수도 있다(Snowman & Biehler, 2004).

(1) 학생의 평가 및 제안

학생들은 어느 누구보다도 더 나은 위치에서 교사를 평가할 수 있다. 그들은 언제나 어떤 교사가 한 일이 왜 효과적인가, 아니면 왜 비효과적인가, 그 이유why를 분석할 수는 없지만 교사가 적절하게 반응하며 수업하고 있는지에 대해서는 어느 누구보다도 잘 알고 있다. 더욱이 교사에 대한 학생들의 인상은 수많은 시간 동안에 걸쳐 상호작용의 결과로 형성된 것이다. 교장이나 다른 성인의 관찰자는 대부분 활동 중인 교사를 단지 몇 분 동안만 바라볼 수 있을 뿐이다. 따라서 학생들에게 주의를 기울이고 학생들에게 적극적으로 의견을 구하는 것은 일리가 있다.

(2) 동료평가 및 자기평가

동료에게 부탁하여 자신의 교수활동 방식에 대해 좀 더 상세한 분석을 받고 싶다면, 관찰계획을 개발해야 한다. 플랜더스 상호작용 분석 범주Flanders Interaction Analysis Categories는 교사 행동을 체계적으로 관찰하기 위해 가장 광범위하게 활용되고 있는 방법이다. 그것은 교사와 학생 간의 언어적 상호작용을 10가지 범주로 나누고, 훈련받은 관찰자에게 3초마다 한 번씩 이들 범주의 해당하는 곳에 빗금(/)을 표기하도록 하고 있다. 관찰 범주는 ① 느낌 수용하기, ② 칭찬 또는 격려, ③ 학생의 생각 이용하기, ④ 질문하기, ⑤ 강의, ⑥ 지시하기, ⑦ 비판하기, ⑧ 학생의 반응적 발언, ⑨ 학생의 주도적 발언, ⑩ 침묵이나 혼동이다. 일단 관찰이 끝나면 빗금을 세어서 각 활동에 보낸 시간의 백분율을 결정하면 된다(Flanders, 1970).

어떤 동료와도 협력할 수 없다면 녹음테이프나 비디오테이프를 이용하여 똑같은 목표를 달성하려는 시도를 고려해 볼 수도 있다. 이와 같은 방법을 사용하면 교실수업을 끝맺는 일, 학생들이 질문에 대한 답하기를 기다리는 대기시간, 그리고 긍정적 진술을 작성하는 일에 사용한 시간의 양과 같은 행동에서 유의미한 향상을 이룩할 수 있다.

(3) 성찰적인 수업계획과 성찰일지의 작성

교사는 성찰적인 태도와 능력을 개발하여 사려 깊은 수업목표와 수업계획을 수립하고 제반 계획을 이행하며 그것의 효과를 관찰하여 목표가 충족되었는지를 판단할 수 있어야 한다. 이를 위해서는 성찰적인 수업계획을 수립하거나 성찰일지를 작성하여 자기 행동의 결과에 끊임없이 준비하고 관찰하며 또 성찰해야 한다. 호 (Ho, 1995)는 성찰적인 수업계획의 네 단계를 제안했다.

① 종이 한 장을 반으로 접는다. 왼쪽에는 '수업계획'이라고 이름을 붙이고, 오른쪽에는 '성찰기록'이라고 이름을 붙인다.

② 수업계획 쪽에는 관련 식별 정보(4단계 영어, 1월 23일 오전 9시, 고급 수학, 4학년 사회과), 학과 수업목표, 시간 순서로 수행해야 할 과제, 활용할 자료와 시설, 그리고 이 수업에 배정해야 할 시간의 양을 기록한다.

③ 성찰기록 쪽에는 학과수업이 끝난 후에 가능한 한 곧바로 그 수업의 기저에 놓여 있는 수업목표의 가치, 자료의 적절성, 기본적인 교수 기제를 얼마나 잘 수행했는가에 관한 생각을 적는다.

④ 성찰기록에 대한 분석에 기초해서 수업계획에 변화를 준다.

교사가 성찰일지를 작성하면 자신이 교실 사태에 대해 어떤 신념을 갖고 어떤 행동을 취하는지를 명료하게 표현할 수 있다. 성찰일지reflective journal는 교사가 자신의 경험으로부터 창안했거나 또는 다른 원천으로부터 수집한 수업 아이디어와 기법의 보고이며, 또한 가르치는 일에 대한 교사의 관찰 내용과 성찰 결과를 기록하기 위한 하나의 형식을 갖추게 한다. 성찰일지의 양식은 교사의 경력이 쌓여 가면서 늘어나는 경험과 변화하는 욕구에 맞추어 수정될 수 있다. 그러나 시작할 때에는 각 장의 방주에 '일지명부'라고 기재하고, 그 아래에는 최소한 2쪽 이상의 기재사항을 첨가하는 것이 좋다([그림 6-7] 참조). 또한 첫 부분에는 각 강좌나 개인적인 경험 또는 기타 원천으로부터 얻은 아이디어에 기초해서 교사가 가르치게 될 학년 수준이나 교과에 적합하게 개작한 자신의 교수 아이디어를 포함시켜야 한다. 일지명부를 바인더에 철하거나 컴퓨터에 전자파일로 저장하면 교수활동에 대한 아이디어를 확장하고 계속적인 성찰 내용을 추가할 수 있다.

일지명부: 학습전략을 가르치는 방법

출처: '정보처리이론'

수업에 대한 아이디어

(주: 여기에 나열하는 아이디어는 모두 이 일지의 지면을 작성하기 위한 특별한 일지명부/수업목표에 속하게 될 것이다.)

- 가르침에 대한 맞춤식 제안: 제반 요점, 원리, 활동, 그리고 텍스트에서 취한 예와 여러분 자신의 상황과 가장 많이 관련되는 제안
- 과거의 학생시절 경험으로부터 생성된 아이디어
- 전문직의 동료가 제공한 아이디어
- 교생시절 경험으로부터 수집한 아이디어
- 방법론 교과서에서 수집한 아이디어

성찰: 수업에 대한 질문과 '재출발' 제안

- 성찰적 질문:
  (나의 교수활동과 학생들의 학습활동에 대한 관찰 내용에 초점을 둘 것)
- 학생들은 자신이 읽는 것이나 수업시간에 제시된 것의 의미를 이해하기 어려운가?
  (여기에 이 주제에 대한 여러분의 수업과 학생들의 학습에 관해서 여러분의 성찰, 관찰 내용 및 분석적인 내용을 기록하라. 필요하다면, 여러분의 수업을 '건너뛰거나' 방향을 전환해야 할 것이다. 한 가지 가능한 아이디어가 뒤따라야 한다.)
- 제안된 행동:
  (공부 방법에 대한 일련의 수업 시간표를 작성하라. 다양한 독해 책략의 목적을 설명하고, 학생들이 읽어야 할 자료에 대해서 이 기능을 연습할 수 있는 기회를 제공하라.)

[그림 6-7]   **교수에 대한 반성: 성찰일지**(Snowman & Biehler, 2004)

참고문헌 4, 5, 6장

김언종(2003). **한자의 뿌리** 2. 서울: 문학동네.

김언주 · 구광현(1999). **신교육심리학**. 서울: 문음사.

김창대(2017). 상담학의 정체성: 이론적 관점에서. **2017년 전문상담사 자격갱신연수회 자료집**. 서울: 한국상담학회.

송재홍(1999). 자기직면법을 이용한 가치평가 시스템의 개발과 적용. **대학상담연구**, 10, 125-149.

송재홍(2001). 단원 중심 교수 개발 프로그램의 실천적 적용을 통한 교사의 전문적 능력 신장에 관한 연구. **교육심리연구**, 15, 89-118.

송재홍(2006). 가르침과 배움의 여정으로서 자아성찰: 교과교육과 상담의 통합 가능성에 대한 검토와 제안. **종합교육연구**, 4, 1-25.

송재홍(2007). 자아성찰 학습을 위한 교과교육의 이해와 개발. **종합교육연구**, 5, 1-24.

송재홍(2015). 교육과 심리학. 고전 · 김민호 · 서명석 · 송재홍(편저). **교육학의 이해: 교육을 바라보는 시선과 풍경**(pp. 91-190). 서울: 아카데미프레스.

송재홍(2018). 심리학 3.0과 미래 학습: 관계 학습의 원리와 실천 전략. **초등상담연구**, 17, 347-376.

신영복(2015). **담론: 신영복의 마지막 강의**. 서울: 돌베게.

이대식 · 여태철 · 공윤정 · 김혜숙 · 송재홍 · 임진형 · 황매향(2010). **아동발달과 교육심리의 이해**. 서울: 학지사.

이성진(1999). 교육심리학의 학문적 성격과 과제. 이성진, 김계현(편), **교육심리학의 새로운 쟁점과 이론**(pp. 1-20). 서울: 교육과학사.

조한무(1998). **수행평가를 위한 포트폴리오평가**. 서울: 교육과학사.

조화태 · 김계현 · 전용오(2008). **인간과 교육**. 서울: 방송대학교출판부.

황정규(1998). **학교학습과 교육평가**(개정판). 서울: 교육과학사.

Airasian, P. (2000). *Classroom assessment* (4th ed.). New York: McGraw-Hill.

American Psychological Association (1997). *Learner-centered psychological principles: A framework for school reform & redesign*. Washington, DC: The American Psychological Association's Board of Educational Affairs (BEA).

Anand, B. (2017). **콘텐츠의 미래**(*The content trap*, 김인수 역). 서울: 리더스 북.

Anderson, L. W., & Krathwohl, D. R. (Eds.) (2005). **교육과정 수업 평가를 위한 새로운 분류학: Bloom 교육목표분류학의 개정**(*A taxonomy for learning, teaching, and assessing: A revision of Bloom's taxonomy of educational objectives*, 강현석 · 강이철 · 권대훈 · 박영무 · 이원희 · 조영남 · 주동범 · 최호성 역). 서울: 아카데미프레

스. (원서 2001년 출간).

Arends, R. I. (2007). *Learning to teach* (7th ed.). New York: McGraw Hill.

Atkinson, R. L., Atkinson, R. C., Smith, E. E., & Hilgard, E. R. (1987). *Introduction to psychology* (9th ed.). Orlando, FL: Harcourt Brace Joranovich, Inc.

Atkinson, R. C., & Shiffrin, R. M. (1968). Human memory: A Proposed system and its control processes. In K. W. Spence, & J. T. Spence (Eds.). *The psychology of learning and motivation: Advances in research and theory* (vol. 2). New York: Academic Press.

Ausubel, D. P. (1963). *The psychology of meaningful verbal learning*. New York: Grune & Stratton.

Bandura, A. (1977). Self-efficacy: Toward a unifying theory of behavioral change. *Psychological Review, 84*, 181–215.

Bandura, A. (1984). 사회적 학습이론(*Social learning theory*, 변창진 · 김경린 역). 서울: 중앙적성출판부. (원서 1977년 출간).

Bandura, A. (1986). *Social foundations of thought and action: Social cognitive theory*. Englewood Cliffs, NJ: Prentice-Hall.

Bandura, A. (Ed.) (1997). *Self-efficacy: The exercise of controls*. New York: W. H. Freeman and Company. 이 책의 우리말 번역본은 교육과학사에서 두 권의 책으로 나뉘어 출간되었다. 1장부터 5장까지는『자기효능감과 인간행동: 이론적 기초와 발달적 분석』이라는 제목으로 1999년에 출간되었고, 6장부터 11장까지는『자기효능감과 삶의 질』이라는 제목으로 2001년에 출간되었다.

Binet, A., & Simon, T. (1905). *The development of intelligence in children* (Trans. by E. S. Kite, 1916). Baltimore: Williams & Wilkins.

Bloom, B. S., Engelhart, M. B., Furst, E. J., Hill, W. H., & Krathwohl, D. R. (1978). 교육목표분류학 I: 지적 영역(*Taxonomy of educational objectives. Handbook I: Cognitive domain*, 임의도 · 고종렬 · 신세호 역). 서울: 중앙적성출판부. (원서 1956년 출간).

Bower, G. H., Clark, M. C., Lesgold, A. M., & Winzenz, D. (1969). Hierarchical retrieval schemes in recall of categorized word lists. *Journal of Verval Learning and Verbal Behavior, 8*, 323–343.

Bowlby, J. (1980). *Attachment and loss (Vol. 3): Loss: Sadness and depression*. New York: Basic Books.

Bradshow, J. (2004). 상처받은 내면아이 치유(*Home coming: Reclaiming and championing your inner child*, 오제은 역). 서울: 학지사. (원서 1990년 출간).

Brown, A. L. (1978). Knowing when, where, and how to remember: A problem of metacognition. In R. Glaser (Ed.). *Advances in instructional psychology* (vol. 1, pp. 77-165). Hillsdale, NJ: Lawrence Erlbaum Associates.

Brown, A. L. (1987). Metacognition, executive control, self-regulation, and other more mysterious mechanisms. In F. Weinert & R. Kluwe (Eds.). *Metacognition, motivation, and understanding* (pp. 65-116). Mahweh, NJ: Lawrence Erlbaum Associates.

Bruner, J. S. (1966). *Toward a theory of instruction*. Cambridge, MA: Harvard University Press.

Bruning, R. H., Schraw, G. J., & Norby, M. M. (2011). *Cognitive psychology and instruction* (5th ed.). Boston, MA: Allyn & Bacon.

Carkhuff, R. R. (1993). **청소년 상담을 위한 조력기술의 실제**(*The art of helping III*, 이영애 · 채연희 역). 대구: 대구직할시청소년종합상담실. (원서 1977년 출간).

Cervone, D. (2017). **심리학 개론: 사람, 마음, 뇌 과학**(*Psychology: The science of person, mind, and brain*, 김정희 · 김남희 · 이경숙 · 이나경 · 장인희 역). 서울: 시그마프레스.

Collins, A., Brown, J. S., & Newman, S. E. (1989). Cognitive apprenticeship: Teaching the crafts of reading, writing, and mathematics. In L. B. Resnick (Ed.). *Knowing, learning, and instruction: Essays in honor of Robert Glaser* (pp. 453-494). Hillsdale, NJ: Lawrence Erlbaum Associates.

Corno, L. (1986). The metacognitive control components of self-regulated learning. *Contemporary Educational Psychology, 11*, 333-346.

Corno, L. (1994). Student volition and education: Outcomes, influences, and practices. In D. Schunk & B. J. Zimmerman (Eds.). *Self-regulation of learning and performance: Issues and educational applications* (pp. 229-251). Hillsdale, NJ: Lawrence Erlbaum Associates.

Doyle, W. (1983). Academic work. *Review of Educational Research, 53*, 287-312.

Doyle, W. (1986). Classroom organization and management. In M. C. Wittrock (Ed.). *Handbook of research on teaching* (3rd ed.) (pp. 392-431). New York: MacMillan.

Doyle, W. (2006). Ecological approaches to classroom management. In C. Evertson & C. Weintein (Eds.). *Handbook of classroom management: Research, practice, and contemporary issues* (pp. 97-126). Mahwah, NJ: Lawrence Erlbaum Associates.

Dweck, C. S. (1988). Motivational processes affecting learning. *American Psychologist*, *41*, 1040-1048.

Dweck, C. S. (2000). *Self-theories: Their role in motivation, personality, and development*. Philadelphia: Routledge Press.

Dweck, C. S. (2002). The development of ability conceptions. In A. Wigfield & J. Eccles (Eds.). *The development of achievement motivation* (pp. 57-88). San Diego: Academic Press.

Dweck, C. S. (2017). **마인드셋: 원하는 것을 이루는 태도의 힘**(*Mindsets: The new psychology of success*, 김준수 역). 서울: 스몰빅라이프. (원서 2016년 출간).

Dweck, C. S., & Leggett, E. L. (1988). A social-cognitive approach to motivation and personality. *Psychological Review*, *95*, 256-273.

Dwyer, K., & Osher, D. (2000). *Safeguarding our children: An action guide*. Washington, DC: U. S. Department of Education and Justice, American Institute for Research. Retrieved Feb. 26, 2004, from www.ed/gov/pubs/edpubs.html.

Eggen, P. & Kauchak, D. (2011). **교육심리학: 교실 실제를 보는 창**(*Educational psychology: Windows on classrooms*, 신종호 · 김동민 · 김정섭 · 김종백 · 조승이 · 김지현 · 서영석 역)(8th ed.). 서울: 학지사. (원서 2010년 출간).

Erikson, E. H. (1950). *Childhood and society*. New York: Norton.

Erikson, E. H. (1988). **아동기와 사회**(*Childhood and society*, 윤진 · 김인경 역)(2nd ed.). 서울: 중앙적성출판사. (원서 1963년 출간).

Evertson, C. M., Emmer, E. T., & Worsham, M. E. (2003). **초등교사를 위한 학급꾸리기** (*Classroom management for elementary teaching*, 강영하 · 박종필 역)(6th ed.). 서울: 아카데미프레스.

Flanders, N. A. (1970). *Analyzing teaching behavior*. Reading, MA: Addison-Wesley.

Gage, N. L., & Berliner, D. C. (1998). *Educational psychology* (6th ed.). Boston: Houghton Mifflin Company.

Gagné, E. D., Yekovich, C. W., & Yekovich, F. R. (2005). **인지심리학과 학교학습**(*The cognitive psychology of school learning*, 이용남 외 역)(3rd ed.). 서울: 교육과학사. (원서 1993년 출간).

Gagné, R. (1974). *Essentials of learning for instruction*. New York: Holt, Rinehart, & Winston. 이 책의 개정판 번역본은 교육과학사에서 『**효과적인 교수-학습의 기본**』이라는 제목으로 1993년에 출간되었다.

Gagné, R. (1996). **학습의 조건과 교수이론**(*The conditions of learning and theory of instruction*, 박성익 · 최영수 역)(4th ed.). 서울: 교육과학사. (원서 1985년 출간).

Gardner, H. (1993). 마음의 틀(*Frames of mind: The theory of multiple intelligences*, 이경희 역). 서울: 문음사. (원서 1983년 출간).

Gardner, H. (1998). 다중지능의 이론과 실제(*Multiple intelligences: The theory in practice*, 김명희 · 이경희 역). 서울: 양서원. (원서 1993년 출간).

Gronlund, N. E. (1976). *Measurement and evaluation in teaching* (3rd ed.). New York: Macmillan Publishing Co., Inc.

Gronlund, N. E., & Tro, N. J. (2004). *Writing instructional objectives for teaching and assessment*. Columbus, OH: Pearson/Merrill/Prentice Hall.

Halpern, D. F. (1997). *Critical thinking across the curriculum: A brief edition of thought and knowledge*. Mohwah, NJ: Lawrence Erlbaum Associates.

Halpern, D. F. (1998). Teaching critical thinking for transfer across domains. *American Psychologist, 53*, 449–455.

Havighurst, R. (1952). *Developmental tasks and education*. New Yok: Longmans.

Havighurst, R. (1972). *Developmental tasks and education* (3rd ed.). New Yok: Longmans.

Hearst, E. (Ed.) (1994). 현대심리학사: 실험심리학 일세기(*The first century of experimental psychology*, 원호택 · 이관용 · 김기중 · 정봉교 · 김재갑 · 이태연 · 김청택 · 안미영 · 이은희 역). 서울: 교육과학사. (원서 1978년 출간).

Herman, J., Aschbacher, P., & Winters, L. (1992). *A practical guide to alternative assessment*. Alexandria, VA: Association for Supervision and Curriculum Development.

Hilgard, E. R., & Atkinson, R. C. (1967). *Introduction to psychology* (4th ed.). New York: Harcourt, Brace, & World, Inc.

Ho, B. (1995). Using lesson plans as a means of reflection. *ELT Journal, 49*, 66–70.

Howell, K. W., & Nolet, V. (2000). *Curriculum-based evaluation: Teaching and decision making* (3rd ed.). Belmont, CA: Wadsworth/Thomson Learning.

Hoy, A. W., & Hoy, W. K. (2009). *Instructional leadership: A research-based guide to learning in schools* (3rd ed.). New York: Pearson.

Hunter, M. C. (1982). *Mastery teaching*. El Segundo, CA: TIP Publications.

James, W. (2005). 심리학의 원리(*Principles of psychology*, 정양은 역). 서울: 아카넷. (원서 1890년 출간).

Jordan, E. A. & Porath, M. J. (2008). 교육심리학: 문제중심접근(*Educational psychology: A problem-based approach*, 강영하 · 김유미 · 김혜숙 · 문은식 · 이명숙 · 정종진 역). 서울: 아카데미프레스. (원서 2006년 출간).

Judd, C. H. (1939). *Educational psychology*. New York: Houghton Mifflin Company.

Kohlberg, L. A. (1971). Stages of moral development as a basis for moral education. In C. Beck, E. V. Sullivan, & B. Crittendon (Eds.). *Moral education: Interdisciplinary approaches* (pp. 23–92). Toronto, CN: University of Toronto Press.

Kohlberg, L. A. (2001). **도덕발달의 심리학**(*The psychology of moral development: The nature and validity of moral stages*, 김민남 · 진미숙 역). 서울: 교육과학사. (원서 1984년 출간).

Kounin, J. S. (1970). *Discipline and group management in classrooms*. New York: Holt, Rinehart, & Winston.

Kozulin, A., & Falik, L. (1995). Dynamic cognitive assessment of the child. *Current Directions*, *4*, 192–195.

Krathwohl, D. R., Bloom, B. S., & Masia, B. B. (1978). **교육목표분류학 II: 정의적 영역** (*Taxonomy of educational objectives. Handbook II: Affective domain*, 임의도 · 진위교 · 고종렬 · 신세호 역). 서울: 중앙적성출판부. (원서 1964년 출간).

Lan, W. Y. (1998). Teaching self-monitoring skills in statisitics. In D. H. Schunk & B. J. Zimmerman (Eds.). *Self-regulated learning: From teaching to self-reflective practice* (pp. 86–105). New York: The Guilford Press.

Lepper, M., Greene, D., & Nisbett, R. R. (1973). Undermining children's intrinsic interest with extrinsic rewards. *Journal of Personality and Social Psychology*, *28*, 129–137.

Linn, R. L., & Gronlund, N. E. (1995). *Measurement and evaluation in teaching* (7th ed.). Englewood Criffs, NJ: Merrill/Prentice-Hall, Inc.

Lissitz, R., & Schafer, W. (2002). *Assessment in educational reform: Both means and ends*. Boston, MA: Allyn & Bacon.

Maslow, A. H. (1992). **인간과 동기와 성격**(*Motivation and personality*, 조대봉 역)(2nd ed.). 서울: 교육과학사. (원서 1970년 출간).

Meichenbaum, D. (1986). Metacognitive methods of instruction. Current status and future prospects. In M. Schwebel & C. A. Maher (Eds.). *Facilitating cognitive development: International perspectives* (pp. 23–32). New York: The Haworth Press.

Meichenbaum, D., Burland, S., Gruson, L., & Cameron, R. (1985). Metacognitive assessment. In S. Yussen (Ed.). *The growth of reflection in children* (pp. 111-133). Orlando, FL: Academic Press.

Mischel, W., & Ayduk, O. (2004). Will power in a cognitive-affective processing system: The dynamics of delay in gratification. In R. F. Baumeister & K. D. Vohs (Eds.). *Handbook of self-regulation: Research, theory, and application* (pp. 99-129). New York: Guilford Press.

Mischel, W., Ayduk, O., & Mendoza-Denton, R. (2003). Sustaining delay of gratification over time: A hot-cool systems perspective. In G. Lowenstein, D. Read, & R. F. Baumeister (Eds.). *Time and decision: Economic and psychological perspectives on interpersonal choice* (pp. 175-200). New York: Russell Sage Foundation.

Morgan, C. T., & King, R. A. (1971). *Introduction to psychology* (4th ed.). New York: McGraw-Hill, Inc.

Myers, D. G. (2008). **마이어스의 심리학**(*Psychology*, 신현정 · 김비아 역)(8th ed.). 서울: 시그마프레스. (원서 2007년 출간).

National Commission on Excellence in Education (1983). *A nation at risk: The imperative for educational reform.* Washington, DC: National Academy Press.

Nickerson, R. S. (1987). Why teach thinking? In J. B. Baron & R. J. Sternberg (Eds.). *Teaching thinking skills: Theory and practice* (pp. 27-37). New York: Freeman.

Nickerson, R. S. (1997). The teaching of thinking and problem solving. In R. J. Sternberg (Ed.). **인지학습과 문제해결**(*Thinking and problem solving*, 김경욱 · 김선 · 김수동 · 김정원 · 이신동 · 임혜숙 역)(pp. 419-459). 서울: 상조사. (원서 1994년 출간).

Nissani, M., & Hoefler-Nissani, D. M. (1992). Experimental studies of belief dependence of observations and of resistance to conceptual change. *Cognition and Instruction, 9*, 97-111.

Novak, J. D., & Musonda, D. (1991). A twelve-year longitudinal study of science concept learning. *American Educational Research Journal, 28*, 117-154.

Ormrod, J. E. (2011). **교육심리학**(*Educational psychology: Developing learner*, 강영하 · 송재홍 · 이명숙 · 임진영 · 최병연 역). 서울: 아카데미프레스.

Palincsar, A. S., & Brown, A. L. (1984). Reciprocal teaching of comprehension- fostering and comprehension-monitoring activities. *Cognition and Instruction, 1*, 117-175.

Paulson, F. L., Paulson, P. R., & Meyers, C. A. (1991). What makes a portfolio? *Educational Leadership, 48*, 60-63.

Pavlov, I. (1999). **조건반사: 대뇌피질의 생리적 활동에 관한 연구**(*Conditioned reflexes: An investigation of the physiological activity of the cerebral cortex.* Trans. by G. V.

Anrep; 이관용 역). 서울: 교육과학사. (원서 1927년 출간).

Pepper, S. (1942). *World hypotheses*. Berleley: University of California Press.

Piaget, J. (1950). *The psychology of intelligence* (Trans. by M. Piercy & D. E. Berlyne). New York: Routledge Classics.

Piaget, J. (1952). *The origins of intelligence in children* (Trans. by M. Cook). New York: International Universities Press.

Pintrich, P. (2000). Multiple goals, multiple pathways: The role of goal orientation in learning and achievement. *Journal of Educational Psychology, 92*, 544–555.

Platt, R. (2004). Standardized test: Whose standards are we talking about? *Phi Delta Kappan, 85*, 381–382.

Rhine, S. (1998). The role of research and teachers' knowledge base in professional development. *Educational Researcher, 27*, 27–31.

Ricci, M. C. (2016). **마인드세트 교실혁명: 지능과 성취에 대한 새로운 생각**(*Mindsets in the classroom: Building a culture of success and student achievement in school*, 김윤경 역). 서울: 우리가. (원서 2013년 출간).

Rogers, C. R. (1992). **학습의 자유: 인간 중심 교육**(*Freedom to learn for the 80's*, 연문희 역). 서울: 문음사. (원서 1983년 출간).

Rogers, C. R. (1998). **칼 로저스의 카운슬링의 이론과 실제**(*Counseling and psychotherapy: Newer concepts in practice*, 한승호 · 한성열 역). 서울: 학지사. (원서 1942년 출간).

Root-Bernstein, R., & Root-Bernstein, M. (2007). **생각의 탄생**(*Spark of genius*, 박종성 역). 서울: 에코의 서재. (원서 1999년 출간).

Rosenshine, B., & Stevens, R. (1986). Teaching functions. In M. C. Wittrock (Ed.). *Handbook of research on teaching* (3rd ed.) (pp. 376–391). New York: MacMillan.

Rotter, J. B. (1966). Generalized expectancies for internal versus external control of reinforcement. *Psychological Monographs, 80*, 1-28.

Sarbin, T. R. (1986). The narrative as a root metaphor for psychology. In T. R. Sarbin (Ed.). *Narrative psychology: The storied nature of human conduct* (pp. 3-21). New York: Praeger.

Schunk, D. H. (1991). Self-efficacy and academic motivation. *Educational Psychologist, 26*, 207-231.

Schunk, D. H. & Zimmerman, B. J. (2007). Influencing children's self-efficacy and self-regulation of reading and writing through modeling. *Reading and Writing*

Quarterly, 23, 7-25.

Schunk, D. H. & Zimmerman, B. J. (Eds.) (2008). **자기조정학습의 교실 적용**(*Self- regulated learning: From teaching to self-reflective practice*, 송재홍 역). 서울: 교육과 학사. (원서 1998년 출간).

Schwab, K. (2016). **클라우스 슈밥의 제4차 산업혁명**(*The forth inderstrial revolution*, 송 경진 역). 서울: 새로운 현재.

Schwartz, J. E., & Riedesel, C. A. (1994). *Essentials of classroom teaching: Elementary mathematics*. Boston: Allyn & Bacon.

Seng, T. O., Parasons, R. D., Hinson, S. L., & Sardo-Brown, D. (2006). **교육심리학: 실 천과 연구의 통합**(*Educational psychology: A practitioner-researcher approach*, 구광현 · 심재영 · 문정화 · 강영하 · 조붕환 · 김언주 역). 서울: 시그마프레스. (원서 2003년 출간).

Shuell, T. J. (1996). Teaching and learning in a classroom context. In D. C. Berliner & R. C. Calfee (Eds.). *Handbook of educational psychology* (pp. 726-764). New York: Simon & Schuster Macmilan.

Shulman, L. S. (1987). Knowledge and teaching: Foundations of the new reform. *Harvard Educational Review, 19*, 4-14.

Skinner, B. F. (1953). *Science and human behavior*. New York: The Free Press.

Skinner, B. F. (1954). The science of learning and the art of teaching. *Harvard Educational Review, 24*, 86-97.

Skinner, B. F. (1957). *Verbal behavior*. New York: Appleton-Century-Crofts.

Slavin, R. E. (1995). *Cooperative learning: Theory, research, and practice* (2nd ed.). Boston: Allyn & Bacon.

Slavin, R. E. (2013). **교육심리학: 이론과 실제**(*Educational psychology*, 강갑원 · 김정희 · 김종백 · 박희순 · 이경화 · 장인실 역)(10th ed.). 서울: 시그마프레스. (원서 2012년 출간).

Snowman, J., & Biehler, R. (2004). **교육심리학: 수업을 위한 심리학적 원리와 적용**(*Psychology applied to teaching*, 강영하 · 송재홍 · 정미경 · 정종진 역)(10th ed.). 서 울: 아카데미프레스. (원서 2003년 출간).

Spitz, R. A. (1945). Hospitalism: An inquiry into the genesis of psychiatric conditions in early childhood. In A. Freud (Ed.). *The psychoanalytic study of the child* (vol. 1). New York: International Universities Press.

Sternberg, R. J. (1991). **신지능이론: 인간지능의 삼위일체이론**(*Beyond IQ: A triarchic theory of human intelligence*, 하대현 역). 서울: 교문사. (원서 1985년 출간).

Sternberg, R. J. (1997). **성공지능**(*Successful intelligence*, 이종인 역). 서울: 영림카디널.

Sternberg, R. J. & Williams, W. M. (2010). **교육심리학**(*Educational psychology*, 김정섭 · 신경숙 · 유순화 · 이영만 · 정명화 · 황희숙 역)(2nd ed.). 서울: 시그마프레스.

Suzuki, L. A., Ponterotto, J. G., & Meller, P. J. (Eds.) (2000). *Handbook of multicultural assessment* (2nd ed.). San Francisco, CA: Jossey-Bass.

Thorndike, E. L. (1913a). *Educational psychology (vol. 1): The original nature of man.* New York: Teachers College, Columbia University.

Thorndike, E. L. (1913b). *Educational psychology (vol. 2): The psychology of learning.* New York: Teachers College, Columbia University.

Thorndike, E. L. (1913c). *Educational psychology (vol. 3): Individual differences and their causes.* New York: Teachers College, Columbia University.

Urdan, T., & Mestas, M. (2006). The goals behind performance goals. *Journal of Educational Psychology, 98*, 354-365.

Vygotsky, L. S. (1994). **사회 속의 정신: 고등 심리 과정의 발달**(*Mind in society: The development of higher psychological processes.* Trans. by M. Cole, V. John-Steiner, S. Scribner, & E. Souberman; 조희숙 · 황해익 · 허정선 · 김선옥 역). 서울: 성원사. (원서 1978년 출간).

Weiner, B. (1980). *Human motivation.* New York: Holt, Rinehart, & Winston.

Weiner, B. (1985). An attributional theory of achievement motivation and emotion. *Psychological Review, 92*, 548-573.

Weinstein, C. (1994). Strategic learning/strategic teaching: Flip sides of coin. In P. Pintrich, D. Brown, & C. Weinstein (Eds.). *Student motivation, cognition, and learning* (pp. 257-273). Hillsdale, NJ: Lawrence Erlbaum.

Wertheimer, M. (1945). *Productive thinking.* New York: Harper & Row.

Wertsch, J. V. (1998). **비고츠키: 마음의 사회적 형성**(*Vygotsky and the social formation of mind*, 한양대 사회인지발달연구모임 역). 서울: 정민사. (원서 1985년 출간).

Wigfield, A. (1994). Expectancy-value theory of achievement motivation: A developmental perspective. *Educational Psychology Review, 6*, 49-78.

Wigfield, A., & Eccles, J. (1992). The development of achievement task values: A theoretical analysis. *Developmental Review, 12*, 265-310.

Wigfield, A., & Eccles, J. (2000). Expectancy-value theory of achievement motivation. *Contemporary Educational Psychology, 25*, 68-81.

Wiggins, G. W. (1989). Teaching to the authentic test. *Educational Leadership, 45*, 41-47.

Wittrock, M. C. (1967). Focus on educational psychology. *Educational Psychologist, 4,* 1-7.

Wittrock, M. C. (1992). An empowering conception of educational psychology. *Educational Psychologist, 27,* 129-141.

Woolfolk, A. E. (2007). **교육심리학**(*Educational psychology,* 김아영 · 백화정 · 설인자 · 정명숙 역)(10th ed.). 서울: 박학사.

Worthen, B. (1993). Critical issues that will determine the future of portfolio assessment. *Phi Delta Kappan, 14,* 444-454.

Wynn, K. (1992). Children's acquisition of number words and counting system. *Cognitive Psychology, 24,* 220-251.

Zimmerman, B. J. (1998). Developing self-fulfilling cycles of academic regulation: An analysis of exemplary instructional models. In D. H. Schunk & B. J. Zimmerman (Eds.). *Self-regulated learning: From teaching to self-reflective practice* (pp. 1-19). New York: The Guilford Press.

Zimmerman, B. J. (2005). Attaining self-regulation: A social cognitive perspective. In M. Boekaerts, P. L. Pintrich, & M. Zeidner (Eds.). *Handbook of self-regulation* (pp. 13-39). New York: Academic Press.

Zimmerman, B. J. & Kitsantas, A. (1988). Developmental phases in self-regulation: Shifting from process to outcome goals. *Journal of Educational Psychology, 89,* 29-36.

제3부

교육사회학과 평생교육

김 민 호

제7장

교육의 사회학적 토대

교육자로서 교육을 제대로 이해하고 또 잘 가르치려면 교육현상에 대한 사회학적 인식이 필요하고 또 매우 중요하다. 여기서는 교육현상에 대한 사회학적 접근의 필요성, 사회학적 접근에 따른 주요 연구 결과 및 상반된 견해들, 그리고 교육에 대한 사회학적 접근에 따른 주요 쟁점을 살펴본다.

1. 교육에 대한 사회학적 접근의 필요성

1) 인간의 본성은 사회적이다

인간은 개인적이면서 동시에 사회적 존재이다. 인간은 자기만의 독자성을 지녔고 아울러 인간 상호 간에 의존하거나 대립·갈등한다. 이제까지 교육 연구의 대부분은 인간의 학습활동을 개인적 수준에서 다뤄 왔다. 이는 심리학이 교육 연구에 많은 영향을 미쳤고 상대적으로 사회학적 분석이 발달하지 못했기 때문이다. 하지만 인간의 학습활동은 개인적 수준뿐만 아니라 집단적 수준에서도 분명히 존재한다. 인간은 고유한 개성과 자유를 지닌 독자적 존재이면서 동시에 가족, 학교, 직장, 교회, 지역사회, 국가 및 세계의 구성원으로서 자신이 속한 집단의 구성원들끼리 집단 정체성을 갖고 집단 간에는 상호 의존하거나 대립·갈등하기 때문이다. 그리고 인간은 학습활동을 통해 자신의 집단 정체성을 형성하거나 수정·보완하고, 때로는 확대 · 발전시킨다. 따라서 인간의 독자성만을 주목하고 상호 의존성이나 대립 · 갈등의 측면을 무시한 채 인간의 학습활동을 개인적 수준에서만 접근하는 것은 인간의 참모습을 이해하는 데 불충분하다. 인간이란 본래 사회성을 지닌 존재임을 인정하고 '집단으로서 인간'의 학습활동을 지향할 때 비로소 인간다운 인간의 모습을 구현할 수 있다.

교육사회학 연구의 선구자라 할 수 있는 뒤르껨E. Durkheim은 교육을 '사회화socialization'라 보고, 아래와 같이 '집단으로서 인간'을 길러 내는 데 주목했다.

> 교육은 아직 사회생활에 준비를 갖추지 못한 어린 세대들에 대한 성인세대들의 영향력의 행사이다. 그 목적은 전체 사회로서의 정치사회와 그가 종사해야 할 특수 환경의 양편에서 요구하는 지적 · 도덕적 · 신체적 제 특성을 아동에게 육성 · 계발하는 데 있다(Durkheim 저, 이종각 역, 1978: 72).

한편, 최근 교육학계에서는 '사회적 자본social capital'이란 개념으로 인간의 집단성과 연대성에 대한 활발한 논의를 하고 있다(Putnam, 2000; Ewert & Grace, 2000; Smith, 2001). 사회적 자본은 개인 간의 관계, 사회적 네트워크, 그것들로부터 생겨나는 상호성reciprocity과 신뢰trustworthiness의 규범을 가리킨다. 이 점에 비추어 사회적 자본은 일종의 시민적 덕목이라 할 수 있으나, 사회적 관계의 네트워크에서 구현된다는 점에서 통상적 의미의 개인적 수준의 시민적 덕목과 구별된다. 그리고 한 사회의 사회적 자본은 사회적 네트워크의 밀도, 비공식적 사회 활동에서 타인과 어울리는 정도, 집단이나 단체에 대한 회원 가입 정도 등으로 드러난다.

인간이 다양한 집단에 참여하게 되면, 개개인은 '나'가 아닌 '우리'로서 상호 의존적 관계를 형성하며, 다른 사람의 이야기를 경청하고, 토론에서 다른 사람을 배제하지 않고서도 자기 주장을 펼치며, 차이에 대한 관용과 타인에 대한 존중의 태도 등 개방적 마음을 유지하는 것을 배울 수 있다. 즉, 일종의 공동체주의를 몸에 익히게 된다. 개인의 역량을 나타내는 인간 자본human capital의 측면에서는 부족하다 하더라도 자신의 삶을 비관하지 않고 꿋꿋하게 살아가도록, 그리하여 사회발전에 기여하도록 도와줄 수 있다. 나아가 사회적 자본의 형성은 지역사회의 문제해결을 더욱 손쉽게 한다. 따라서 교육에서 사회적 자본의 중요성과 가치를 간과해서는 안 될 것이다.

> 세월호 운항 관련 성인들의 모습을 살펴보면, 아직까지 세월호 침몰과 구조작업에 대한 완전한 진상 규명이 이뤄지지는 않았지만, 생명보다 이윤을 우선하는 인간의 탐욕, 위기 상황에 신속하고 정확하게 대응하지 못한 무능함, 자신이 속한 집단에 안주하고 다른 집단과 소통하지 않는 조직 이기주의, 그리고 일의 결과에 대한 공직자들의 책임 회피 등을 발견할 수 있다. 요컨대 우리의 교육이 경쟁적 사회 분위기 속에서 '개인'이나 '집단'의 이해관계 실현을 중시했을 뿐, 공동체로 살아가는 '시민'의 모습은 간과했음을 확인할 수 있다.
>
> (중략)
>
> 다행스러운 것은 이번 사건을 계기로 우리 사회 구성원들이 교육과 학습의 주체에 대해 다시 생각하기 시작했다는 점이다. 교육과 학습의 주체를 사사로운 개인에 한정하지 않고 공적 책임을 다하는 세대로 인식의 지평을 확대하기 시작했다는 점이다. 엄마들이 특정 자녀의 엄마로서 자기 자녀의 교육 문제에만 골몰하던 차원을 넘어서서 이 시대 모든 젊은이들의 '공적 엄마'로서 자신의 정체성을 확대했다. 또 자기 자녀와의 관계에서도 혈연적 차원을 넘어 기성세대의 한 사람으로서 자기 자녀를 대하려는 '공적 자세'를 엿볼 수 있다. (출처: 김민호, 2014a)

그러나 집단으로서 인간은 다른 집단과 상호 의존적 관계에 놓여 있을 뿐만 아니라 대립, 갈등하고 투쟁하기도 한다. 인간 사회를 한 집단의 다른 집단에 대한 지배와 그에 맞서는 투쟁의 관계로 이해할 수 있다. 하지만 교육 연구의 대부분은 인간의 학습활동을 개인적 수준에서 다뤄 왔고, 간혹 집단적 수준에서 다룬다 하더라도 대체로 '기능론' 시각에서 접근했을 뿐, '갈등론' 관점의 연구는 매우 드물었다. 그래서 인간의 학습활동에 대한 사회학적 연구의 대부분은 사회에 적응하지 못한 인간을 돕거나 사회발전을 위해 인간 교육의 필요성과 전략을 구안하는 데 할애되었다. 인간 상호 간 대립, 갈등 및 투쟁이 적나라하게 드러나는 상황에서 더욱 '능동적'인 인간의 학습활동에 대한 연구는 드물었다.

능동적인 인간의 학습활동은 자신과 사회질서의 변화를 추구한다는 점에서 사회운동과 연관된다(Lovett et al., 1983). 하지만 교육 연구자들은 정치적인 부담 때문에 사회운동에 대해서는 연구하기를 꺼려 왔다. 그 결과, 교육 연구의 중요한 보고인 사회운동적 맥락 속의 인간의 학습활동에 대해서는 많은 것이 연구되지 못했다. 그나마 인간의 학습활동을 사회운동과 연관시켜 연구했던 사람들은 대체로 인간 학습을 사회운동의 '수단'으로 간주했다. 즉, 사회질서의 변화를 추구하는 사회운동의 형성, 확대 및 종결 과정에서 인간의 학습을 촉진하는 교육이 어떻게 출현했고 또 사회운동에 어떻게 기여했는지를 규명하려 했다. 그러나 이들의 연구는 인간의 총체적 삶의 변화에 주목하기보다는 특정 부분의 의식의 변화 내지 지식의 전달에 초점을 맞추었다(Paulston & ReLoy, 1975; Reed, 1981; 김금수, 1988; 유팔무 · 김동춘, 1991 등).

　한편 학습의 의미를 지식이 아닌 삶의 차원에서 해석하면서 학습을 사회운동의 '필요충분 조건'으로 보려는 연구가 있다. 이들은 사회운동 없이 학습을 고려할 수 없을 뿐만 아니라 동시에 학습 없이 사회운동이 존재할 수 없다고 본다(Hoare & Smith, 1971; Hart, 1992; 허병섭, 1987). 이 점과 관련해 브라질의 민중교육과 사회운동을 주도했던 파울로 프레이리는 "교육으로 해방되지 않는 혁명은 혁명이 아니며, 그 따위 혁명 과정에서는 중요한 것은 오직 하나—그것이 제아무리 결정적인 것이라 할지라도—권력을 잡는 것이 되고 만다."(Freire 저, 성찬성 역, 1979: 132)라고 지적한 바 있다.

　(1998년 2월부터 5월까지) 화북주공아파트 주민운동을 통해 이에 참여했던 사람들 중에 지역사회의 지도자로 커 나가거나 적어도 지도자로서 필요한 자질을 키워 나간 사람들이 있다.

　먼저 임대단지자치회장이고, 또 단지대표자협의회 임시회장을 거쳐 2001년까지 공식 회장으로 활동했던 임○○ 씨를 들 수 있다. 그는 30년간의 영화 관련 일의 서울 생활을 마치고 귀향한 뒤 화북주공아파트에 머물며 사업구상을 하고 있었다. 그러던 차에 입주 과정에 따른 피해 보상 문제가 불거지자 주민 대표로 나서서 문제해결에 뛰어들었다.

　그는 입주자 피해 보상 운동 과정에서 자신을 포함해 임시대표를 맡은 분들

제7장 • 교육의 사회학적 토대

이 시간과 노력을 아끼지 않고 헌신적으로 임했는데 금전적 보상 문제가 걸려 있어 주민들로부터 의혹을 받거나 주민들 간 위화감 문제 등으로 당장 그만두고 싶을 정도로 힘들어했음을 토로했다. 하지만 이 일을 계기로 아파트 생활에 관한 많은 지식과 몇 년 동안의 경험을 한꺼번에 얻었다고 보고, 고생을 같이한 주민들 간 협력도 돈독해졌다고 느끼며, 아파트 구석구석의 하자 또는 하자 가능성을 일목요연하게 모아 정리할 수 있었던 것을 큰 보람으로 생각했다.

이 일이 있고 난 후 1999년 화북주공 4단지 앞에 레미콘 공장이 들어설 조짐을 보이자 제주 시청에 주민청원을 내 이를 막아 내기도 했고, 마을문고 설치와 영화 상영 등으로 아파트를 단지 주거공간이 아니라 여가 선용과 문화적 향유를 위한 복합생활 문화공간으로 만들어 나가는 운동을 전개했다.

특히 그는 임대아파트자치회의 법적 권리 확보에 남다른 노력을 기울였다. 전국임대아파트연합회 제주대표로서 회의에도 여러 차례 참석했고, 국회 앞에서의 시위, 시민청원 및 입법 운동 등을 전개하면서 임차인대표자회의의 법제화[1]에 큰 공헌을 했다. 이 일이 계기가 되어 자신의 본업[2]상 2002년부터 서울에 거주하게 되었어도, 전국임대아파트연합회 상임고문으로 1년간 활약하면서 임대아파트 건설을 맡아서 하는 도시개발공사와 협상에 임했고, 2003년부터는 고문으로 남아 있다.

이처럼 주민운동과 무관했던 한 시민이 단지 아파트에 살고 있다는 한 가지 이유로 아파트 주민운동에 참여하게 되면서부터, 그는 제주 화북주공아파트 단지대표자협의회 회장으로서 아파트, 특히 임대아파트의 현실과 문제점에 대해 많은 것을 배우고 느낄 수 있었고, 이 바탕 위에 자신의 정체성과 활동무대를 전국 차원으로 확대해 전국임대아파트연합회 상임고문으로까지 나가며 우리 나라 시민사회의 지도자로 크게 성장했다.

(중략)

아파트 주민들은 입주에 따른 피해 보상 문제를 논의하고, 대표자를 선출하여 주공 측과 협상하는 과정에서 주민자치의 원리를 학습하고 민주적 역량을 키울 수 있었으며, 장차 아파트 공동관리에 따른 건전한 주민자치의 토대를 마련할

---

1) 임○○ 씨는 물론 여기에는 전국적 규모의 시민단체인 참여연대의 지원과 당시 건설교통위원회 위원이었던 제주지역 국회의원의 노력도 적지 않았으나, 그 바탕에는 임대아파트 주민의 힘이 자리하고 있었다고 평가한다.

2) 그는 사단법인 한국영화감독협회 이사장직을 맡고 있었다.

수 있었다. 사실 민주주의를 책을 통해서만 가르치는 데는 한계가 있다. 삶의 현장에서 이해관계가 같은 사람들, 또 이해관계를 달리하는 집단들과 함께하면서 더불어 살아가는 삶의 지혜를 터득해 가는 것이다. 화북주공아파트 단지 내에서 전개된 마을문고, 문화센터 사업이나 여타 아파트 공동관리 과정에서 나타나는 문제들의 처리, 그리고 대외적으로는 레미콘 공장 건립 반대 청원 운동 등에서 이 지역 아파트 주민들은 주민자치의 원리를 배울 수 있었다.

하지만 한 주민[3]의 말처럼 피해 보상, 하자 보수, 임대아파트자치회의 법제화, 임대료 인상 등 아파트 운동의 이슈가 해결되거나 사라지면서 아파트 주민운동이 시들해진 느낌이 있다. 주민들 간에도 전만큼 끈끈한 유대가 없는 편이다. 다만 입주 초기 고생을 같이했던 사람들 간에는 서로 인사하며 지내는 사이다. 이제 이곳 화북주공아파트는 생활공동체로 거듭나야 하는 새로운 사명을 떠안은 셈이라 할 수 있다. (출처: 김민호, 2003)

2) 교육 활동은 사회 속의 인간 형성 과정이다

교육의 목적과 내용, 방법 등은 사회적·문화적 성격에 따라 다르다. 교육의 목적을 보편타당한 것이라고 주장하는 것 자체가 기존의 교육을 정당화하고 변호하는 논리가 될 수 있다. 뒤르껭은 교육의 목적이 시대의 흐름에 따라 변했음을 다음과 같이 지적했다.

> 위의 정의들(J. S. Mill, Kant, J. Mill)은 모두 이상적이고 완전한 교육이 실재實在하는 것으로 가정하고, 그것을 모든 사람에게 동등하게 적용하려고 한다. 이론가들이 정의하려 한 것이 바로 이러한 보편유일한 교육이었다. 그러나 우선 역사적으로 살펴볼 때, 이 가설을 증명해 주는 사실은 하나도 없다. 역사상 교육은 시대와 지역에 따라서 끊임없이 변하여 왔다. 그리스나 로마의 도시국가에서는 교육은 개인을 집단에 맹목적으로 복종할 수 있도록 훈련시켜서 사회의 피조물이 되도록 만드는 것이었

---

3) 박성룡. 그는 임대아파트 입주민으로서 피해 보상 운동 초기부터 참여했던 사람이다. 지금은 참교육학부모회 제주지회 운영위원으로서 지역 학부모 운동에 관여하고 있다.

다. 그러나 오늘날의 교육은 개인을 자율적 인간으로 육성하려고 노력하고 있다. 또 아테네 교육은 지적이고, 섬세하고, 절도 있고, 조화로우며, 심미안을 갖추고 명상을 즐길 줄 아는 교양인을 양성하려 했으나, 로마의 교육은 문자나 예술은 차치하고 무엇보다 전승戰勝을 위해 희생할 수 있는 활동인을 양성하려 했다. 또 중세기의 교육은 보다 기독교적으로 되었고, 르네상스 시대에는 보다 대중적이고 문학적 성격을 띠게 되었으며, 오늘날은 교육에서 과거에 문학과 예술이 점유했던 지위를 과학이 대체하고 있는 경향이 있다(이종각 역, 1978: 61-62).

이처럼 교육목적이 변하는 까닭은 뒤르껭에 따르면 "교육이 형성해야 하는 인간상은 자연이 만든 인간상이 아니라 사회가 필요로 하는 인간상"이기 때문이다. "사회는 사회의 내적 질서internal economy가 요구하는 그런 인간을 원한다. 이러한 사실은 우리가 갖고 있는 인간 개념이 사회마다 변천하여 온 방식이 증명해 주고 있다"(이종각 역, 1978: 147).

교육방법의 선택에서도 사회학적 안목이 요구된다. 뒤르껭에 따르면, "교육의 목적이 사회적인 것이기 때문에 이 목적을 달성시키기 위한 수단도 사회적인 성격을 필연적으로 띠어야 한다.—학교생활이 사회생활의 싹이며 후자는 결실이고 전자의 개화인 것처럼 전자에서 작용하는 주요 과정이 후자에서 발견될 수 있는 이유는 바로 여기에 있다.—심리학 하나만으로 방법의 설계에 필요한 모든 요소를 제공할 수 없다. 왜냐하면 방법이란 그 원형이 개인 속에 있는 것이 아니라 집단 속에 있기 때문이다"(이종각 역, 1978: 159-160). "교육목적의 기반인 사회적 조건은 방법의 설계에까지 영향을 미친다. 예를 들면 사회가 개인주의를 지향할 때는, 개인에게 압력을 가하거나 개인의 내적 자발성을 무시하는 효과를 나타낼 가능성이 있는 교육의 제 절차는 용납할 수 없거나 거부될 것이다"(이종각 역, 1978: 160). "사실 교육방법의 체계가 근본적으로 변혁된 시기는 언제나 집단적 생활 전체에 걸쳐서 거대한 사회적 조류의 영향을 느끼고 그 영향하에서 일어났던 것이다"(이종각 역, 1978: 161).

교사가 교육에 대한 사회학적 지식이 더욱 필요할 때는 사회가 심각한 변화를 겪고 있는 경우다. 뒤르껨은 그 필요성을 다음과 같이 언급했다.

사회가 비교적 안정된 상태에 있고 잠정적으로 균형을 이루고 있을 때, 예를 들면 17세기의 프랑스와 같은 사회일 때는, 즉 교육체계가 확립되어 지속되며 누구에게서도 도전을 받지 않을 때는, 유일하게 압력을 가하는 문제점은 적용의 문제뿐이다. ―교육목적과 방법의 일반적 지향을 실제에 적용할 수 있는 가장 훌륭한 방법에 대한 논쟁이 있을 뿐이며, 이러한 논쟁은 심리학이 해결해 줄 수 있는 문젯거리다. 우리가 살고 있는 이 세기에는 이와 같은 지적 · 도덕적 안정성이 없다는 것을 지적해 둘 필요가 있다. 동시에 이러한 현상은 우리 시대의 애로점이면서 위대함이기도 하다. ―우리가 아무리 변화가 필요함을 잘 인식한다 하더라도, 무엇으로 변화되어야 할지에 대해서는 모른다. 개개인이나 소수집단의 개별적 신념이 무엇이든 간에 여론은 결정되지 않았으며 불안한 상태에 있다. 그러므로 교육의 문제는 17세기의 사람들에게보다는 훨씬 긴급한 과제로서 우리 앞에 제기되고 있다. 이제 교육문제는 여러 가지 잡다한 착상을 실천에 옮기는 것이 아니라, 우리를 지도해 줄 이념을 찾는 것이다. 만약 우리가 교육활동의 원천, 즉 사회 그 자체로 되돌아가지 아니 한다면 어떻게 지도이념을 발견해 낼 수 있을까? 사회는 고찰되어야 하고 사회의 요구는 밝혀져야만 한다. 왜냐하면 충족시켜야 할 것은 바로 사회의 요구이기 때문이다. 우리 자신을 조사하는 것만으로 만족하는 것은 우리가 도달하여야 할 현실을 외면하는 것이 된다. 이렇게 되면 우리의 주변 세계와 우리 자신에게 영향을 미치는 제반 세력을 우리는 이해할 수 없게 된다. ―그것(사회학)은 우리가 가장 긴급하게 필요로 하는 것을 제공해 줄 수 있다. 즉, 실천의 핵심이며 실천을 지속시켜 주고, 우리(교사)의 행동 하나하나에 의미를 부여해 주며 그 행동을 계속하게 해 주는 지도이념을 제공해 줄 수 있다. 이 지도이념이 교육을 유효하게 해 주는 필수조건인 것이다(이종각 역, 1978: 162-164).

3) 교육질서는 사회마다 다르다

인간, 그리고 교육의 목적과 내용, 방법이 각각 사회적 성격을 지녔을 뿐만 아니라, 교육질서 역시 사회적 · 역사적 조건에 따라 다르다(이종각, 2005: 68-72). 일반적으로 사회질서란 "인간집합체에서 그 성원들의 행동이 유형지워진 습관적 모습"이다. 한 사회의 질서는 사람들의 실제 행동, 그 행동에 참가한 사람들 간의 관계, 그러한 관계를 가능하게 하는 제도, 그리고 그 제도를 움직이는 집단이념이 어우러져 형성되고, 또 이들의 역동 속에서 사회질서가 유지되거나 변화한다.

교육질서는 인간의 공동체적인 삶에서 성원들의 교육과 관련된 행동이 유형화된 모습이다. 교육질서는 인간, 교육 및 사회의 유형화된 관계로서 교육행위자들의 어떤 교육행동, 교육행위자들 간의 관계, 교육행위자들의 교육행동과 관계에 어떤 영향을 미치는 교육제도, 교육제도의 바탕을 이루는 사회제도와 집단이념 등의 상호 관련 속에서 형성, 유지, 변화되고 있다.

예컨대 호퍼E. I. Hopper는 한 사회의 교육제도는 그 사회의 이데올로기를 반영한다고 보고, 세계 여러 나라의 교육제도를 그 제도에 반영된 선발 이데올로기에 따라 유형화했다. 여기에는 한 사회의 질서를 사회적 상승이동의 규범에 따라 '지원이동sponsored mobility'과 '경쟁이동contest mobility'의 두 가지로 구분한 사회학자 터너R. H. Turner의 영향을 간과할 수 없다. 그러나 호퍼는 터너의 이분법이 지닌 단순성을 지양하여, 교육체제의 유형화를 시도했다. 곧 "누가 선발되어야 하는가?"라는 기준에 따라 보편주의universalism와 개별주의particularism, "왜 그들이 선발되어야 하는가?"에 따라 집합주의collectivism와 개인주의individualism로 각각 구별하고, 이들의 조합에 따라 귀족주의aristocratic ideology(＝개별주의＋개인주의), 부권주의paternalistic ideology(＝개별주의＋집합주의), 능력주의meritocratic ideology(＝보편주의＋개인주의) 및 공산주의communistic ideology(＝보편주의＋집합주의) 등 네 가지 교육체제의 정당화 이데올로기를 제시했다(Karabel · Halsey 저, 최희선 역, 1983: 70-88).

한편 교육질서는 겉으로 쉽게 드러나지 않은 이면의 질서를 지니고 있다. 따라서 교육을 주도하는 집단의 의도, 교육에 관련된 여러 집단 간의 사회적 상호작용, 교육 관련 제도의 사회경제적 기능, 서로 다른 정치집단, 경제집단, 종교집단,

심지어 예술집단 간의 교육에 대한 지배권을 둘러싼 갈등, 교육을 지배하는 다양한 수단과 방법 등을 정확하게 파악하는 것이 교육의 사회과학적 의미를 이해하는 데 반드시 필요하다. 비판이론가들은 다음과 같이 교육에 대한 비판적 접근의 필요성을 제기한다.

> 비판이론의 실천가들은 비판이론을 받아들일 때에만 사회의 현실들이 확실하게 드러나게 되고 이해된다고 주장한다. 비판이론은 이렇게 해서 사회적 삶의 실질적 조건에 대한 계몽을 한다고 주장한다. 그러한 계몽은 개인과 집단의 진정한 이해관계interest를 폭로하는 것이다. 여기서 이해관계라는 말은 특정집단의 필요와 관심사에 적용되기도 하지만, 특히 '사리사욕' 또는 '부여된 이익'이라는 의미에서 특정집단이 가지는 이익 (또는 불이익)에 적용된다.
>
> (중략)
>
> 특정집단은 항상 그들의 이익을 옹호하기 위해서 현상現狀을 유지시키는 데 관심을 갖는다. 따라서 남자들은 여자들을 계속 불리한 처지에 있게 하는 데에서 부여된 이익을 취한다. 반면에 종속집단들은 자신들의 불리한 위치에 수반되는 무기력함을 해소하고자 현상을 변화시키는 데 관심을 가진다. 이렇게 비판이론이 이해관계에 초점을 맞춘다는 것은 이 이론이 조화로운 합의보다는 오히려 갈등과 긴장을 사회적 삶의 중심 특징으로 본다는 것을 뜻한다(Gibson 저, 이지헌 · 김회수 역, 1989: 19-20).

4) 교육에 대한 이해는 상식 이상의 과학적 지식이 필요하다

유능한 교사는 자기가 이용하는 여러 교육방법의 타당한 이유를 분명히 밝히지 않고서도 경험을 바탕으로 축적된 기예art에 의해 당연히 해야 할 일을 어떻게 해야 할지 잘 알고 있다. 그는 교육 전문가로서 자신의 활동을 명확하게 설명하지는 못해도 교육 전문가로서 해야 할 일이 무엇인지 잘 알고 있다. 폴라니(Polanyi, 1967)는 이처럼 말로 표현할 수는 없으나 생활 속에서 행위를 통해 터득한 지식을

'암묵적 지식tacit knowledge'이라 불렀다.[4]

암묵적 지식은 교육 현장에서 교육적 실천을 통해 습득할 수 있다. 교육 현장의 경험이 없는 교사 지망생의 경우에는 암묵적 지식을 배울 기회가 없다. 교사양성 교육과정 중 교육실습 프로그램이 그 기회를 부분적으로 제공할 따름이다. 그러나 짧게는 4주, 길게는 10주(그것도 여러 번에 나누어 모아진 시간) 간의 교육실습을 통해 교사로서 필요한 암묵적 지식을 몸에 익힌다는 것은 거의 불가능하다. 교사가 되고 난 뒤 학교 현장에서 선배 교사들과의 교류, 자신의 교육활동에 대한 반성적 실천reflection-in-action을 통해 얻을 수 있을 것이다.

그렇다면 교사양성기관에서 교사 지망생에게 교육 현장에 나가기 전에 사전에 가르칠 그 어떤 지식도 존재하지 않는다는 말인가? 그렇지는 않다. 유능한 교사들의 실천적 경험을 가능한 한 추상적 언어로 표현해 체계화한 교육학pedagogy이 있다. 교사양성기관에서는 교사 지망생들에게 교육학을 가르쳐 교육의 실제에 대한 사색의 기회를 제공하고 있다. 왜냐하면 교사 지망생은 교육의 실제를 구성하는 수많은 과정의 성립 근거와 이 과정들의 효과를 잘 알아야 하기 때문이다(이종각 역, 1978: 122-123). 예컨대 개성이 인간성에 대한 지적·도덕적 문화의 기본 요소라면, 교사는 아동 각자의 내부에 있는 개성의 근원을 참고해 모든 수단을 동원하여 개성의 발달을 촉진시키도록 노력하되, 융통성 없이 획일적 규칙을 똑같이 적용할 것이 아니라 아동의 기질과 지능에 따라서 다양한 방법을 구사해야 한다. 수많은 아동 하나하나에게 교육의 실제가 적절하게 적응하도록 교사는 교육의 실제가 무엇인가를 알아야 한다.

> (교육의 실제가 무엇인지를 아는) 사색은 이론의 형태를 띠는 게 대부분이다. 그것은 관념의 연합이지 사실의 연합은 아니며, 이런 의미에서 그것은 보다 과학에 가까운 것이다. ―주어진 사상의 본질을 파헤치는 것이 아니라 행동을 지도하려는 데 있다. 이 관념이 바로 행동은 아닐지라도 그것은 안내적 기능을 가지고 있으며 행동과 밀접히 관련되어 있다. ―이런 점에서는 기예적 측면을 갖고 있는 것이다. 의학, 정치학, 전략론 등

---

4) "We can know more than we can tell"(Polanyi, 1967).

이 그러한 예이다. 이와 같이 두 가지 측면의 특성을 가진 사색을 표시하기 위하여 실천적 이론이라는 명칭을 쓸 것을 제안하고 싶다. 교육학은 이런 의미의 실천적 이론이다(이종각 역, 1978: 117-118).

교육의 실천적 이론은 교육자가 어떻게 가르칠 것인지를 안내한다. 이때 실천적 이론은 그 기본 개념을 빌려온 과학과 같은 정도의 가치를 갖고 있을 뿐이다. 교육의 목적을 설정하고 일반적 방법론을 모색할 때 사회학적 지식Educational Sociology이 도움을 주고, 교수과정의 절차를 상세히 결정할 때 심리학Educational Psychology이 기여할 수 있다.

한편 교육실천의 효과적 방법을 모색하는 것을 넘어 교육 그 자체를 좀 더 잘 알고자 한다면, 현상 그 자체의 본질을 파헤치거나 교육의 제반 조건과 역사적 전개의 법칙을 발견하고자 하는 교육과학science of education의 노력이 필요하다. 교육과학은 교육현상에 대한 관찰된 사실을 바탕으로 동질성을 충분히 확보하고 동일 범주로 분류하는 절차를 밟는다. 여러 교육의 실제가 서로 차이가 아무리 크더라도 그들 사이에는 공통적으로 존재하는 하나의 기본적 특성을 찾는다. 뒤르껭은 교육과학의 연구 결과로서 교육을 "한 세대가 다음 세대에게 그들이 살아야 할 사회적 환경에 적응할 수 있도록 영향을 끼쳐주는 과정"이라 정의했다. 그리고 "모든 교육의 실제적 모습은 이 기본적 관계가 다양한 형태로 나타난 양식일 뿐이므로, 교육실제의 제 사례는 동일한 근거에서 나온 사실들이며 동일한 논리적 범주에 들어간다."라고 보았다(이종각 역, 1978: 108).

교육과학의 한 형태로서 교육사회학Sociology of Education은 교육현상에 관한 지적 호기심을 충족시키는 것 외에 다음 몇 가지 실제적 가치를 지닌다. 첫째, 집단의 문화적 · 사회적 차이에 대한 이해를 도와준다. 예컨대 학생들의 배경, 곧 계급, 성, 도농 간의 격차 등을 알려 준다. 둘째, 사상事象들이 겉으로 나타나 보이는 것과는 다르다는 이해방식을 개발시켜 준다. 지식의 전달과정(지식의 선택, 조직화)의 복합성, 개인이 직면한 긴장과 갈등의 중요한 원인으로서 제도, 개인차의 구조적 원천 등을 밝혀 준다. 셋째, 교육실천가들이 교직 업무의 총체적 의미를 지속적으로 반성할 수 있도록 이론적 · 방법론적으로 공헌한다. "나는 학생들을 실직하도록 교육시키고 있는가?" "나는 내 학급 아동들의 계층적 다양성에 대해 어떻게 대응해 나가고 있는가?" 등에 대한 답을 찾는 데 도움을 준다. 넷째, 정책 결과에 대한 평가를 통해 실제적으로 기여한다. 실제적인 개혁 프로그램이 최초의 목적에 이르지 못하거나, 의도하지 않은 결과를 가져올 때 정책적 판단의 준거를 제공하고, 정책 수립 시 학교와 지역사회가 성취하려는 목적과 목표 판단에 도움을 제공하며, 교육에 영향을 주고 있는 사회적 압력과 교육체제에 영향을 주는 방법에 대한 지식을 얻을 수 있다(이종각, 2005).

우리가 교육을 이해하고자 할 때, 상식 이상의 과학적 탐구가 필요한 사례 몇 가지를 예시해 보면 다음과 같다.

- 질문 1) 교육적 인간상으로서 된사람, 난사람, 든사람 중 된사람이 최고라고 배웠다. 그런데도 오늘날 우리나라의 교육부가 앞장서서 든사람을 강조하는 이유는 무엇인가?

- 질문 2) 학생을 잘 가르치려면 학생에 대한 이해가 선행되어야 한다고 배웠다. 오늘날 교사들이 학생들에 관한 지식이 증가했는데도 잘 못 가르친다는 비난을 듣는 이유는 무엇일까?

- 질문 3) 인격 형성에서 동질집단보다 이질집단이 더 낫다고 배웠다. 그런데도 불구하고 우리 나라에서 특목고 등 동질집단이 증가하는 이유는 무엇인가?

- 질문 4) 잘 가르치려면 교육여건이 개선되어야 한다고 배웠다. 특히 학급당 학생 수가 줄어야 한다는 것이다. 농산어촌의 경우 학급당 학생 수가 10명 내외인데도 불구하고 농산어촌 주민들이 더 좋은 교육을 위해 이농하는 까닭은 무엇인가?

- 질문 5) 우리나라 경제가 발전하려면 수출을 많이 해야 한다고 배웠다. 1990, 2000년대에 수출의 괄목할 만한 증가에도 불구하고 우리 나라 경제가 어렵다고 느끼는 까닭은 무엇일까?

2. 교육의 사회적 기능

교육을 사회체제(social system[5])의 한 하위체제(subsystem)로 인식하는 입장에서는 교육이 정치, 경제, 문화 등과 마찬가지로 사회체제의 유지와 발전에 영향을 미친다고 본다. 교육이 사회체제에 미치는 영향을 '교육의 사회적 기능'이란 개념으로 정리하면 다음과 같다.

1) 사회화 기능

사회화(socializatin)란 사회 구성원들이 사회적 지위에 부여된 역할을 수행할 수 있도록 훈련하는 것을 말한다. 이때 역할이란 인간의 상호작용의 기본적 단위로서 그것의 학습은 자신에 대한 사회적 기대를 기계적으로, 무의식적으로 익히는 가운데, 사회구조 안에서 자신의 위치의 기계적 배열을 익히게 되는 것이다(이규호, 1975: 27). 교육은 사회화를 통해 한 개인을 사회적 존재로 만들고 사회질서를 유지한다. 가정, 학교, 교우집단, 청소년단체, 교회, 기업체, 정치단체, 경제단체, 신문·잡지·영화·라디오·텔레비전·인터넷 등의 대중매체 등이 사회화의 주요 대행자로서 작동한다. 가정이 아동에게 감정적·특수적·귀속적 특성을 사회화시킨다면, 학교는 독립성, 성취성, 보편성, 특정성을 사회화시킨다(Dreeben, 1977). 또한 학교는 가정이 제공하지 못하는 또래 간 수평적 사회화의 기회를 제공한다(Parsons, 1959).

학교가 사회화 기능을 통해 기존 사회체제를 유지시킬 뿐만 아니라, 사회체제의 모순까지도 존속시키고 기존 지배구조를 정당화한다는 비판이 있다. 조선시대 여성 사회화, 일제 강점기 황국신민화와 같은 '희생적 사회화'와 성차별처럼 미묘하고 은폐된 형태로 진행되는 '차별적 사회화'가 그렇다(이종각, 2005: 57-58).

심리학자들은 개인이 사회화 과정을 통해 형성하는 개인행동의 유사성과 차이점 규명에 관심을 지니는 반면에 사회학자들은 거시적 맥락에서 사회적 역할과

---

5) 파슨스에 따르면, 사회체제는 다음 세 가지 속성을 지닌다. 첫째, 한 사회체제를 구성하는 모든 요소들은 기능상 상호 의존적이다. 둘째, 한 체제의 구성요소들은 그 체제의 계속적 작용에 적극 공헌한다. 셋째, 한 체제는 다른 체제에 영향을 주며, 이 체제는 한층 높은 체제의 하위체제이기도 하다.

그것의 습득 과정에 주목한다. 반면에 사회심리학자들은 미시적 접근을 통해 사회화 과정에서 개인과 사회의 상호작용을 강조한다. 곧 인간은 사회나 문화가 요구하는 대로 행동을 형성하지 않는다. 사회구성원들은 사회나 문화가 요구하는 전 기대 내용을 접할 수도 없고 접하게 되는 사회적 기대도 선택적으로 경험하며 사회기대에 동조할 수도 있고 사회기대와 달리 행동할 수도 있기 때문이다(박용헌, 1973).

　다른 한편, 사회학의 거시적 접근과 사회심리학의 미시적 접근을 통합한 버거와 루크만(Berger & Luckman 저, 박충선 역, 1982)에 따르면, 사람들은 각자의 주관적 의미를 외현화함으로써 상호 주관성을 형성하고, 상호 주관성을 객관화함으로써 사회구조를 만들며, 또 사회구조를 내면화함으로써 주관적 의미를 형성한다. 외현화, 객관화, 내면화의 변증법적 과정을 거쳐 사회적 실체가 구성된다는 것이다. 이처럼 사회는 객관적이고 주관적인 현실로 존재하며, 현실에 대한 올바른 이해는 이 두 가지 측면을 모두 고려해야 한다. 그리고 '성공적 사회화'는 객관적 현실과 주관적 현실이 고도의 조화를 이루는 것이다.

보호관찰을 받고 있는 소년들에게서 어떤 일관된 심리적 성향이나 가정, 학교 및 사회에 대한 독특한 인식이 존재하지 않았다. 제주지역 보호관찰소년들이 보여 주는 사고의 이중성은 자아정체감을 찾아 방황하는 청소년들이라면 모두가 겪는 일이었다. 가정결손이 보호관찰소년들의 비행의 결정적 요인이라고 말할 수 없다. 보호관찰소년들 중에는 화목한 가정생활을 하다가 비행을 저지른 경우도 있기 때문이다. 또 일반 청소년들 중에도 가정 문제로 고민하는 사례가 적지 않았다. 지나친 경쟁에 따른 학교생활의 부적응이나 실패 또는 고립 등이 비행의 원인이라 단정지을 수 없다. 보호관찰을 받고 있던 청소년들 중에는 학교생활에 만족하고 학교에 가는 것을 좋아하는 사람들이 적지 않았기 때문이고, 반면에 일반학생들 중에서 학교생활에 불만을 갖는 경우도 많기 때문이다. 한편, 사회에 대한 부정적 태도가 비행의 원인이라고 말할 수 없다. 보호관찰소년들 중에서 긍정적 사회관을 지닌 경우도 많았고, 사회적 불만이 일반 청소년들에게서도 광범위하게 나타나기 때문이다. 요컨대, 보호관찰소년 개인의 심리적 속성과 주변의 사회적 조건이 일반 청소년들과 크게 다르지 않다. 이들 심리적 또는 사회구조적 요인으로 청소년 비행을 설명하는 데 충분치 못하다. 그렇다면 보호관찰을 받고 있는 청소년들의 비행을 어떻게 이해할 수 있을 것인가?

보호관찰소년들이 비행을 내면화하고 감행하게 되는 것은, 심리적 수준이든 사회적 수준이든 이들에게 '병원균'(Archer, 1985: 743)과 같은 어떤 특성이 존재해서라기보다는 이미 비행에 물든 이탈자들과의 사회적 상호교섭 작용의 결과로 해석해 볼 수 있다. 보호관찰소년들이 보호관찰을 받기 전 정상적 상황에서, 비행을 문화적으로 허용하는 이른바 '비행문화'와 차별적 접촉을 하는 가운데 점차 이들 비행문화를 조금씩 조금씩 학습·수용하면서 비행의 동기를 배웠던 것이다. 비행을 찬동하는 상황이 비행을 억제·반대하는 분위기를 압도할 때, 비행동기를 학습한 이들은 마침내 비행을 감행하게 된다. 본드 흡입으로 인해 보호관찰을 받고 있는 어느 여학생의 글은 이를 잘 보여 준다.

> "부모 형제를 무시하고 말도 안 듣고 이리저리 방황하며 떠돌아다니면서 배워선 안 될 것을 배우고, 보고, 듣고 하여 이런 일을 재미 삼아 즐겼던 나입니다." "친구들과 놀다가 문득 생각이 나서 해 보기로 하고 그냥 장난 삼아 해 보았습니다. 친구들을 버리지 못하고 이런 일까지 저지르게 (되어) 모두에게 죄송스럽습니다. 이렇게 친구들과 장난 삼아 했던 것이 이렇게 큰 죄가 될 줄은 몰랐습니다." (출처: 김민호, 1993)

2) 문화전수 기능

모든 집단은 각자 자신의 문화, 곧 규범, 기술 및 가치 등을 전하고자 한다. 문화는 교육 목표와 내용의 자원이 되는 셈이다. 이때 바람직한 문화내용을 선택하는 일은 매우 중요해진다. 누구의 문화적 유산을 전달할 것인지, 어떤 문화가치와 기술들을 선택할 것인지, 새로운 집단의 부분문화를 허용할 것인지, 강자집단의 문화를 따르도록 요구할 것인지, 학교는 표면적 교육과정, 잠재적 교육과정 및 학급 내 상호작용을 통해 중핵문화를 얼마나 신장시킬 것인지 등이 중요한 과제이다. 또한 선택된 문화를 가르쳤을 때 발생하는 문화통제, 문화단절 및 문화갈등 문제를 어떻게 대처할 것인지도 모든 사회가 부딪치는 과제다. 외래문화의 영향, 다종족·다문화 사회로의 이행, 과학기술의 발전에 따른 사회의 다원화·전문화, 언어적·비언어적 상호작용과 교육평가, 사회계층구조와 지배구조 등은 필연적으로 문화단절과 문화갈등을 불러 온다(예: Bourdieu & Passeron, 1977). 그리고 이러한 문화갈등과 문화단절은 정체성 위기, 문화적 희생, 불평등의 지속 및 심화 등 굵직한 사회문제를 야기한다. 요즘 우리 사회에서 주목받고 있는 다문화교육, 이중언어교육, 국제이해교육, 보상교육 등은 문화전수cultural transmission 과정에 따른 사회문제를 해결하기 위한 교육적 노력이라 할 수 있다(이종각, 2005).

유엔이 '문화'를 주제로 개최한 새 천 년 포럼(UN Millennium Forum, 2000)에서는 세계화에 따른 문화갈등과 문화단절, 문화적 다양성에 대해 다음 세 가지 대응 가능성을 소개하고 있다.

(1) 강한 단일화 모형

강한 단일화 모형hard uniformising model에 따르면, 오늘날 서구 문화는 모든 다른 문화가 지향해야 할 인류 진보의 절정이다. 빠르든지 늦든지 우리는 단일한 세계 문화를 목적으로 삼아야 한다. 이 입장은 식민지 팽창을 시작으로 해서 냉전 종식까지 유럽과 아메리카의 사상을 지배했다. 시대에 뒤지고 정치적으로 옳지 않아 이제 더 이상 공적으로 주장되지는 못하나 많은 서구의 정치인과 지식인들의 사상에 아직 남아 있다. 이 입장은 세계화를 문화적 동질화에 한정한다. 어떤 교환도 없고 오직 하나의 문화만이 '소리와 권리voice and vote' 모두를 갖는다.

(2) 다원적 보편 모형

다원적 보편 모형plural universal model은 정통의 유럽-아메리카 문화를 모델로 세계가 하나의 문화가 되어야 한다고 보나, 문화적 적응의 여지를 남긴다. 단일화 모형의 실용주의적 변형이다. 문화적 정체성들을 인정하고 문화의 다양성을 존중하는 것은 보편적 가치(자유 시장 경제, 개개인의 인권, 대의 민주주의, 개인의 자유 등)의 틀 안으로 들어가기 위해 필요하다. 이 같은 가치에 적응하지 않는 모든 문화는 본질적으로 외고집이고 전체주의적이다. 문화 간 지적 대화는 보편적 가치를 사전에 인정한 다음에 가능하다. 이 입장에서 세계화는 오늘날 서구 문화가 결정한 가치들을 위에서 이뤄지는 문화적 교환의 과정이다. 모든 문화가 자기 '소리'

는 가지나 '권리'를 갖지 못한 비대칭적 교환이다.

(3) 다원주의적 모형

다원주의적 모형pluralist model은 근본적으로 서로 환원될 수 없는 자신만의 가치, 제도 및 실천을 지닌 다양한 문화들의 존재를 지지한다. 사전에 보편적 가치를 상정하지 않고 지적 대화와 논쟁을 한다. 이런 대화를 통해 다양한 문화적 특징이 나타날 것이다. 하나의 세계는 많은 다른 세계들을 포함한다. 이 입장에서 세계화는 다양한 문화와 문명 속에서 순수하게 대칭적 교환과 의사소통을 지향한다. 모든 문화가 자기 자신의 '소리와 권리'를 갖는다.

제주지역 필리핀계 결혼이주민 자녀들의 문화적 정체성 형성에는 이주민 부모의 출신국가, 외모와 사회경제적 지위 등에 대한 차별적 사회문화와 같은 '거시적 요인,' 한국인 친척과의 교류, 학교의 다문화교육 정책, 이주민 공동체 참여, 매스미디어 등의 '사회조직적 요인,' 그리고 이주민 자녀들의 부모, 교사 및 또래 등 의미 있는 타자들과의 상호작용 등 '미시적 요인'이 복합적으로 작용하고 있었다.

그만큼 이주민 자녀의 문화적 정체성 문제는 단지 '그들'의 문제일 뿐만 아니라 이주민 자녀들과 상호작용하는 부모, 또래 학생, 학교 교사, 이웃, 시민단체 및 국가 정책의 문제임을 알 수 있다. 주류사회 구성원들이 다문화적 감수성을 지니지 않는다면, 이주민 자녀들 역시 문화적 정체성 형성에서 어려움을 겪을 수밖에 없다. 학교에서 교사의 다문화적 감수성과 교육적 역할이 중요하다. 교사는 단지 인종이나 민족, 문화 등 국제이주에 의해 나타난 정체성 문제뿐만 아니라, 종교, 성, 연령, 계층, 지역 등 우리 사회가 지니고 있는 여러 차원의 정체성 문제를 문화의 역동성을 전제로 유연하게 대응할 수 있는 교육 역량을 키워야 할 것이다.

특히, 우리 사회는 다문화가정 및 그 자녀를 소수자로 간주하고 학교에서도 적극적 배려 차원affirmative action의 포용 정책을 추진하고 있으나, 결과적으로는 이들을 '다문화가정'으로 낙인하여 주류사회에서 분리시키는 결과를 초래하고 있음을 인식해야 한다. 이주민의 문화적 정체성을 집단적으로 접근하고 이주민 개인의 선택권을 배제함으로써 '정체성의 폭력' 문제를 초래하였다. 결국 다문화교육을 한다면서 반反다문화적 교육활동을 하고 있다. 다문화교육에서 결혼이주민

가정의 자율성, 나아가 가족 구성원 개개인의 자기 선택권을 침해하는 것은 다문화사회의 이념에도 어긋난다. 우리나라의 학교 현장에서도 프랑스의 상호문화주의interculturalism의 이념(Abdallah-Pretceille, 1999; 2012)을 적극 검토할 필요가 있겠다. (출처: 이안희 · 김민호, 2014)

3) 사회통합 및 사회통제 기능

교육은 다양한 배경의 사회 구성원들을 지적 · 정서적으로 일체화하여 하나의 통합된 집단을 형성하는 데 중요한 기능을 발휘한다. 지리적으로, 정치 · 경제적으로 고립된 중세 서구 유럽의 장원 경제 체제에서는 유럽의 모든 주민들을 하나로 묶은 것은 라틴어와 로마 가톨릭 교회였다. 라틴어 공용화, 로마 교황 중심의 가톨릭 정신과 위계 체제가 유럽 사회를 하나로 통합하는 데 기여했다. 페르시아와의 십자군 전쟁에서도 유럽 전 지역에서 많은 인원들을 동원할 수 있었다. 그러나 17세기에서 19세기에 걸쳐 시장의 발달, 지리상의 발견 및 자연과학과 기술의 발전 등에 따른 농업사회에서 산업사회로의 전환, 도시의 발달 및 다양한 직업의 등장, 종교개혁으로 인한 종교의 다원화, 민족주의의 등장과 함께 독자적 주권을 지닌 국민국가의 확산, 사회신분 제도 폐지 및 근대적 가치의 시민사회의 성립, 자본주의 경제질서에 대한 노동자의 저항 확산 등으로 19세기 유럽은 아노미anomie 그 자체였다. '기계적 연대'의 사회에서 '유기적 연대'의 사회로 이행하는 과도기였다. 다양한 배경의 사회구성원들을 하나로 묶기 위해서는 '보편적 사회화'가 절실하게 필요했다. 그 결과 국가 주도의 국민교육제도가 등장해 '국민형성nation building'에 나서게 되었다. 보편적 사회화를 담당한 공통교육의 전개된 것이다. 만일 국가 주도의 학교가 존재하지 않았다면 국민 누구나 지녀야 할 문화의 공통요인은 약화되고 계층문화나 지역문화는 강화돼 사회의 안정과 통합을 가져오기 어려웠을 것이다(이종각, 2005).

그러나 사회통합social integration을 지나치게 강조하면 사회구성원들의 다양성이나 자유를 통제하는 사회통제social control의 결과를 초래할 수 있다. 그래서 1960 ~1970년대 이후 미국과 유럽에서는 다양한 형태의 대안교육 운동이 전개되었다. 쿰스(Coombs, 1968)는 학교교육의 획일성, 몰개성, 순응성 등을 비판했고, 일리치(Illich, 1970)는 아예 학교 없는 사회를 주장했고, 그 대안으로 사람들 사이, 사람과 환경 사이에 자율적이며 창조적인 교류가 이뤄지며 개개인이 상호작용하는 가운데 개인의 자유가 실현되는 상호친화적convivial 제도의 성격을 지닌 '학습을 위한 네트워크'를 제안했다. 이종태(2007)는 다양한 대안교육 운동을 자유학교형(예: 영국의 '서머힐', 독일의 '자유대안학교', 일본의 '기노쿠니 아이들의 마을', 한국의 '자유학교 물꼬' 등), 생태학교형(예: 1982년 영국 하트랜드 지방에 설립된 '작은 학교', 한국의 '간디 청소년학교' 등), 재적응학교형(예: 일본의 '생활학교', 한국의 '성지 고등학교' 등), 고유이념 추구형(예: 슈타이너 사상을 근간으로 하는 독일의 '발도르프 학교', 기독교 신앙을 바탕으로 지역사회와 일체된 교육을 지향하는 한국의 '풀무 농업고등기술학교' 등)로 구분했다. 1980년대 이후 미국에서 급속하게 확산된 재택학교homeschooling 역시 학교교육에 대한 학부모 차원의 대안 모색이라 할 수 있다.

갈등론적 시각의 학자들 역시 학교가 학생들에게 규율, 존경, 복종, 시간 엄수 등의 가치를 공식적·비공식적으로 가르치는 일이 학생들이 생존에 필요한 지식, 기술 및 태도를 배우도록 돕는 일이라기보다, 학교가 자본주의 경제체제에 대응하여 '순치된 노동력'을 공급하는 '경제적 재생산'의 기능을 수행하고 있다거나(Bowles & Gintis 저, 이규환 역, 1986), 학교가 이데올로기적 국가기구들의 하나(Althusser, 1972)로 또는 자본가 계급(부르주아지) 헤게모니 구현의 장으로서 자본주의 지배 체제를 정당화한다(Hoare & Smith, 1971; 김민호, 1991)고 비판한다.

4) 사회적 선발 기능

모든 사회는 각 분야에서 일할 사람을 선발하는 장치를 지니고 있다. 전통사회에서는 대체로 신분과 같은 귀속적 특성에 따라 사회적 선발social selection을 실시한 반면에, 근대 시민사회 이후로는 능력과 업적에 따라 사회가 필요로 하는 사람들을 선발하는 경향이 있다. 한 개인의 귀속적 특성보다는 능력이나 업적이 더 공정한 잣대라 생각하기 때문이다. 교육은 능력과 업적에 따라 사람을 선발하는 데 일정 부분 기여한다. 기업체를 비롯한 사회의 여러 조직체들에서는 사람들이 교육의 과정에서 오랜 기간 가르치고 평가받은 결과로서 학력學力을 참고해 자신에게 필요한 인력으로 선발, 배치한다.

하지만 학력의 구성 요소가 무엇인지에 대해서는 충분한 합의가 없다(김신일, 2009; Feinberg & Soltis 저, 이지헌 역, 1994). 학력을 학교에서 가르치는 교과에 대한 지식에 한정하는 입장이 있는가 하면, 교과지식뿐만 아니라 교과와 관련한 가치와 태도를 학력의 중요한 구성요소로 보는 입장이 있고, 교과지식 외 비교과 영역의 정의적 특성을 학력에 포함시켜야 한다는 입장도 있다.

우리나라 정부가 시행하는 중3, 고2 학업성취도 평가 등은 국어, 수학, 영어, 사회, 과학의 5개 교과에 한정하여 학력을 평가한다. 평가 결과, 교과별 향상도, 학교급별 차이, 지역에 따른 차이, 부모의 교육 수준에 따른 차이 등을 분석한다. 반면에 OECD의 PISA^Program for International Student Assessment에서는 2003년의 경우, 교과지식 외 문제해결력 평가를 포함했고, 2006년에는 과학교과 지식 외 자원과 환경에 대한 책임감, 과학에 대한 자아효능감 등을 평가했다. 일반적으로 자유교육론, 파이데이아^paideia의 전통에서 교과 관련 태도를 강조한다. 교과 내용의 성격^nature에 의해서 영향받는 자세, 예컨대 물리학의 경우, "증거를 존중하고, 논증의 원칙으로서 사람들을 존중하고, 대안의 제시를 간섭하지 않고, 상이한 견해를 가졌다고 해서 무시하거나 매도하지 않아야 한다."라는 자세와 교과 내용의 정치성精緻性, sophistication, 곧 수준에 의해 영향받는 자세 등을 학력의 구성요소에 포함한다. 다른 한편으로, 낭만주의 교육사조, 경험 중심 교육과정, 특별활동, 대안교육의 전통에서는 봉사정신, 타인존중의식, 성평등의식, 세계시민정신, 미적 감수성 등 비교과 영역의 정의적 태도를 강조한다. 우리나라 정부 역시 2015 교육과정에 제시된 초등학교 교육목표에서 '학습'뿐만 아니라 '일상생활에 필요한 기본 습관 및 기초 능력'과 '바른 인성의 함양' 등 정의적 특성을 존중하고 있다.

학력의 구성 요소뿐만 아니라 학력 저하의 원인에 대해서도 서로 다른 입장이 있다(Feinberg & Soltis 저, 고형일·이두휴 역, 1990). 첫째, 학력 저하를 개인의 실패, 일탈 또는 사회병리로 바라보는 시각이다. 여기에도 다음 세 가지 이론이 있다. ① 지적 장애이론: 성취와 그에 따른 사회적 보상의 차이는 천부적 지적

교육부 고시 2015 교육과정

초등학교 교육은 학생의 일상생활과 학습에 필요한 기본 습관 및 기초 능력을 기르고 바른 인성을 함양하는 데에 중점을 둔다.

1. 자신의 소중함을 알고 건강한 생활 습관을 기르며, 풍부한 학습경험을 통해 자신의 꿈을 키운다.
2. 학습과 생활에서 문제를 발견하고 해결하는 기초 능력을 기르고, 이를 새롭게 경험할 수 있는 상상력을 키운다.
3. 다양한 문화 활동을 즐기고 자연과 생활 속에서 아름다움과 행복을 느낄 수 있는 심성을 기른다.
4. 규칙과 질서를 지키고 협동정신을 바탕으로 서로 돕고 배려하는 태도를 기른다.

능력 또는 게으름, 성격, 가치관 등의 차이에서 비롯한다고 본다. 그리고 성취와 보상의 차이는 기회균등의 원리를 크게 위반한 것이 아니라고 생각한다. ② 문화적 장애이론: 환경적인 것(문화적인 것)이 성취의 가장 중요한 요소이나, 그 환경적 요소가 정치적 행위에 의해 변화되지는 않는다. 따라서 이들은 엘리트교육과 대중교육의 이원론을 주장한다. ③ 역사적 장애이론: 특정 집단의 성취도 저하는 일시적인 경제적·문화적 박탈과 같은 특수한 장애에서 비롯했다고 본다. 학교 내에서 경제적·문화적 박탈을 보상하기 위한 자유주의 교육개혁을 추진함으로써 기회균등에 기여할 것이라 믿는다.

둘째, 학력 저하를 개인의 탓이 아닌 경제적·사회적 계급 불평등의 결과로 바라보는 시각이다. 학력의 기준이 상류층에 의해 설정되었고 하류층 가정이나 직장에서는 배울 수 없는 특성으로서, 하류층 자녀들은 소수의 성공신화를 제외하고는 대부분 성공할 수 없기 때문이다. 하류층 자녀들은 학교에서 자신의 실패를 무능의 결과로 받아들이고 비천한 직업을 얻을 수밖에 없다는 데 동의한다. 사회변혁을 통해 경제적·사회적 계급 불평등을 해소하고 학력의 기준을 바꾸지 않는 한, 하류층의 학력 저하는 해소할 수 없다는 급진주의 입장이다.

셋째, 학력 저하는 학교교육의 '성공과 실패'에 대한 다양한 생각의 하나일 뿐이라고 보는 시각이다. 이 입장에서는 학교교육의 성공과 실패를 오로지 시험점수로 환원하는 것에 반대한다. 우리 사회가 무엇이 가치로운 것인가에 대해 제한된 생각을 하고 있음을 지적하고, 학교교육의 성공과 실패의 기준을 교원 상호 간, 교원과 학생 및 학부모 간 그리고 교원과 해당 지역사회 간 상호작용 과정 속에서 다양하게 설정할 수 있다고 본다. 모든 학생을 인간으로서 존경하고, 모든 학생이 사회에 공헌할 수 있다고 믿고, 각자의 개성, 능력 및 여건에 적합한 교육을 주장한다.

우리 사회는 사회적 선발의 준거의 하나로 학력學力뿐만 아니라 그 사람의 학력學歷 및 학벌學閥을 중요하게 생각한다. 학력이나 학벌이 그 개인이 지닌 잠재력의 지표라 생각하는 관행을 지니고 있어, 학력주의 사회學歷主義 社會라 불린다. 그러나 학력과 학벌이 과연 공정한 선발의 준거인지에 대해서는 반론이 적지 않다. 학벌 없는 사회를 주창하는 이들에 따르면, 오늘날 학력과 학벌이 과거 신분과 같은 기능을 한다고 비판한다. 곧 학력과 학벌이 사회경제적으로 부유한 가정환경의 학생들을 우리 사회의 상위계층에 선발, 배치하는 것을 정당화하고, 그 결과로 사회적 불평등을 재생산한다는 것이다. 심지어 학력과 학벌 취득의 관건인 학력學力 평가의 도구인 시험마저도 '표면적 평등'을 제공할 뿐, 실제적으로는 사회경제적으로 또는 문화적으로 중상층의 자녀들을 우리 사회의 상층 트랙track에 선발하는 학교정책과 관행을 통해 사회적 불평등을 심화시킨다고 비판한다(Ballantine 저, 김경식 · 이병환 역, 2005: 49).

5) 사회변화 기능

교육은 과거의 문화를 전달할 뿐만 아니라 새로운 지식을 가르침으로써 국가사회의 발전을 도모하며 미래의 문제에 대한 대책을 세우고 사회변화social change와 개혁을 이끌기도 한다. 하지만 사회를 보는 관점에 따라 교육의 사회변화와 개혁 기능에 대한 이해도 다르다(LaBelle, 1986).

먼저, 기능주의 또는 평형주의 패러다임이 있다. 이들은 사회를 어떤 영역 내에서 서로 관련을 맺으며 서로 의존하는 체제로 간주한다. 체제는 그 내부 또는 그것에 대한 외부의 힘들 속에서 자신을 평형 상태로 되돌리고 통합하려는 자연적 성향을 보여 준다. 변화란 체제 내의 구성요소들이 함께 적응하거나 주위의 다른 체제에 적응한 결과다.

> 부분들이 상호 관련되고 상호 의존하고 있으므로, 어떤 문화의 한 부분에서 빠른 변화는 그 문화의 관련된 부분에서 또 다른 변화를 통해 재적응readjustment할 것을 요구한다(Ogburn, 1922: 200을 LaBelle, 1986에서 재인용).

변화를 일으키는 동력은 일차적으로 외생적 침입이나 내생적 불평등에 의해 야기된 내부의 긴장과 제한에 있다. 하지만 변화와 안정은 상호 배타적 상태가 아니다. 체제는 변화하는 조건에 대해 적응할 때에 한해 안정을 유지할 수 있다. 1950~1960년대의 인간 자본론, 발전교육론 등에서 말하는 교육의 사회발전 기능이 여기에 해당한다. 예컨대 새로운 과학기술의 발명으로 말미암아 이에 상응한 더욱 높은 수준의 교육활동이 요구되고, 그 결과, 교육을 통한 경제 성장이 가능하다는 입장이다.

다음으로, 갈등론적 패러다임에서 바라본 사회변화와 교육의 관계다. 구조적 마르크스주의자들structural Marxists에 따르면, 사회변화는 생산과정 및 생산물의 분배 과정에서 계급 간 갈등으로부터 비롯한다. 자본주의 사회체제에서 사회주의 사회체제로의 변화를 촉진하기 위해 남아메리카의 혁명적 게릴라 운동은 지성적이고 충성스런 혁명 전위대를 준비하고, 변화 과정에 대중을 동원시키고, 새로운 사회질서를 추진하는 것을 정당화하기 위해 '혁명 지향적 교육' 활동을 전개했다. 인본주의적 마르크스주의자들humanist Marxists에 따르면 사회주의 체제로의 이행은 단지 노동자가 권력을 잡는 기술적 문제가 아니라, 노동계급의 헤게모니의 형성 및 확산이 관건이다. 이들은 노동자 평의회를 통한 대중의 문화적·정치적 운동의 활성화, 노동계급의 헤게모니 형성과 확산에 기여하는 교육활동을 모색한다. 한편 부흥이론revitalization theory에서는 경제적·정치적 영역에서 투쟁을 강조하는 마르크스주의 접근과 달리, 사회문화적 변화 또는 '더욱 만족스러운 문화를 건설하기 위해 사회의 조직적이고 의식적인 노력'을 강조한다(Wallace, 1956을 LaBelle, 1986에서 재인용). 라틴 아메리카의 민중교육 프로그램들이 이러한 관점을 취하는 경우가 많다.

그람시의 혁명전략에서 노동계급의 '유기적 지식인'의 역할이 중요한 까닭은 무엇인가? 그것은 그람시가 제시한 '진지전'과 '유기적 지식인'의 개념을 검토함으로써 답할 수 있다.

우선, 그람시에 의하면 '진지전war of position'이란 폭력으로 국가권력을 장악하는 '기동전war of movement'과는 달리 프롤레타리아트 헤게모니 형성[6]을 통해, 즉 대중의 지적-도덕적 개혁을 통해 민족적-민중적 집합의지를 수립하여 프롤레타리아트 국가를 건설하려는 혁명전략이다. 이것은 러시아와는 달리 이탈리아에는 부르주아지 헤게모니에 의한 '시민사회'가 뿌리내리고 있다는 그람시의 현실분석에 따른 논리적 귀결이라 할 수 있다.[7] 그런데, 이러한 진지전은 첫째, 노동계급이 농민 대중을 비롯한 민중세력과의 계급동맹의 형성과, 둘째, 부르주아지 헤게모니 원리(세계관)에 대한 프롤레타리아트 헤게모니 원리(세계관)의 이데올로기 투쟁이라는 두 가지 상호 분리될 수 없는 과업을 요구한다(김학로, 1985 참조). 첫째의 계급동맹의 형성은 '현대의 군주'로서 당이 헤게모니 체제를 구축함으로써 가능하다. 즉, 당은 강제력보다는 타협과 희생으로 민중의 적극적 동의를 획득하여 계급동맹을 형성해야 하고, 이를 위해서는 지도 집단과 피지도 집단 간의 상호 교육적 관계의 형성이 요구된다. 둘째의 이데올로기 투쟁은 앞의 계급동맹을 위해서뿐만 아니라, 대중의 지적-도덕적 개혁을 위해 요구된다. 이는 대중의 '상식common sense'[8]의 일부가 된 부르주아지 세계관에 대한 비판이며, 더 나

---

6) 헤게모니의 형성은 이 경우처럼 여러 집단들이 표현하는 바의 모순들을 궁극적으로 해결하는 방향에서 여러 집단들의 충분한 발전을 증진시키는 방식으로 여러 집단들의 이익을 접합하는 경우expansive hegemony와, 여러 집단들의 이익을 중화하여 자신들의 특정한 요구의 발전을 억제하는 방식으로 여러 집단들의 이익을 접합하는 경우transformism가 있다(Mouffe, 1979: 182-183).

7) 그러나 그가 기동전을 무시했던 것은 아니다. 서구에서는 시민사회가 저항하므로 국가에 대한 전면공격 전에, 먼저 시민사회가 정복되어야 한다고 보았을 뿐이다. 때로는 국가권력이 변형된 다음에도 새로운 사회가 확고히 건설될 때까지 진지전이 계속되어야 한다고 보았다. 바꿔 말해, 그람시는 정치사회의 계기, 강제의 계기, 지배의 계기를 간과했던 것이 아니라, 헤게모니와 동의의 이론을 강제와 경제의 측면으로부터 비변증법적으로 분리시키는 것을 끊임없이 피하려 했던 것이다(이상훈, 1986: 216-217).

8) 대중의 상식이란 특정시기에 일반화된 무비판적이고 무의식적인 일관성이 없으며 때로는 모순된

아가 대중의 상식에 내재되어 있는 또 다른 이론적 의식을 토대로 진정한 '자기 인식'과 '정치적 의식'을 지니도록 하는 것이다.

다음으로 '유기적 지식인the organic intellectuals'의 개념을 살펴보자. 그람시에 의하면, 모든 사회집단들[9]은 경제적 생산의 영역에서 어떤 고유한 기능을 수행하면서, 자신들에게 동질성을 부여하고, 경제적 영역뿐만 아니라 사회·정치적 영역에서 자신들의 독자적인 기능을 인식하고 있는 자신들과의 유기적으로 관계된 하나 또는 그 이상의 지식인 집단을 창출하는데, 이렇게 창출된 이들이 예컨대, 바로 유기적 지식인이다. 자본주의 기업가에 의해 창출된 산업기술자, 정치경제의 전문가, 새로운 법률 등의 조직가 등을 가리킨다. 또한, 진지전에서 '현대의 군주'로서 헤게모니 체제를 구축하려는 당※도 노동계급의 집합적인 '유기적 지식인'의 기능을 수행한다. 이들은 역사적으로 볼 때 새로운 계급이 주장하는 새로운 사회에서 원초적 활동의 일부분을 전람하고, 새로운 사회의 발전의 길을 닦아 놓는다.

한편, 앞선 시대의 경제 구조로부터 역사에 출현했으며, 그 경제 구조의 발전의 표현인 '근본적인' 모든 사회 집단들은 이미 존재해 왔고, 매우 복잡하고 근본적인 정치·사회적 형식의 변화에조차 전혀 방해받지 않고 역사적으로 지속되는 지식인 범주를 갖고 있다. 예컨대, 성직자들이 그러하다. 이들은 토지를 소유하고 그에 따른 특권을 누리며 토지귀족과 유기적으로 관련되긴 하나, 이들의 상부구조 영역(예컨대 라틴어)에 대한 독점은 절대왕정 시대에 이르기까지 계속되었다. 이들 전통적 지식인들은 지배적인 시대 집단과 독립적인 셈이다(SPN, pp. 5-7).

그런데 혁명전략으로서의 '진지전'에서는 '노동계급의 유기적 지식인'이 요구된다. 즉, 진지전의 전략으로서, 노동계급이 민중과의 계급동맹을 결성하고 이들(대중)의 상식에 내면화된 부르주아지 세계관이 극복되도록 하기 위해서는,

---

세계에 대한 인식과 이해로서, 새로운 시대에 적합한 사고방식을 유일하게 결정할 수 있는 '혁명적 실천'을 바탕으로 하는 '이데올로기 투쟁'에 의해 비판되어야 한다(Hoare & Smith, 1971: 321-322). 동시에, 대중의 상식안에는 양식good sense으로 변화할 수 있는 건강함이 존재한다. 따라서 과학적인 철학과 단편적 이념의 모임인 상식을 엄격히 구별함은 불가능하다(Hoare & Smith, 1971: 328). 이것은, 모든 인간은 사회적 기능 면에서 지식인이 아닐 수도 있으나, 잠재적으로는 지식인이라는 그람시의 생각과 맥을 같이한다.

9) 농민대중은 역사상 자신들의 유기적 지식인을 창출하지 못했고, 전통적 지식인 중에 농민 출신이 있다 해도 전통적 지식인을 자신에게로 끌어들이지 못했다.

노동자 계급을 있는 그대로가 아니라 지적 · 도덕적 개혁을 통해 다시 태어나게 해야 하며, 이를 위해서는 노동계급과 유기적 관계를 맺는 지식인 집단의 기능이 요청된다.[10] 다시 말해, 노동계급의 유기적 지식인(예컨대, 당)은 첫째, 민중과 자신의 지적 · 도덕적 지도력을 발휘함으로써 노동계급을 지적 · 도덕적으로 개혁하고,[11] 둘째, 민중(농민대중)과의 계급동맹을 통해 민족적-민중적 집합의지를 형성할 수 있다. 이런 점에서 그람시는 그의 혁명전략에서 '노동계급의 유기적 지식인'의 형성을 강조했다고 볼 수 있다.

한편, 이러한 그람시의 혁명전략과 지식인론 및 이데올로기론(상식)은 상부구조로서의 교육을 통해 기존의 사회구조를 변화시킬 수 있는 가능성을 시사해 주었다. 즉, 그는 시민사회에서 생산-확대되는 프롤레타리아트 헤게모니가 인간 subject을 형성하는 하나의 실천으로서 물질적 · 제도적 성격을 지니며, 또한 지식인 집단에 의해 실천됨을 인정하면서 교육이 일련의 혁명 과정에서 첫째, 혁명계급의 유기적 지식인을 형성하고, 둘째, 이들에 의한 대안적 세계관의 보급에 적극적으로 기여할 수 있는 길을 활짝 열어 놓았다. 바꿔 말해, 교육의 재생산 논의를 극복하고 교육의 '탈재생산 논의'로 교육사회학의 학문적 관심사를 돌려놓는 데 기여했다고 볼 수 있다. (출처: 김민호, 1991)

기능주의 패러다임이 사회의 불균형 상태에서 '안정 지향적 교육'을 모색하고, 갈등론적 패러다임이 집단 간 갈등 속에서 '혁명 지향적 교육'을 통한 사회변화의 입장을 취하는 반면에 '개혁 지향적 교육'을 추구하는 관점도 있다. 이들은 평형과 갈등 패러다임을 통합한다. 변화와 유지가 개혁의 과정에서 모두 필요하다고 본다. 개혁의 과정의 일부분은 기존 경제 및 정치 과정에 도전하도록 노동자와 농민을 조직하고, 생산체계에 대한 통제와 분배 체계를 변화시키는 것이고, 개혁의 또 다른 일부분은 개혁을 통해 혁명을 사전에 차단함으로써 기존 체제를 큰 틀에서 사실상 유지하는 것이다. 개혁 지향적 교육은 사회계급의 위계상 밑에 있는

---

10) "개혁은 적어도 처음에는 대중들로부터 올 수 없다. 인간활동에 내재된 개념이 어느정도 일관되고 체계적인 인식과 자세하고 결정적인 의지에 도달하게 하는 엘리트의 매개작용이 있는 경우를 제외하고는 말이다"(Hoare & Smith, 1971: 335).

11) 이는 지도자로서의 노동계급의 유기적 지식인이 피지도 집단인 노동계급을 대상으로 수행하는 교육으로서, 노동계급의 유기적 지식인을 형성하기 위한 교육과 구분된다. 그러나 이때 지도자와 피지도 집단과의 관계는 능동적이며 상호 교육적 성격을 지닌다.

이들의 의식을 함양하고 학생, 지식인 및 다른 이들이 정의와 평등을 촉진하게 함으로써 기본적으로 유지 또는 보수적 사회의 기존 규범과 가치에 도전한다. 남아메리카의 다수의 민중교육이 이 관점을 따랐다.

3. 교육과 사회발전

교육이 사회에 미친 영향에 대한 연구는 교육의 범주를 어떻게 볼 것인지, 곧 학교교육formal education에 한정할 것인지, 아니면 학교 밖의 비형식교육nonformal education이나 무형식교육informal education으로까지 확대할 것인지에 따라 다양하다. 뿐만 아니라 교육이 사회에 미친 영향을 사회의 '생산성productivity' 향상의 관점에서 볼 것인지, 아니면 사회적 관계의 '재생산reproduction'의 관점에서 볼 것인지에 따라 그 결과가 다르다(김기석, 1987). 여기서는 학교교육에 한정하여 생산성 향상과 재생산에 미친 영향들을 개략적으로 살펴볼 것이다.

먼저 학교교육과 지적 생산성, 곧 학력學力수준과 관련한 연구들이다. 크게 어떤 요인이 학력에 영향을 미치는가에 관한 학교효과school effects 연구들과 학력이 사회적 지위획득status attainment에 어떤 영향을 미치는가에 대한 연구, 그리고 학교가 사회적 자본social capital 형성에 기여한다고 보는 연구들로 대별된다.

학교효과에 관한 연구는 콜먼 보고서가 대표적인데(Coleman, 1966), 이 보고서는 학생들의 학업성취의 차이는 학교의 시설 자원상이 차이보다 학생들의 가정 배경의 차이에 따라 더 많은 영향을 받음을 밝혔다. 입학 당시 학생 간의 지적 성취 수준의 차이는 학교교육을 통해 좁혀지지 않고 졸업 때까지 지속된다는 것이다. 바꿔 말해, 학교 그 자체의 교육적 효과가 없다는 뜻이다. 반면에 1990년에 발표된 새로운 콜먼 보고서는 초기 연구와 달리 '학교문화'에 따라 학생들의 학업성취가 달라질 수 있음을 보여 주었다. 곧, 학교가 학생들의 지적 성취를 높이기 위한 일련의 조치들을 엄격하게 실시하면 학생들의 성적이 향상된다는 것이다. 이처럼 상반된 연구 결과는 결국 학생의 가정배경과 학교의 자원동원 노력 중 어느 것이 더 학력에 영향을 미치는가의 문제보다 양 변인이 각각 어떤 조건에서 영향력을 발휘하는지 그 조건을 규명하는 쪽으로 연구의 방향을 전환시켰다.

학력이 사회적 지위 획득에 미친 영향에 관한 대표적 연구는 블라우와 덩컨 (Blau & Duncan, 1967)에 의해 이뤄졌다. 현재의 직업지위을 결정하는 요인으로 아버지의 교육, 아버지의 직업, 본인의 교육, 본인의 첫 번째 직업 등 네 개의 변수를 설정, 중다회귀분석을 하고 그것을 근거로 경로분석path analysis을 하여 부모의 배경 요인보다 본인의 교육이 직업적 지위에 더 큰 영향을 미침을 보여 주었다. 특히 개인의 첫 번째 직업지위에 미치는 학력의 영향은 어느 요인보다 큰 것으로 나타났다. 이후 페더먼과 하우저(Featherman & Hauser, 1978)의 연구는 위 연구를 지지했고, 슈얼과 하우저(Sewell & Hauser, 1975, 1980) 등의 연구는 일명 위스콘신 모형이라 불리며, '의미 있는 타자'의 격려, 장래 교육과 직업에 대한 포부 수준 등의 사회심리적 요인이 사회적 배경과 본인의 능력을 매개하여 지위획득에 영향을 미침을 밝혔다.

그러나 이 연구들은 학교 내 계열화tracking와 같은 구조적 제한이 학생들의 교육기회와 결과를 제한한다는 점을 고려하지 않았다. 또한 종속변인으로 사회적 지위를 다루면서 소득과 같은 경제적 요인을 고려하지 못했다.

한편 학교교육이 사회의 생산성에 미친 영향에 관한 또 다른 연구의 흐름으로, 교육이 사회적 자본 형성에 기여하고, 그 결과로 사회통합에 기능한다는 연구들이 있다.

다음으로 학교교육이 사회 불평등의 재생산에 어떻게 관련되는지에 관한 연구들이 있다. 크게 경제적 재생산economic reproduction, 문화적 재생산cultural reproduction, 저항이론resistance theory 등으로 구분된다. 경제적 재생산 이론은 미국의 볼스와 긴티스(Bowles & Gintis 저, 이규환 역, 1986)가 제시했다. 미국의 대중교육이 불평등한 자본주의 경제구조를 재생산하는 데 따른 '순치된 노동력'을 제공하기 위해 확장되었다고 본다. 학교는 생산력 발달에 부응한 생산관계의 유지를 위해 초등교육, 중등교육 및 고등교육 등으로 점진적으로 확대되면서 자본주의 사회에 필요한 노동자의 인성적 특성을 가르쳤고, 그 결과 자본과 노동의 불평등한 관계를 재생산할 수 있었다고 본다. 경제결정론, 계급결정론의 입장을 옹호하는 정통 마르크스주의 이론이다.

부르디외P. Bourdieu와 번스타인B. Bernstein 등은 학교의 생활을 규율하는 사회관계와 생산활동을 규율하는 사회관계가 일치하지 않는다면서 경제적 재생산 이론을 비판한다. 교육은 자체의 내적 역사, 운동 논리가 있어 경제로부터 상대적 자율성을 지니므로, 교육을 경제가 아닌 문화의 맥락에서 분석하고자 했다. 곧 학교에서 가치 있는 것과 가치 없는 것의 구분은 경제가 아닌 문화의 힘이며, '문화자본', '문화적 습성'이라 불렀다. 그리고 문화자본 또는 문화적 습성은 학교교육 이전에 미미 가정에서 부모의 언어사회화 과정, 문화생활 등을 통해 자녀들에게 전수되기에, 가정환경의 특성상 문화자본 수준이 낮은 노동계급의 자녀들은 문화자본이 영향력을 행사하는 학교에서 낮은 학업성취도를 보일 수밖에 없다. 그 결과, 학교는 경제적 영향에서 다소 독립된 문화현상에 내재된 구조적 불평등을 재생산한다. 이 이론은 경제결정론을 벗어나 학교 구성원들의 일상적 상호작용을 거시적 수준과 미시적 수준에서 통합 분석하는 장점을 지닌다. 그러나 사회구조적 모순이나 갈등에 의해 야기되는 저항, 재생산을 넘어선 변화의 가능성 등에 이론적으로 무관심하다는 비판을 받는다.

윌리스(Willis, 1977)는 영국 노동계급 학생들의 낮은 학업성취, 그에 따른 상향적 사회이동의 부재 현상을 사회구조의 재생산이 아닌 노동계급 학생들의 주체적 저항의 관점에서 분석했다. 그는 노동계급 학생들이 자본주의 사회체제 내 일상적 삶 속에서 육체노동의 길을 자발적으로 선택해 학교 내 자본주의 이데올로기 교육에 저항함을 드러냈다. 제도교육의 장면에서 지배적 헤게모니와 대안적 헤게모니가 다투고 있음을 보여 줌으로써 학자들의 관심을 재생산에서 변화로 옮기게 했다.

4. 사회변화와 교육: 학교의 등장 및 변화

인류의 역사 초기에는 교육이 생활과 분리되지 않았다. 생활 속에서 무형식적 교육informal education이 진행되었을 따름이다. 무형식교육은 오늘날 가정교육, 소꿉놀이, 도제교육 등 우리의 삶 속에서 지속되고 있다.

'성년식initiation ceremony'을 계기로 교육활동이 일상생활에서 일시적으로 분리되기 시작했다. 오늘날의 시각에서 보면 의도적이고 체계적인 비형식적 교육 nonformal education이 나타난 셈이다. 오늘날에도 다양한 문화권 내에 성년식, 자연학교, 문화센터, 학원 등 수많은 비형식교육 프로그램이 존재한다. 교육을 성년식에 비유한 영국의 교육철학자 피터스(Peters 저, 이홍우 역, 1980)에 따르면, 교육은 다음 세 가지 조건을 갖추어야 한다. 첫째, 무엇인가 가치 있는 것을 달성해야 한다. 둘째, 교육은 과정상 인지와 이해, 안목을 동반한다. 셋째, 교육받는 사람에게 자기가 교육받고 있다는 데 대한 최소한의 의식意識이 반드시 필요하다. 그런데 "교육은 그 개념 안에 붙박혀 있는 세 가지 기준을 모두 충족시키는 방향으로, 가치 있는 활동 또는 사고와 행동의 의식儀式으로 사람들을 입문시키는 성년식이라고 할 수 있다." 달리 말해, "교육은 경험 있는 사람들이 경험 없는 사람들의 눈을 개인의 사적 감정과는 관계없는 객관적인 세계로 돌리도록 해 주는 일이며, '성년식'이라는 말은 교육의 이러한 본질을 잘 나타내 주고 있다."

생산력의 발달에 따른 잉여경제·계급사회의 출현과 문자의 발명 등 인류 문화의 비약적 성장으로 일상생활에서 완전히 분리된 '학교school'(어원은 schole)가 등장했다. 학교는 무형식교육, 비형식교육에 비해 교육내용과 형식에서 일정한 체계를 지녀 형식교육formal education이라 불린다.

학교는 고대, 중세 및 근대사회에서 오랫동안 지배계급의 자녀를 대상으로 '칠 자유교과seven liberal arts' 중심의 인문학humanities을 가르쳤고, 그 사회의 지도자를 육성했다.

18세기 이후 시민혁명, 민족주의의 대두 및 산업혁명 등을 계기로 학교교육의 대상은 엘리트뿐만 아니라 일반 대중으로 확대되었고, 교육내용 역시 인문학뿐만 아니라 자연과학과 사회과학 등을 포함하게 되었으며, 많은 나라에서 국가가 교육의 주체로 등장함으로써 이른바 '공교육'이 제도화되었다. 공교육 이전의 교육에서는 대체로 종교가 교육을 지배했고, 공교육보다 사교육 사상이 지배적이었으나, 절대주의의 등장으로 교육에 대한 국가의 개입이 시작되었다.

시민혁명을 계기로 교회 대신 세속 정부, 곧 근대국가가 교육의 주도권을 장악했다. 혁명 초기에 '국민교육론'(국민교육에 대한 국가의 지배권 주장)과 '교육자유론'(시민들의 교육활동의 자유 주장)이 대립했으나 초기에는 교육자유론(배우는 자유와 가르치는 자유의 동시 확보, 콩도르세)이 앞섰다. 이후 교육제도가 구체화되어 감에 따라, 교육자유론 중 배우는 자유보다 가르치는 자유(교회로부터의 자유)에 관심이 집중되어 급기야는 배우는 자유에 대한 관심은 미미해졌다. 교육학 이론도 학습자보다는 교육 실시자 본위로 형성됨으로써 교육현상의 당사자인 학습자가 주체가 아닌 객체로 취급당했다. 곧 교육의 자유론은 교육자와 국가 사이에 개재하는 주도권의 다툼보다는 교회와 세속 국가 사이의 주도권 다툼에서 세속 국가의 입장을 정당화하기 위한 논거로 사용되었다.

한편 민족주의, 국가주의의 대두와 함께 국민국가에 의한 국민교육의 필요성이 나타났다. 충성스럽고 유능한 국민을 육성하기 위한 보편교육 실시, 계급과 빈부를 초월하여 국민 누구나 평등한 교육을 받을 권리가 대두했다. 다른 한편 산업혁명으로 시작된 산업사회의 요구 역시 공교육 형성에 기여했다. 대량생산 체제에 걸맞은 인력을 대량으로 양성할 필요가 생겼던 것이다. 뒤르껭은 공교육의 특성을 가르침의 통일성에서 찾는다. 공교육은 집합의식 형성을 위한 보편적 사회화의 제도라는 것이다.

공교육의 결과, 엘리트 교육은 대중교육으로, 여가의 교육은 노동력과 시민형성의 교육으로 학교교육의 패러다임이 변했다. 공교육은 민주주의 이념에 입각해 교육의 평등에 기여했고, 산업사회에 필요한 인력 및 국민국가 형성에 기여했다. 특히 제2차 세계대전 이후 내용과 형식 면에서 보편성을 지닌 학교교육의 확산은 공교육 체제에 크게 빚졌다.

1970년대 이래 공교육 체제의 획일성, 경직성 및 사회적 불평등 재생산 기능에 대한 비판과 1990년대 이후 탈산업사회로의 전환·지식 기반 사회의 대두·포스트모더니즘의 등장 등, 급격한 사회변화를 따라가지 못하는 학교교육에 대한 위기 인식이 확산되면서, 종래 교육자 중심의 학교교육 패러다임을 넘어 학습자 중심의 평생교육, 평생학습 패러다임이 그 대안으로 등장했다.

OECD/CERI(2001)는 평생학습 시대 학교의 기능은 무엇인지, 어떻게 달라져야 하는지에 대한 프로젝트를 추진했다. 일반적으로 학교는 ① 기술과 능력 함양, 성장, 지식, 사회발전 및 포용 증진, ② 청소년의 건전하고 적극적인 시민으로의

〈표 3-1〉 미래 학교 시나리오

현재에 기초한 추정 (status quo extrapolated)	학교 재구조화 (reschooling)	학교 쇠퇴 (deschooling)
시나리오 1 • 강력한 관료제적 학교체제	시나리오 3 • 핵심 사회센터로서 학교	시나리오 5 • 학습자 네트워크 및 네트워크 사회
시나리오 2 • 시장 모델의 확대	시나리오 4 • 집중적 학습조직으로서 학교	시나리오 6 • 교사 이직-'해체' 시나리오

사회화, ③ 생애에 걸친 학습 기초능력과 동기 개발 등의 기능을 수행한다. 미래의 학교는 〈표 3-1〉의 여섯 가지 시나리오 중 하나의 길을 가게 될 것이다.

5. 주요 쟁점

1) 교육은 사회화인가, 아니면 사회화를 넘어서는 가치로운 활동인가?

교육사회학에서는 일반적으로 뒤르껨의 학문적 전통을 이어받아 교육을 사회화로 간주한다. 그러나 사회화는 가치 중립적 표현인 반면에 교육은 가치 함축적이라 보고 교육을 사회화와 구분하는 입장이 있다. 조용환(1997)은 교육을 사회화와 구별한다. 사회화가 규범성, 정상성, 정체성, 지역성, 몰주체성, 무비판성의 특징을 지닌다면, 교육은 '교수와 학습'의 상호 보완적 관계, '인간' 형성의 변증법적 지향, 평생에 걸친 노력의 '과정'이다. 따라서 교육에서는 사회화에서 기대할 수 없는 인간의 끝없는 자기 향상을 엿볼 수 있다. 장상호(1994) 역시 사회화가 사회적 평균인의 육성에 초점이 있다면 교육은 초월적 가치를 지닌 수도계 내에서 품위品位를 상구上求 또는 하화下化하는 과정적 존재로서의 인간을 상정한다.

2) 학교는 인류문화의 보편적 가치를 전수하는 기관인가, 아니면 지배계급의 헤게모니를 전달하는 기관인가?

기능주의 이론에서는 학교가 인류의 보편적 문화를 가르침으로써 사회의 유지와 통합에 기여한다고 본다. 특히 사회가 가치관의 혼동에 싸여 있을 때 학교교육은 공통교육을 통해 '보편적 사회화' 기능을 발휘함으로써 사회통합에 기여한다. 한편 산업화의 추진과 더불어 사회가 여러 갈래로 분화한 경우, 학교는 사회구성원들을 '특수 사회화'함으로써 해당 분야에 걸맞은 인재를 양성 배치한다.

하지만 갈등이론에서는 학교의 교육내용이 지배계급의 헤게모니를 정당화하는 내용들로 구성되어 있다고 본다. 학교가 하부구조에 의해 좌우되는 상부구조의 한 분야이거나, 이데올로기적 국가기구의 하나 아니면 자본가 계급의 헤게모니를 형성하는 시민사회의 일부분이기 때문이다.

3) 학교는 교육의 가치를 실현시키는 안정된 제도적 장치인가, 아니면 조직 관리 시스템으로 말미암아 인간의 본성을 억압하고 교육의 본질을 훼손시키는가?

인류의 생산기술 발달에 따른 잉여경제의 대두, 후대에 전달할 인류 문화유산의 증가, 특히 문자의 발명 등은 일상생활을 중심으로 전개되었던 교육을 제도화할 필요성을 증대시켰고, 마침내 학교라는 교육장치가 탄생되었다. 학교는 일상생활의 분주함에서 벗어나 세계와 자신을 성찰할 수 있는 기회를 제공했다. 학교에서는 진정한 여가leisure를 누릴 수 있게 되었다.

하지만 학교의 확장에 따른 관료주의적 통치구조와 학습의 자유의 억압, 교육기회 분배의 불평등 및 계급 간 교육격차의 확대, 통일된 교육과정 운영에 따른 몰개성화 등 제도교육의 모순을 지적하는 이들도 적지 않다. 이들은 제도보다 인간의 가치가 우선함을 강조하면서 '자유학교론', '탈학교론', '홈스쿨링', 다양한 '대안학교' 운동 등을 전개한다.

4) 학교교육 기회 및 그 기능의 확대는 사회평등화 및 교육복지에 기여하는가, 아니면 사회적 배제를 부분적으로 개선할 뿐 결과적으로 구조적 불평등을 재생산하는가?

공교육의 확대로 말미암아 대중들의 교육기회가 크게 신장되었다. 또한 교육받은 대중들의 일부는 그들의 부모들보다 더 나은 수준의 직업을 갖거나 소득의 증가를 보이는 등, 이른바 계층 상승을 할 수 있었다. 그 결과, 교육을 통해 사회평등을 실현할 수 있다는 자유주의적 이데올로기가 1950~1960년대 미국 사회를 지배했고, 빈곤의 악순환을 극복하기 위한 각종 보상교육 사업이 사회복지 정책의 일환으로 1960년대 미국 사회에 만연했다. 그러나 1970년대 경제 위기가 세계적으로 확산되면서 교육을 통한 계층 상승의 희망은 현실화되지 못했고, 오히려 계층 간, 그리고 제1세계와 제3세계 국가 간 빈부의 격차가 확대되면서 오히려 교육이 사회적 불평등을 재생산하는 데 기여한다는 갈등론적 시각이 주목받게 되었다.

　　우리 사회에서도 세계화의 흐름과 함께 특히 1997년 경제 위기 이후 더욱 심화된 계층 간 격차를 좁히고 빈곤의 대물림을 극복하기 위해 다양한 교육복지 정책이 추진되었지만, 교육이 과연 사회평등화에 실질적으로 기여했는지에 대해서는 실증적 검토가 필요하다.

제8장

평생교육의 학문적 기초

교육과 사회의 관계는 교육에 대한 사회학적 접근뿐만 아니라 사회에 대한 교육학적 접근을 통해 더욱 잘 규명될 수 있다. 여기서는 사회에 대한 교육학적 접근의 필요성, 사회에 대한 교육학적 연구 결과 및 주요 쟁점 등을 살펴볼 것이다.

1. 사회에 대한 교육학적 접근의 필요성

1) '학교 중심 교육학'에서 '관점 중심 교육학'으로 패러다임 전환

비트겐슈타인은 다음 [그림 8-1]의 두 개의 그림이 무엇으로 보이는지를 놓고 맥락의 중요성을 강조했다. 곧, 동일한 실체가 어떤 맥락에서는 '오리'로 보이지만 맥락을 달리하면 '토끼'로 보인다. 그러나 우리는 그 실체를 두 개의 맥락을 동시에 사용하면서 인식할 수 없다. 오직 하나의 선택이 있을 따름이다.

지금까지의 교육학은 학교라는 영역을 중심으로 전개되었다. 학교교육의 목적을 다루면 교육철학, 학교의 역사를 탐구하면 교육사, 학교의 교육과정을 다루면 교육과정 연구가 되었다. 또 학교 내 학생과 교육자의 심리의 특성이나 지식습득 과정에 대한 심리학적 접근을 다루면 교육심리학 연구가 되었고, 학교의 사회적 기능을 파헤치면 교육사회학적 연구, 학교행정을 다루면 교육행정학 연구가 되었다. 교육학의 정체성은 어떤 관점에서 접근하느냐가 아니라 연구 대상이 학

[그림 8-1]   비트겐슈타인의 오리-토끼

교인지 아닌지에 의해 판단되었다. 철학, 심리학, 사회학, 행정학 등의 연구 결과를 차용해도 전혀 학문적 정체성의 부끄러움 없이 떳떳하게 교육학임을 내세웠다. 그러나 이 같은 접근은 최소한 다음 두 가지 문제를 지닌다. 첫째, 학교 밖에 존재하는 교육현상에는 거의 주목하지 않는다는 것이고, 둘째, 교육학의 학문적 기반을 타 학문에 의존한다는 것이다.

이런 연구를 장상호 교수는 '학교교육학'일 뿐 진정한 의미의 '교육학'이 아니라고 보았다. 교육의 논리체계를 타 학문의 논리체계로 환원하기 때문이다. 그래서 그는 학교뿐만 아니라 학교 밖에 존재하는 '교육현상' 그 자체를 타 학문이 아닌 교육학의 논리로 탐구하고자 했다. 이를 위해 교육 그 자체에 대한 독창적 안목의 중요성을 다음과 같이 강조했다.

교육은 생활세계 속에 잠복되어 있는 제반 이질적인 세계들의 하나이다.

교육은 눈에 보이는 가시적인 현상이 아니다. 그것은 일상의 배면에 잠복된 복잡하고 미묘한 실재이며, 오직 그것 자체의 특성을 쫓는 고도의 독창적인 상상력을 가진 안목에 의해서만 그 존재성을 드러낸다. 이렇게 되면 우리는 인식의 기능적인 측면을 떠나서 그 대상 자체에 몰입할 수도 있다.

　　김신일(2005)은 종래 교육학이 학교 중심으로 전개된 것은 '교육주의' 이념 때문이라 보았다. 그러나 그는 학습이 교육에 앞선다고 보고, '교육주의' 대신 '학습주의'를 내세운다. 그는 학습주의의 기본 전제로서 다음 여섯 가지를 제시했다. 첫째, 인간은 적극적인 학습동물로서 학습능력과 함께 학습자발성을 갖추고 있다. 둘째, 학습의 목표는 학습자의 삶에 내재해 있다. 셋째, 교육은 학습을 위한 보조적 활동이다. 넷째, 교육자와 학습자는 상호 학습한다. 다섯째, 국가의 교육제도는 국가가 교육하는 제도가 아니라 학습자의 자유와 권리를 보장하고 보호하는 제도로서, 다양하고 풍부한 학습이 가능하도록 다양한 교육활동을 육성 · 지원한다. 여섯째, 학습주의는 '열린사회'를 지향한다.

2) 제도교육 너머의 교육의 편재성 확인

교육은 형식formal, 비형식적nonformal, 무형식informal의 형태를 띠고 우리 생활 전반을 가로질러 존재한다. 쿰스와 아메드(Coombs & Ahmed)에 따르면, 형식교육은 "초등교육에서 고등교육에 이르기까지 제도화되고 연령에 따라 학년을 구분한 위계적인 교육체제"이고, 비형식교육은 "아동과 성인 집단을 위해 특별히 선별한 학습유형을 제공하는, 형식교육 범주 밖의 조직적이고 체계적인 교육활동"을 가리키며, 무형식교육은 "모든 사람들이 일상적인 경험과 환경과의 접촉으로부터 지식, 기술, 태도 및 통찰력을 획득하는 평생 동안의 과정"을 가리킨다(LaBell, 1976: 21에서 재인용).

　　여기서 무형식적 교육은 교육의 편재성遍在性을 확인시켜 준다. 인간의 학습활동이 제도화된 교육기관에서뿐만 아니라 자연스런 사회적 상황 속에서도 전개됨을 드러낸다. 여기서 자연스럽다는 것은 사전에 계획한 교육목적이 없다는 뜻이지 어떤 의도도 없다는 뜻은 아니다. 학습자는 어떤 문제 사태 속에서 그 문제를 해결하기 위해 어떤 지식이나 기술 및 가치관의 획득을 모색한다. 달리 말해, 자연스런 사회적 상황에서의 학습은 우연적incidental일 뿐 전혀 의도가 없는accidential 것은 아니다(Brookfield, 1983: 12-13).

3) 학습사회의 실현 전략 탐색

우리의 삶 전체에 편재하는 교육에 대한 관심은 사회변화에 따른 학교교육 체제의 한계 속에서 비롯했다. 1965년에 '평생교육'이란 개념을 처음 소개한 랭그랑은 평생교육 개념 등장의 배경으로서 사회변화의 특징으로 다음 몇 가지를 지적했다(Lengrand, 1970).

첫째, 급속한 사회변화다. 사회변화의 속도가 너무 빨라 어린 세대의 생각이 기성세대의 생각이 같지 않게 되었다. 기성세대의 문화를 차세대에게 전달하는 학교교육은 그 효율성을 상실하고 말았다. 전통적 교육과정의 기능에 대한 비판이 대두하고 새로운 교육 경로를 모색하고 있다.

둘째, 인구의 증대다. 인구의 증가는 교육 수요의 증대 및 교육 기능과 성격의 변화를 요구한다. 학령기를 넘어서 개인과 사회가 요구하는 지식과 훈련의 확장이 필요하다. 전통적 교육의 기능을 넘어서서 현대적 매체로까지 지식을 확장하고 훈련을 제공하는 자원들의 확대가 필요하다.

셋째, 과학적인 지식과 기술의 발달이다. 이는 미래의 기술에 적응 가능한 기술자의 훈련뿐만 아니라 기술의 발전이 초래할 실업의 위기 등에 대비한 교육을 요구한다.

넷째, 민주화를 위한 정치적 도전이다. 오늘날 50대 성인은 2~3번의 전쟁, 여러 혁명, 셀 수 없을 만큼 많은 정권의 교체 등을 경험했고, 유네스코 131개 회원국 중 1/3 이상이 지난 15년 사이에 독립한 나라들이다. 사람들은 진보와 안정, 정의와 질서 사이의 정치적 선택에 직면해 있다. 시민citizen으로서의 자각이 중요한 교육적 과제이다. 새로운 제도, 행정 체제의 설치만으로 충분하지 않다. 인간의 정신, 도덕 및 그들의 관계에 주요한 변화가 있어야 한다.

다섯째, 대중매체의 발달과 정보의 급증이다. 대중매체에 의한 의사소통 방식의 현격한 발전에 따라 메시지와 데이터를 이해하고 해석하고 동화하고 사용하는 것이 각 개개인에게 언어(구어, 문어 및 그 밖의 시각 자료)의 이해와도 같은 일이 되었다.

여섯째, 여가의 증대다. 근대적 형식, 영역 및 내용의 여가는 산업사회의 산물이다. 전통적 시골에서 일과 여가는 상호 연결되어 있었다. 경제적 활동의 절정기, 고기잡이와 수확기에 축제를 지냈다. 산업사회에서 일과 여가는 분리되었다. 누군가의 여가는 다른 이의 즐거움과 충돌한다. 한편 인간은 자신에게 감정뿐만 아니라 의식意識, 사고 및 사고의 표현의 도구를 제공함으로써 더욱 완전한 인간이 된다. 자신이 처분할 수 있는 자유시간을 사용하는 방법을 알려면 문화적 활동을 해봐야 한다.

일곱째, 생활양식과 인간관계의 균형 상실이다. 19세기까지만 하더라도 인간은 자신의 삶에서 당면한 문제를 해결하는 데 선조들의 유산에서 답을 찾았다. 세대 간, 부자와 가난한 사람 간, 지주와 소작인 간, 주인과 종 간, 남편과 아내 간 관계가 대체로 성문화될 수 있었다. 오늘날에는 이런 관계가 존재하지 않는다. 새로운 개인과 사회적 상황을 맞고 있다. 자기 자식들에게 어떻게 행위를 해야 할지, 그 모델을 자신의 성장과정을 지배했던 유형에서 찾았던 아버지가 정도에서 벗어나는 위험에 처했다. 아버지 되기뿐만 아니라 어머니 되기, 관계, 감정, 혈통, 유대 등을 가르쳐야 할 상황이다.

여덟째, 육체의 대두다. 지금껏 육체와 영혼 사이에는 간격이 존재해 왔다. 그러나 이제는 이 간격을 메우고 더욱 풍성한 삶을 살아가려는 기회와 함께, 훈육되지 않을 경우 기회가 제공한 풍요로움을 활용하지 못하는 위협도 동시에 주어졌다. 해로운 요소를 약화시키고 조화롭고 풍요로운 삶을 살아가도록 이끌려면 교육이 필요하다.

아홉째, 이데올로기의 위기가 초래되었다. 근본적인 위기가 단지 도덕과 인간관계뿐만 아니라 사고의 영역에도 존재한다. 과거에는 특정한 이데올로기에 의지해 사고하고 묻고 답하고 행동하고 의미를 찾아 왔다. 오늘날에는 어떤 신념을 선택하여 살아가야 할지 더욱 어렵고 확신을 못 하게 되었다. 확고한 신념을 지녔다 하더라도 의심이 뒤따른다. 현대인은 수백 개의 영적·종교적·철학적 공동체에 속하는 방법에 직면하여 자율적 선택을 해야 한다. 우리 시대의 인간은 존재하기 위해 같은 열정과 지속성을 요구한다.

이러한 사회변화에 따른 요구를 모두 수용하는 새로운 '평생교육' 패러다임을 구축하려면, 사회 전체를 '학습사회'로 재구조화하려면, 체제뿐만 아니라 체제를 넘어 존재하는 교육과 학습활동에 대한 탐구가 필요하다.

2. 평생교육 관련 주요 개념

1) 무형식교육

무형식교육informal education은 제도화된 형식교육과 여러 가지 점에서 다르다. 우선, 무형식교육은 일상생활 속에서 전개된다. 이때 교육자educational agents는 다른 사람의 학습을 직접적으로 도와주든, 아니면 학습의 촉진을 위해 적절한 환경을 조성하는 차원에서 간접적으로 도와주든, 의식적으로 도와주는 사람이라면 누구나 교육자라 할 수 있다. 반드시 인간의 학습을 위해 설립된 제도화된 교육기관의 교육자일 필요는 없다. 예컨대 아동들의 소꿉놀이 장면에서 아동들은 이전에 미리 봤던 것을 선별해서 대화 내용과 상호작용을 재현하며 논다. 이때 아동들은 어떻게 행동해야 하는지, 다양한 장면에서 무엇을 느껴야 하는지를 배운다. 그리고 부모나 마을 사람들은 교육자의 입장에서 아동들의 놀이를 고무한다. 이처럼 학습과 교육은 아동과 부모가 일상생활에 참여하는 가운데 발생한다.

둘째, 무형식교육과 학습은 지역사회 안에서 잘 찾아볼 수 있다. 고대 그리스 사람들은 학교교육 출현 이전에 가르치는 일을 직업으로 삼는 사람을 두어 아동에게 말과 행동을 가르쳤고, 학교교육 출현 이후에도 교사와 별개로 아동들의 학습을 감독하고 이상 생활의 행동방식을 가르치는 교복敎僕, pedagogues을 두기도 했는데, 이들의 교육은 무형식적이라 할 수 있다. 중세 서구사회에서는 교회의 성직자와 선교사들이 학교와 별개로 무형식적 교육자의 역할을 수행했고, 길드Guild 조직에 의한 도제훈련 역시 무형식교육이라 할 수 있었다. 17세기 영국에서는 과학과 합리적 사고의 발달과 더불어 각종 토론회, 상호 향상을 위한 모임 및 찻집 등이 생겨나 무형식적 교육 활동을 전개했다. 오늘날에도 많은 사람들은 각종 사회단체, 도서관, 박물관 등에서 집단적으로 상호작용group process하면서 무형식적 교육의 효과를 얻고 있다(Smith, 1997).

셋째, 무형식교육 및 학습은 다양한 사회운동의 전개와 함께 발달했다. 로버트 오웬Robert Owen은 더욱 개방적이고 포괄적인 공동체 운동을 전개하면서 교육의 의미를 공동체적 삶 자체 안에서 발견하고자 했다. 또 국가가 제공하는 기존의 위로부터의 교육과정을 거부하고 노동자들 스스로 통제하는 독자적인 교육과정을 편성·운영하고자 했던 19세기 영국의 노동교육 운동 역시 그 자체가 노동자들에게 정치의식을 각성시키는 무형식교육의 계기가 되었다. 그 밖에도 사회주의자들과 반식민주의 운동가들의 정치 투쟁, 그리고 여성운동과 신식민주의적 담론 속에서도 무형식교육을 찾아볼 수 있다.[1]

특히 "모든 헤게모니 관계 그 자체가 곧 교육적 관계"라는 안토니오 그람시Antonio Gramsci의 지적 속에 학습의 장으로서 사회운동에 대한 이론적 논의가 잘 제시되어 있다(김민호, 1991 참조). 그람시에 따르면, 헤게모니는 어떤 계급이 자신의 이익에 다른 집단의 이익을 접합articulation시키는 정치적·지적·도덕적 지도력을 의미한다. 헤게모니는 지도자가 피지도자의 자발적 동의를 창출한다는 점에서 단순한 이데올로기적 지배와 구별된다. 서구 자본주의 국가에서 사회주의 혁명이 실패한 까닭도 부르주아지 헤게모니 원리에 따라 구축된 시민사회가 존재했기 때문이다. 지배계급이 학교뿐만 아니라 교회, 언론, 출판, 사교육기관, 병원, 군대, 사법기관 등 시민사회 어디서나 자신의 이익에 다른 집단의 이익을 접합시켜 지도-피지도의 헤게모니 관계를 설정해 지배체제를 정당화했던 것이다. 그러므로 새로운 사회질서를 모색하려는 사회운동에서는 기존의 헤게모니를 탈접합, 재접합해 대항적 헤게모니를 형성하는 일이 관건이다. 이 일은 무엇보다 새로운 형태의 학교에서 교육받고 정당활동을 통해 지적·도덕적·정치적 지도력을 계발한 '유기적 지식인'이 대중의 상식common sense의 일부가 된 부르주아지 세계관을 비판하고 대중의 상식에 내재한 또 다른 이론적 의식을 토대로 대중들이 진정한 자기인식과 정치적 의식을 지니도록 대중을 지적·도덕적으로 개혁하는 데서 이

---

1) 파농Fanon에 따르면 프랑스 식민주의자들은 근 1세기에 걸쳐 알제리 여성들의 베일을 벗기려 했으나 실패한 반면에, 알제리 민족해방투쟁이 시작된 지 5년이 지나면서 알제리 여성들은 자발적으로 베일을 벗어 던졌다. 왜냐하면 식민지 해방운동에 가담한 여성들이 자신에게 맡겨진 일을 하는 데 베일이 장애가 되었기 때문이었다. 남성들과 나란히 투쟁에 참여하는 가운데 베일에 함축된 봉건적 남녀관계를 청산할 수 있었다(김종철, 1981: 145-147).

루어진다. 그러나 이 일은 일방적인 관계가 아니라 상호 교육적인 관계 속에서 이루어져야 한다. 유기적 지식인이 대중에 대해 늘 우위에 서서 지적·도덕적 지도력을 발휘하기만 하는 것이 아니라 대중으로부터 배워야 한다는 뜻이다. '인식하지만' 이해하거나 느끼지 못하는 지식인이 '느끼지만' 항상 인식하거나 이해하지 못한 민중과 유기적 결속을 이루어, 새로운 질서를 위한 '역사적 블록'을 형성하는 것이다. 이 점에 비추어 볼 때 사회운동은 참여하는 지식인이나 민중, 지도자나 피지도자들에게 늘 무형식 학습의 장으로서 작용한다 할 수 있다(Hoare & Smith, 1971: 390-393).

2) 비형식교육

사회발전은 학교교육의 기능에 한계를 나타내어 다양한 수준에서 '비형식교육 nonformal education'을 필요로 하게 되었다. 비형식교육은 사회 곳곳에서 나타났다. 우선 학교교육을 '보충', '계속'하는 비형식교육이 등장했다. 학교교육 그 자체에서 소외된 이들을 위해 학교를 대신한 영국의 보습교육 further education, 미국의 계속교육 continuing education, 청년교육 youth education, 독일의 민중교육 popular education, volksbildung, 프랑스의 공중교육 education populaire 등이 여기에 해당한다.

이후, 비형식교육은 학교교육의 '확장' 차원에서 등장했다. 일정 정도 정규교육을 받은 자라 하더라도 과학기술의 발전과 함께 사회가 고도의 교육을 요청함에 따라, 고등교육기관과 국가가 협력하여 이들에게 고등 수준의 교육을 제공하는 대학확장 university extension, 학교확장 school extension 프로그램이 있다.

다음으로, 학교교육으로부터 '독립'한 비형식교육을 들 수 있다. 이들 비형식교육은 지역사회교육 community education, 기초교육 fundamental education, 학교 외 교육 education of out of school 등으로 불리며, 20세기 초 성인교육 adult education, Erwachsenbildung 영역의 정립에 기여했다. 무엇보다 비형식교육의 내용이 종래 학교에서 다루어 왔던 인문학 중심의 교육과정을 벗어나 학습자의 삶을 중심으로 재구성되기 시작했고, 이를 국가가 법률적으로 뒷받침하면서 비형식교육이 학교교육과 다른 하나의 독자적 교육 영역으로 자리 잡았다.

끝으로 비형식교육은 학교교육과 '통합'하여 평생교육 개념으로 전환, 발전했다. 유네스코는 1946년 발족한 이래 10년 간격의 세계성인교육회의를 개최하면서 비형식교육의 이론적 · 실제적 발전을 이끌었다. 처음에는 기초교육fundamental education을 주창하다가 1965년 유네스코 성인교육추진위원회에서 '평생교육' 개념을 유네스코 사무국에 제안했고, 유네스코 사무국에서는 1970년 '세계교육의 해' 기본이념으로 평생교육을 제창하기에 이른다. 같은 해 평생교육 개념을 제안했던 랭그랑P. Lengrand의 『평생교육 입문』을 출간했다.

3) 평생교육

1965년 랭그랑에 의해 평생교육lifelong education 개념이 도입된 이후, 1972년 유네스코 본부는 포르E. Faure 등에게 의뢰한 연구보고서 *Learning to be*를 발간했다. 이 보고서는 평생교육을 국가 교육정책의 기본으로 삼을 것을 제안하면서 21가지 정책을 제안했다. 1976년에는 데이브R. H. Dave의 *Foundations of lifelong education*이 발간되었고, 1996년 유네스코 21세기 세계교육위원회는 자크 들로르Jacques Delors의 보고서, *Learning: The treasure within*을 발간했다. 이 보고서는 평생교육의 주요 내용으로 learning to know, learning to do, learning to be, learning to live together의 네 가지를 제안했다.

이러한 학문적 성과는 1949년 덴마크 엘시노어(헬싱괴르)에서 열린 제1차 세계 성인교육회의 이래 10여 년 간격으로 총 여섯 차례에 걸쳐 세계 각지에서 열린 유네스코 세계성인교육회의에 힘입은 바 크다. 제1차 회의에는 총 25개국이 참여했고, 제2차 세계대전 이후 민주사회건설을 위한 시민성의 형성과 자유교육을 강조하면서 성인교육 분야의 국제 협력의 계기를 마련했다. 제2차 세계성인교육회의는 1960년 캐나다 몬트리올에서 열렸으며, 탈식민지화의 배경 속에서 총 51개국이 참여해 문해교육과 기술교육을 강조했다. 제3차 회의는 냉전 분위기 속에서 1972년 일본 도쿄에서 85개국이 참석한 가운데 열렸고, 통합적 평생교육 체제 속에서 성인교육 관계 법규의 제정과 정비를 통한 성인교육의 지위 확립을 강조했다. '학습권right to learn' 선언을 채택했던 제4차 회의는 1985년 프랑스 파리에서 열렸다. 경제 상황의 악화에도 불구하고 122개 국가가 참석해 성인교육의 발달을 교육민주화와 평생교육의 관점에서 그리고 국제 협력 증진 차원에서 다루었다. 제5차 회의는 1997년 130개 회원국이 참석해 독일 함부르크에서 열렸다. 세계화가 가속화하는 상황에서 인간 중심의 발전과 학습을 천명했다. 가장 최근의 제6차 세계성인교육회의는 '실현 가능한 미래를 위한 삶과 학습―성인학습의 힘'이란 주제로 2009년 12월 1일부터 4일까지 156개국이 참여해 브라질 벨렝에서 개최되었다. 경제위기와 기후변화를 배경으로 새로운 대안을 제기하기보다 정책의 실천의 중요성을 강조했고 전 세계 국가의 성인학습 및 교육 통합보고서GRALE, Global Report on Adult Learning and Education를 주기적으로 발간하기로 했다(백은순 · 최일선, 2010).

평생교육의 특징은 다음 세 가지로 요약할 수 있다(Kirpal, 1976). 첫째, 인간 학습의 장의 시간적 · 공간적 확대이다. 평생교육은 학습시간, 학습 범위와 내용의 확장, 학습상황의 다양성을 가져온다. 그리고 학습의 확장은 일과 여가에 대한 새로운 태도를 요구한다.

전통체제에서는 엘리트 리더십을 위한 일반(교양)교육과 위계질서 유지를 위한 대중 대상 태도 및 기술교수가 전부였다. 지식의 팽창, 민주화, 발전의 추구, 생산과 사회조직에 대한 과학과 기술의 적용 등은 일의 유형과 노동자의 역할, 생활 방식, 사회의 목적 등을 변화시켰다. 기술과 생산양식의 변화를 다룰 새로운 지식을 가르치는 일의 세계에서의 교육에 대한 요구가 커졌다. 일의 세계와 전통적 교육의 괴리는 특히 경제 성장이나 사회변화에 기여하지 않았던 이른바 '자유교육'의 사치스러움을 감당하기 어려운 개발도상국가에서 대규모의 낭비와 부적합성을 초래했다. 이제 새로운 교육기회의 탐색과 일의 세계의 형식의 변화는 필연적이며, 그 결과, 더욱 가까워진 일과 교육의 관계는 평생교육의 이론과 실제에 기여한다.

한편 문화와 교육의 통합, 목표objectives의 증진 등은 여가의 영역과 가치를 고양시켰다. 경제적 후진국에서 생산과 분배의 기제, 선진국에서 자동화와 정교한 기술 사용 등은 여가를 증대시켰고, 대중매체는 어디서나 대중들에게 예술적 형식과 문화적 의미를 전달하는 수단을 제공한다. 이러한 여가활동의 조직과 사용은 평생교육에 대해 매력적 도전과 활용을 불러일으킨다.

둘째, 평생교육은 교육에 대한 새로운 혁신적 패러다임이다. 확장의 원리는 매혹적인 전망과 새로운 양식을 열어 주는 혁신의 필요를 제기한다. 즉, 대안적인 학습의 구조와 유형을 발견하고, 학습자가 선택할 수 있는 학습기회의 창출을 통해 혁신을 고무하고 가치롭게 여기며, 아울러 기회·동기·학습 가능성 등이 실현될 수 있는 학습풍토를 조성하며, 학습내용의 유연성과 다양성 추구, 적절한 학습도구와 기법의 활용, 학습시간과 장소의 자유로운 선택 등을 모색한다. 결국, 이러한 혁신은 인간 모두에게 자아실현의 수단을 제공함으로써 인간 정신의 고양과 해방에 기여할 것이다.

셋째, 평생교육은 교육에 대한 통합적 사고를 전개한다. 조직들을 충분히 마련하고 이들 간의 연계를 의미 있게 모색하여 확장과 혁신의 과정을 촉진하는 것이 바로 통합의 원리다. 통합이 없는 확장은 많은 비용을 요구하고 낭비를 초래하며, 통합 없는 혁신은 성공하기 어렵다.

1. 지식의 통합으로 학제 간 연구의 실현 및 지식의 양적 팽창에 따른 질적 가치를 고양한다.
2. 가정·지역사회·더 큰 사회·일과 대중매체의 세계 등의 교육적 잠재력을 통합하여 교육의 과정을 더욱 효과적으로 만들고 새로운 학습상황을 창출한다.
3. 인간 발달의 여러 측면(신체적·도덕적·미적·지적 발달)의 통합이다.
4. 학습단계(학교교육 이전, 학교교육, 학교교육 이후 및 순환교육)의 통합이다.

4) 평생학습

평생학습lifelong learning이란 개념은 OECD가 1973년 *Recurrent education: A strategy for lifelong learning*을 발간하면서 본격적으로 사용되었다. 여기서는 학교교육과 일터 간 기술격차skill gap의 문제해결 차원에서 평생학습을 강조했다. 이후 평생학습은 다음 두 가지 요인을 배경으로 세계적으로 영향력을 더욱 확대했다(Griffin, 2001).

첫째, 세계화 및 정보기술의 발달과 그에 따른 경쟁 심화, 그리고 고용과 일의 성격 변화를 들 수 있다. 탈산업화 시대 서비스업의 발달, 특히 지식 기반 경제 knowledge-based economy의 등장은 '힘으로서의 지식'("아는 것이 힘이다", 베이컨)이 아니라 '돈으로서의 지식'에 주목했고, 지식을 전달하는 교육을 산업과 더욱 밀착시켰으며, '교육받은 인간'(이른바 지식인, 인텔리겐치아)을 기르는 교양교육보다는 산업에 필요한 창의적인 인적자원의 개발에 더욱 주목하게 되었다.

또한 컴퓨터 혁명으로 특징지어지는 정보화 사회의 등장으로 학력, 학벌보다는 다양한 통로를 활용해 정보와 지식을 획득할 수 있는 능력을 강조하게 되었다. 빠른 사회 변화에 따라 지식의 반감기가 줄어드는 상황 속에서 직업세계의 재교육 또는 계속교육이 강조되었고, 급변하는 사회 속에서 불확실성이 증대하므로 고정된 인간형보다는 능동적으로 대응할 수 있는 인간, 학습하는 능력을 지닌 인간이 더욱 중요해졌다.

뿐만 아니라, 일괄공정 조립생산에 따른 소품종 대량생산, 대량소비에서 팀별 생산에 따른 다품종 소량생산으로의 전환을 의미하는 포스트포디즘의 등장은 규모의 경제로부터 영역의 경제로 이행할 수 있는 능력을 지닌 유연 생산 시스템을 강조하고, 생산의 질을 향상시키기 위해 새로운 팀별 방식으로 일을 조직했다. 이에 따라 노동자의 다기능, 고기술 습득 관련 숙련화와 재숙련화를 위한 평생학습을 강조하게 되었다.

둘째, 공공정책에서 자유 시장경제로의 전환이 평생학습을 확산시키는 데 기여했다. 자본의 세계화, 노동시장의 유연화 등은 종래 케인스주의적 복지국가를 지양하고 신자유주의적 사회질서를 가져왔다. 신자유주의는 경제와 경제 발전의 역동의 조정자로서 자유시장의 역할을 강조한다. 자유시장은 사고 파는 개인의 선택을 통해 작동하며, 시장의 메커니즘이 효과적으로 작동할 때 경제 성장이 촉진되고 성장의 이윤이 기업가로부터 가난한 사람들, 더욱 어려운 처지의 사람들에게 '조금씩 이동trickle down'될 수 있다고 본다. 따라서 종래 사회적 지출, 공적 비용, 정부의 개입은 시장에 해를 끼치지 않도록 억제되어야 한다. 자유시장은 빠른 경제 성장을 낳을 수 있는 가장 효과적이고 역동적인 체계이며, 자유시장을 통해 trickle down effect 불평등을 완화할 수 있다(Friedman, 1962을 Mayo, 1997에서 재인용). 요컨대 개인의 책임을 강조하고, 복지 및 여타 사회적 서비스를 사적 서비스 영역을 확대하는 방향으로 개혁하고자 한다.

코필드(Coffield, 1997)는 평생학습의 특징을 다음 아홉 가지로 정리하고 있다.

1. 지구적 시장에서 가장 중요한 자본은 인적 자본이다. 또는 지금 중요한 유일한 형태의 자본은 인적 자본이다.

2. 평생학습은 교육과정을 지식에 기초한 것에서 개인의 기술에 바탕을 두도록 변화시켰다.

3. '비학습자'란 존재하지 않는다. 우리는 언제나 학습한다.

4. 평생학습의 한 가지 전략은 취학 전 교육으로부터 성인교육에 이르는 교육의 여러 국면에서 현존하는 모든 교육주체들을 결합combining하는 것이다.

5. 학습은 개인적이다. 간혹 학습이 집단적으로 추구되고 있지만, 학습경험은 독특하고 인격적인 것이다. 학습이론은 학습이 개인 안에서 어떻게 발생하는지를 검토한다.

6. 학습사회는 개개인에게 주요한 책무를 부과함으로써 창조될 수 있다. 평생학습이 교육의 공적 영역에 대한 국가의 개입을 축소시키기 위한 정책의 일환으로 진행되고 있다.

7. 지도자의 지도성이 효과적이라면 모든 아동은 학교에서 성공할 수 있다.

8. 우리는 교수teaching에 대해 잊어도 좋다. 이제 주목해야 할 것은 학습learning이다.

9. 학습은 재미있거나 언제나 재미있어야 한다.

그러나 1980년대 전반에 영양실조 아동 증가, 건강 및 교육기회의 축소 등 인간복지가 쇠퇴(UNICEF 연구 결과)하면서, 시장 주도 모형이 환상임을 깨달아 갔다. 무엇보다 시장 모형은 발전의 사회적 측면들을 충분히 설명하지 않았다. 경제성장이 발전의 핵심이 아니다. 발전은 사회 모든 구성원들의 기본적 필요―교육, 건강, 환경적으로 건강하고 지속 가능한 생활―를 만족하는 데 성공적이냐를 놓고 판가름 난다. 특히 시장 모형은 가장 커다란 필요를 지닌 사람들에게 다가가지 않았다. 트리클 다운trickle down 경제가 실패했고, 빈곤과 박탈이 빠르게 증가했으며, 차별과 사회적 배제를 더욱 강화시켜, 경제적·사회적 격차, 사회적 배제, 분단화, 폭력, 사회적 인종차별 등이 증대되었다. 게다가 20세기 후반 심각한 지구촌의 도전을 불러일으키는 환경적 이슈를 다루지 않았다.

　이런 맥락에서 평생학습에 대한 비판이 제기되었다. 메이요(Mayo, 1997)는 영국의 평생학습을 다음과 같이 비판했다. 첫째, 개별 고용주들이 반드시 훈련에 합리적 투자를 하는 것이 아니다. 투자의 총량도 영국 기술 수준에 관한 관심을 불러일으킬 정도로 심각하게 부족했다. 둘째, 빠르게 변화하는 경제에서 미래의 노동력이 창의적이고 유연하고자 한다면 '직무에 특수한 기술job-specific skills'뿐만 아니라 폭넓은 교육의 기초가 요구된다. 그리고 이러한 폭넓은 교육은 국가의 적극적 개입에 의한 계획을 요구한다. 그러나 국가직업자격NVQ, 스코틀랜드직업자격SVQ의 맥락에서는 역량 강화를 위해 특수한 직무 관련 기술 훈련을 요구하고 있다. 이처럼 시장 주도 관점 내에서도 성인교육 및 훈련과 관련하여 긴장 관계, 딜레마가 존재한다. 셋째, 성인교육에 시장 논리를 도입함으로써 공적 지원이 약화되고, 여가와 놀이 활동을 지원하는 지역교육청LEA과 자원 조직의 역할이 상대적으로 더욱 커졌다. 여가와 놀이 프로그램에 참여하는 것과 직무 관련 교육 및 훈련의 진보를 위해 신뢰와 기술을 획득하는 일을 상호 연계하는 것이 충분한 인정을 받지 못했다. 넷째, 교육 소외 집단의 관여, 노인의 능동적 관여와 참여 확대, 시민의식과 민주주의 고양 등의 교육 프로그램이 주변화했다. 곧 경제적 목적만을 강조하고 사회·정치·문화적 목적을 방기함으로써 평생교육의 폭을 좁히고 말았다.

　미국의 평생교육학자인 바티스트(Baptiste, 2006)는 '평생학습'이 성인교육자들의 윤리적 책임을 면제해 주었다고 다음과 같이 비판한다. 첫째, 안드라고지andragogy, 자기주도적 학습self-directed learning 및 여타 평생학습 담론은 공공선에 대한 폭넓은 고려에서 좁은 개인적·기술적 고려로 그 초점을 옮겼다. 둘째, 대부분의 평생학습 담론들은 '신경제 질서'에 부응하는 '인간 자본의 조건', 곧 신질서의 기술, 정보혁명, 세계화 및 인구 변동 등의 '명령'에 따른 지속적 재훈련을 강조할 뿐이다. 셋째, 평생학습의 주창자들은 "신질서가 과연 불가피한 것인지, 신경제질서가 인간의 삶의 질을 고양하는지, 만일 그렇다면 누구를 위한 것인지, 그리고 이러한 신세계 질서를 성취하는 데 우리는 어떤 사회적·환경적 비용을 치러야 하는지, 신세계 질서 안에 정의와 평등은 어디에 존재하는지" 등을 묻지 않고 있다.

5) 학습사회

지식의 상품화를 겨냥한 평생학습에 대한 비판이 일면서 종전의 허친스R. H. Hutchins와 포르 등이 제안했던 '학습사회learning society' 그리고 그람시, 프레이리Freire, 겔피E. Gelpi 등의 '사회변혁을 위한 성인학습' 등을 다시금 주목하게 되었다. 후기 산업사회, 지식 기반 경제에 철저하게 부응하고자 했던 평생학습은 인간의 삶과 교육의 가치를 지나치게 경제적 측면으로 환원시키고, 개인 간, 지역 간, 국가 간 교육기회의 불평등을 초래하며, 그 결과 기존 사회체제를 재생산하는 데 기능할 뿐 진정한 의미의 '발전'에는 도움이 되지 않으므로, 시장 중심의 학습사회보다는 국가나 시민사회가 주도하는 학습사회에 대해 관심을 기울이자는 주장이 등장했다.

에드워즈R. Edwards는 학습사회를 다음 세 가지로 구분했다.

1. 교육받는 사회
2. 학습시장
3. 학습망

'교육받는 사회'는 모든 인간이 학습을 통한 자기 발전을 이루도록 국가가 나서서 제도적 지원을 할 것을 주창하는 관점으로서, 주로 유네스코를 중심으로 주창되었다. 여기에는 포르를 비롯한 유네스코 관계자들뿐만 아니라 생산력의 발달에 따라 여가가 증대된 현대사회에서는 '파이데이아'의 이상을 모든 시민들에게 적용할 수 있다고 믿는 허친스도 포함되어 있다.

'학습망' 중심의 학습사회론은 1970년대 초반 일리치(Illich, 1970)에 의해 주창된 것으로, 1990년대 이후 정보화 사회의 도래와 함께 그 실현 가능성을 높이고 있다. 그는 교육을 오로지 학교교육만으로 인식하는 현상을 목적을 실현시키는 과정과 목적의 혼동이라 비판했다. 오늘날 우리는 건강에 유의하는 것을 의사에게 치료받는 것으로, 사회생활의 개선을 사회복지사업으로, 안전을 경찰의 보호로, 건강과 학습의 증진을 병원, 학교 및 기타 시설의 운영에 더 많은 자금과 인원 할당하는 것으로, 심지어 임종과 죽음을 의사와 장의사의 판단과 지시에 따라 판단하고 있다. 교육뿐만 아니라 사회 현실 전체가 '학교화schooling', '가치의 제도화'가 이루어지고 있고, 그 결과 물질적인 환경 오염, 사회의 분극화와 근대적 빈곤(제도에 의존함으로써 스스로 성취할 수 있는 능력을 상실한 상태), 사람들의 심리적 본능화 등이 초래됨을 지적했다. 그는 학교교육에 대한 대안으로서 사람들의 인간적·창조적·자율적 상호작용을 돕는 학습망을 제안했다. 학습망은 국가나 시장이 아닌 시민사회가 주도할 때 실현 가능하다.

일리치와 사상적·학문적 배경을 달리하지만 능동적인 지역사회의 참여와 역량 강화, 밑으로부터의 '사람 중심의 발전', '변혁적transformational'이란 표현을 사용했던 성인학습이론이 있다. 이들은 주로 마르크스주의 전통에 따라 착취와 억압이라는 기존 자본주의 사회의 경제적·정치적·문화적 관계를 근본적 변혁시키고자 한다. 그람시, 프레이리, 겔피, 세 사람이 '변혁을 위한 성인교육'에 기여했다.

마르크스주의 전통을 계승하면서도 이를 넘어서려는 시민사회적 관점의 학습사회이론을 앞서 인용한 바티스트에게서 발견할 수 있다. 그는 '시민답게 책임지는 변화civically responsible change'를 위한 학습사회를 제안하면서 기존의 네 가지 상호 관련된 교육적 실천을 비판적으로 검토했다. 첫째, 가치 있는 정보와 기술에 대한 개인 또는 집단의 접근access theories and programs에 대한 비판이다. 우선, 평생교육에 대한 개인적 접근으로는 대학원 성인교육, 노동력 교육, 성인 문해, HRD, 전문계속교육 등이 있다. 이들은 교육기회의 확대를 강조하나, 학습자와 제도 사이에 존재하는 이해관계의 갈등, 결핍 등에 대한 인식을 결여했다. 한 학습자 또는 조직의 이해관계가 다른 학습자나 조직의 희생 위에 충족될지도 모른다는 사실을 전혀 고려하지 않았다. 가치 있는 정보와 기술을 평등하게 분배함으로써 사회적 불평등을 완화할 수 있다고 생각한다. 다음으로, 평생교육에 대한 집단 접근 프로그램으로 다문화 교육, 적극적 평등 프로그램affirmative action program을 들 수 있다. 이 입장에 선 어떤 이들은 누구의 정보, 기술이냐에 관계없이 소외집단들의 정보, 기술에 대한 접근을 강조하고, 여성주의자들와 친아프리카 학자들은 지배계급이 만든 정보와 기술에 대한 접근뿐만 아니라 이보다는 지배 문화에 반대하는 입장의 정보를 산출하는 데 더욱 관심을 갖는다. 그러나 이 접근은 게토화ghettoization의 위험성을 지닌다. 뿐만 아니라 각 집단이 자신의 가치(권력, 영향력)의 증진에만 관심을 기울여 공동선을 간과한다.

둘째, 자기 증진 이론 및 프로그램theories and programs emphasizing self-improvement에 대한 비판이다. 이 입장에서는 앞의 접근이론과 달리 단지 정보나 기술에 대한 접근뿐만 아니라 신체적 · 인지적 · 심리사회적 · 정서적 · 영적 변화를 추구한다. 물론 입장에 따라 인간 변화의 여러 측면 중 무엇을 강조하느냐가 다르다. 예컨대 메지로J. Mezirow의 관점전환학습이론은 지적 전환을 중시한다. 그러나 이 입장은 공적 책무성에 대한 관심 미흡으로 인해, 관점의 전환이 인간 조건의 향상에 기여한다고 장담할 수 없다.

셋째, 비판이론/비판교수학critical theory/pedagogy에 대한 비판이다. 비판이론 및 교수학은 자기 증진 이론에 공공의 책무성을 덧붙인다. 그러나 책무성을 학급이나 기관 내 학생, 교사 및 스태프의 행위와 그 결과에 한정한다. 더 넓은 범위의 영향력 있는 사회적 집단과의 협력을 시도하지 않는다. 교육내용, 평가방법의 결정에서 학생의 선택권 증진을 강조할 뿐 "어떤 학생이 가치 있는 정보에 접근하고 어떤 학생은 그렇지 못한지, 그러한 접근이 어떻게 해서 사회에 이익이나 해가 되고 있는지"를 묻지 않는다. 유익하다고 여겼던 지역적 행위가 더 넓은 맥락에서 유해할 수 있음을 간과했다.

넷째, 비판적 의식화 이론과 프로그램critical consciousness theories and programs에 대한 비판이다. 비판적 의식화 프로그램은 앞의 세 가지 접근의 긍정적 요소들을 통합했다. 교육적 접근과 자기증진을 증대시키고 공적 책무성을 강화한다. 덧붙여 더 넓은 사회와의 협력에 공적 협력을 시도한다. 예컨대 프레이리의 실천, 곧 집단적 사회운동 속에서 학습자와 지역사회의 연계를 들 수 있다. 그러나 프레이리의 약점은 그의 인간주의적 성향이다. 그는 자유인에게 절대적 선을 부여한다. 악은 무지나 강제의 결과처럼 여겨진다. 선을 진정으로 아는 사람은 선을 행한다. 교육자의 윤리적 책임은 개인을 계몽하는 일이다. 비판적 의식 발달에서 교육자의 책무를 강조했다. 그러나 프레이리는 자유롭고 비판적으로 의식화된 사람일지라도 사회적으로 무책임하게 행동할 수 있고 또 그렇게 행동함을 간과했다.

바티스트가 말하는 '시민답게 책임지는 변화'는 계몽 이상의 의미를 지닌다. 이는 억압적 세력을 중립화하는 정치적 행위를 요구한다. 프레이리 자신도 이를 인정하지만, 그 자신의 인간주의적 성향으로 그의 이론에서 이 측면이 덜 개발되었다. 비판적 의식의 개발을 공동선을 개발하는 윤리적 책임으로부터 인식론적으로 분리할 필요가 있다. 이는 계몽적 담론뿐만 아니라 탐욕과 악의 세력을 중립화하는 정치적 행위를 요구한다.

3. 평생교육 관련 주요 쟁점

1) 학습사회는 체제인가, 아니면 무체제인가?

사회에 대한 교육학적 접근을 시도할 때 사회 속의 교육을 제도 또는 체제system의 시각으로 다가갈 것인지, 아니면 기능 또는 무체제unsystem 차원에서 접근할 것인지가 하나의 쟁점이다(Faure, 1972: 173-178). 사회변화에 따라 이미 완성된 학교 제도 외에 수많은 학교 외 활동과 기관들이 학교와 유기적 연관 없이 계속 대두하고 있다. 그러나 학교와 학교 밖 교육기관 간 연관이 부족해서 교육받는 개인의 통합적 성장이나 교육기관의 효율성 제고에 어려움을 초래하고 있다. 따라서 체제의 시각에서는 형식적 학교교육과 비형식적 교육 간의 연계를 강조한다. 학교와 학교 외 교육기관을 결합시킴으로써 조화의 결핍을 수정하고자 한다. 이른바 시간life-long과 장소life-wide를 총괄하는 평생교육을 제도화하는 시도라 할 수 있다.

반면에 무체제의 시각에서는 "교육에 대한 요청이 전례 없을 정도로 많은 시대에 필요한 것은 체제가 아니라 무체제unsystem"라고 본다. 왜냐하면 교육은 모든 차원을 총망라하는 전인적 영역으로, 시간적으로나 공간적으로 정체되고 비진화적인 어떤 '체제'의 한계 안에 포함되기에는 너무도 방대하고 복잡하기 때문이다.

2) '교육주의'인가, 아니면 '학습주의'인가?

사회에 대한 교육학적 접근은 체제와 무체제의 문제뿐만 아니라, 이와 연관하여 교육과 학습 중 무엇을 더 우선하고 강조하느냐와 관련된다. '교육주의'는 근대 교육제도를 싹 틔우고 키우고 지켜 온 교육철학으로서, "인간은 개인으로서나 집단으로서나 학습해야 함에도 불구하고 스스로 학습하지 않으므로, 누군가 가르쳐야 한다."는 사고방식을 가리킨다(김신일, 2005). 교육주의는 다음 다섯 가지 기본 전제를 갖고 있다. 첫째, 인간은 백지나 빈 그릇과 같아서, 무엇인가를 그려 넣거나 담아 주지 않으면 가치로운 존재가 되지 못한다. 둘째, 인간사회는 보편적 또는 절대적 가치와 진리에 기초하여 성립되는 것이며, 그 가치와 진리의 실현이 사회의 목표다. 셋째, 학습자는 가르치지 않으면 자력으로 학습하지도, 깨우치지도 못한다. 넷째, 사회는 그에 속해 있는 사람들을 그 사회구성원 또는 국민으로 교육하는 제도적 장치를 만들고 모두를 교육하되, 특히 아동과 청소년기에는 국민 기초교육을 누구에게나 예외없이 실시한다. 다섯째, 사회 또는 국가는 국민을 교육할 권한을 가지며, 국민은 교육받을 의무가 있다. 모든 교육활동은, 국가가 직접 실시하지 않는 경우에 국가가 감독할 권리와 책임을 지닌다.

그러나 이러한 교육주의는 교육내용과 형식의 폐쇄성, 삶과 유리된 학습의 강요, 지배집단 헤게모니의 유지 강화, 학습과 교육의 본말 전도, 교육적 체계를 갖추지 않은 학습활동에 대한 무관심 등을 드러낸다.

반면에 '학습주의'는 인간의 학습능력과 학습자발성을 신뢰하고 존중하며, 주체적 학습활동을 정당화하는 철학이다. 학습주의의 기본 전제는 다음과 같다. 첫째, 인간은 적극적으로 학습하는 동물로서, 학습능력과 함께 학습자발성을 갖추고 있다. 둘째, 학습의 목표는 학습자의 삶에 내재해 있다. 셋째, 교육은 학습을 위한 보조적 활동이다. 넷째, 교육자와 학습자는 상호 학습한다. 다섯째, 국가의 교육제도는 국가가 교육하는 제도가 아니라 학습자의 권리와 자유를 보장하고 보호하는 제도로서 다양하고 풍부한 학습이 가능하도록 다양한 교육활동을 육성ㆍ지원한다. 여섯째, 학습주의는 '열린사회'를 지향한다.

사실 교육에서 가르치는 행위는 배우는 행위로 이양되고 있다. 가르침을 받는 것을 중단하지 않으면서도 개인은 객체로부터 점점 주체가 된다.

> 미래의 학교는 교육을 받는 객체로서의 개인을 자기 자신을 교육시키는
> 주체로 만들어야 한다. 교육을 받는 사람은 자기 자신을 교육하는 사람
> 이 되어야 한다. 다른 사람들을 교육하는 일은 스스로의 교육이 되어야
> 한다. 개인이 자기 자신과 갖는 관계의 이 근본적인 변화는 과학적 · 기
> 술적 혁명시대가 될 앞으로의 수십 년간의 교육이 직면하게 될 가장 어
> 려운 문제가 될 것이다(Faure et al., 1972: 174).

3) 국가의 역할은 교육정책의 집행인가, 아니면 학습지원 전략의 수립인가?

교육과 학습 중 무엇을 우선하느냐의 문제는 국가나 시장의 역할에 대해서도 다
른 견해를 드러낸다. 학습보다 교육을 우선하고 중시하는 입장에서는 정부의 역
할이 정책 결과를 집행하는 데 있다고 본다. 정부는 교육뿐만 아니라 건강, 주거
등의 복지 서비스 제공에 관여한다. 반면에 교육보다 학습을 우선하는 입장에서
는 정부의 정책적 개입을 반대한다. 학습자의 자발성이 살아나도록 하고, 국가의
역할을 직접적인 집행보다 촉진자enabling에 한정한다. 예컨대 국가가 나서서 직접
적으로 교육활동을 전개하기보다 자유수강권 제도voucher schemes를 통해 학습자가
자신의 교육 요구에 걸맞은 학습 프로그램을 선택할 수 있도록 지원하고자 한다.
아울러 면세tax breaks 등 시장에 대한 전략적 개입을 지지한다. 이 점이 지나칠 경
우, 자유시장 원리에 입각한 '신자유주의' 이데올로기라고 비판받기도 한다.

제9장

교육복지의 주요 쟁점

우리나라에서 교육복지는 1995년 문민정부가 발표한 5·31 교육개혁의 비전에서 출발했다. 누구나, 언제, 어디서나 원하는 교육을 받을 수 있는 열린 교육 체제를 구축하여, 모든 국민이 자아실현을 극대화할 수 있는 '교육복지국가edutopia'를 만든다고 선언했다(교육개혁위원회, 1996). 이후 1997년 외환위기를 거치면서 사회 양극화 및 빈곤의 대물림에 대한 생산적 복지 정책의 일환으로서 취약계층에 대한 교육의 기회보장과 질 높은 교육서비스가 강조되었다. 교육복지는 2004년 '참여정부 교육복지 5개년 계획'으로 더욱 종합적이고 구체적인 모습을 드러냈다. 이후 이명박 정부는 교육복지 15대 핵심과제를, 박근혜 정부는 3대 중점 추진과제를 발표하며 교육복지 정책을 지속적으로 추진해 오고 있다.

교육복지란 용어를 사용한 지 20년 이상이 되었고, 교육복지 정책을 본격적으로 추진한 지도 15년 가까이 되어 가는데도 불구하고, 교육복지 정책의 이론적 기반인 교육복지 개념은 불분명하고, 실천적 기반인 교육복지법 역시 제정되지 않은 상태다. 국회의안정보시스템에 따르면, 17대 국회부터 20대 국회까지 '교육복지투자우선지역지원법안', '교육격차해소법안', '교육복지법안', '농산어촌교육복지특별법안', '학교사회복지법안' 등의 이름으로 총 10개의 법안이 제안되었다. 그중 이인영, 이주호, 권영진, 임해규, 김영진, 이주영, 김세연 의원 등이 각각 공동발의한 9개 의안은 임기만료로 폐기되었고, 2016년 8월 22일에 전재수 의원 등 21인이 제안한 '교육격차 해소를 위한 법률안'이 소관위에 접수된 상태로 남아 있을 따름이다(국회의안정보시스템, 2018년 2월 기준). 다만 교육복지지원사업은

2011년 개정한「초중등교육법」제28조(학습부진아 등에 대한 교육)와 동법 시행령 제54조에 근거하여 추진 중이고, 해당 재원은「지방교육재정교부금법 시행규칙」제4조의 2 별표 1에 근거하여 마련되고 있다.

여기에서는 교육복지의 개념 및 교육복지법을 둘러싼 이론적 · 실천적 쟁점을 교육복지의 개념 정의, 교육복지의 대상, 내용 및 접근방법, 교육복지의 주체 등으로 나누어 정리함으로써 오늘날 교육복지를 둘러싼 오해를 줄이고 향후 교육복지 정책 추진 과정에서 교육계 안팎의 합의를 도출하는 데 작은 도움이 되고자 한다.

1. 교육복지란 무엇인가?

토론 주제

"교육복지우선지원사업에서 무엇보다 중요한 것은 교육취약계층 아동을 위한 예산 확보와 물적 지원이고, 다음으로 중요한 것은 교육취약계층 아동에 대한 사례관리이다. 참여 학생들 개개인의 교육적 성장은 우선적 관심사가 아니다."라는 주장에 대해 생각 나누기

교육복지의 실행 주체 설정, 교육복지의 정책 과제 발굴, 그리고 교육복지의 성과 평가 등을 생각할 때 교육복지에 대한 개념 정립은 매우 중요하다. 하지만 교육복지 개념에 대한 합의는 아직 이루어지지 않고 있다. 어떤 이는 교육복지를 사회복지의 한 부분으로 보고(한만길 외, 2000), 어떤 이는 교육 그 자체가 복지이므로 교육복지와 교육을 동일하게 바라보기도 하며(이기범, 1996), 어떤 이는 교육을 지원하기 위한 부가적 활동(김정원 외, 2008)으로 교육복지를 바라본다. 교육과 복지의 상호 보완적 차원에서 교육복지를 바라보려는 견해(박주호, 2014)도 있다. 뿐만 아니라 우리나라의 경우 진보진영과 보수진영 간 이념적 대립으로 정치, 경제, 사회, 문화 등 제반 여건에 비추어 우리나라 실정에 적합한 교육복지 모형

을 정립하기가 쉽지 않은 상황이다. 그럼에도 불구하고 여기서는 교육복지 개념을 교육과 사회복지의 상호 보완적 관계로 접근하고자 한다.

'교육복지'는 교육과 사회복지의 합성어이다. 사회복지에 방점을 두는지, 아니면 교육에 방점을 두는지에 따라 그 의미가 달라진다. 사회복지는 일반적으로 말하면 인간의 '삶의 질' 제고에 관심을 둔다. 그리고 인간의 삶은 의식주 등 인간의 기본적 조건과 정치적 안정, 육체적 · 정신적 건강, 노동을 비롯한 경제활동, 교육 및 문화생활 등 다양한 분야에 걸쳐 전개된다. 우리나라 법률체계에서는 사회복지보다 사회보장이란 용어를 사용하고 있다. 「사회보장기본법」에서 "사회보장은 모든 국민이 다양한 사회적 위험으로부터 벗어나 행복하고 인간다운 생활을 향유할 수 있도록 자립을 지원하며, 사회참여 · 자아실현에 필요한 제도와 여건을 조성하여 사회통합과 행복한 복지사회를 실현하는 것을 기본 이념으로 한다."라고 정의하고 있다. 또 「국민기초생활보장법」은 "생활이 어려운 사람에게 필요한 급여를 실시하여 이들의 최저생활을 보장하고 자활을 돕는 것을 목적"으로, 생계급여, 주거급여, 의료급여, 교육급여, 해산解産 급여, 장제葬祭 급여, 자활급여 등을 제공한다. 이런 맥락에서 교육복지는 인간의 자립과 자활을 돕는 사회복지의 여러 영역 중 한 부분일 따름이다.

한편 「헌법」 제31조 제1항은 "모든 국민은 능력에 따라 균등하게 교육을 받을 권리를 가진다."라고 규정한다. 「교육기본법」에 따르면, "교육은 홍익인간弘益人間의 이념 아래 모든 국민으로 하여금 인격을 도야陶冶하고 자주적 생활능력과 민주시민으로서 필요한 자질을 갖추게 함으로써 인간다운 삶을 영위하게 하고 민주국가의 발전과 인류공영人類共榮의 이상을 실현하는 데에 이바지하게 함을 목적"으로 한다. 또 모든 국민이 교육기본법에서 말하는 "인격을 도야하고 자주적 생활능력과 민주시민으로서 필요한 자질을 갖추"기 위해서는, 현재의 고통을 감수하는 훈육의 과정이 필요하다. 먼 미래의 인간다운 삶을 위해 지금 당장 가시적으로 보이는 '행복하고 인간다운 생활'을 포기할 때가 있다. 교육의 본질에는 사회복지나 사회보장의 가치로 환원할 수 없는 부분이 있다. 교육 그 자체의 노력 없이는 교육의 가치를 제대로 구현할 수 없다. 이 입장에서는 교육복지를 사회복지의 일부분으로 간주하지 않는다. 오히려 교육복지는 모든 국민들이 교육의 가치를 구현하도록「교육기본법」에서 말하는 학습권, 곧 "평생에 걸쳐 학습하고, 능력과 적성에 따라 교육받을 권리"를 제공하는 것에 더 가깝다.

이처럼 교육복지라는 개념에는 사회복지와 교육의 속성 모두가 내포되어 있다. 어느 한쪽만으로 교육복지의 전부라 말하기는 곤란하다. 따라서 박주호(2014)는 교육복지 서비스의 유형에 '교육활동 지원'(예컨대 대상자의 읽기, 쓰기, 말하기 능력, 수리계산능력 부족 등 기초지식 습득과 관련된 보충학습 제공)과 '교육여건 지원'(예컨대 학교급식 지원, 학비 지원)을 모두 포함시킨다. 그에 따르면 학교사회복지란 교육복지 중 교육활동 지원이 아닌 교육여건 지원 부문만을 가리킨다.

2. 누가 교육복지의 수혜 대상인가?

토론 주제

"교육복지우선지원사업에서 소득과 관계없이 다문화가정 학생을 지원하는 것은 저소득층 학생이나 일반학생에 대한 역차별 아닌가?"라는 주장에 대해 생각 나누기

1) 선별적 교육복지인가, 보편적 교육복지인가?

교육복지의 대상과 관련해서는 우선, 교육복지가 교육여건이 상대적으로 취약한 교육소외집단을 대상으로 하는지, 아니면 절대적으로 교육의 최소한에 이르지 못한 모든 국민을 대상으로 하는지에 대한 논쟁이 있다. 전자는 교육복지를 '상대적 격차의 해소'로 바라본다. 이른바 선별적 교육복지의 관점으로서 교육여건의 상대적 격차를 줄이는 일에 관심이 있다. 교육복지를 교육기회의 불평등, 교육소외, 교육취약집단 등의 해소, 곧 사회복지의 하위영역으로 바라볼 가능성이 높다. 하지만 교육의 본질적 의미에 접근하는 데 한계를 지닌다. 반면에, 후자는 교육복지를 '최소한의 절대적 수준의 보장'으로 인식한다. 교육에 참여하는 모든 구성원

들의 교육적 욕구를 충족시키고 잠재능력을 최대한 계발하는 여건 조성에 관심이 있다. 여기서 말하는 교육소외란 상대적 개념이 아니라, 정상적 교육기회를 통해 자신에게 필요한 학습경험을 갖지 못함으로써 정상적 성장의 길을 걷지 못하고 삶의 질이 향상되지 못하는 것을 가리킨다. 교육의 투입뿐만 아니라 교육의 과정과 결과에 이르기까지 인권, 학습자의 학습권 등을 중시한다. 하지만 이 관점은 최소한의 교육이 보장된 뒤에 따라오는 교육여건의 격차 문제를 간과한다.

　　이와 관련하여 정동욱(2011)은 교육복지의 대상 선정에서 상대적 격차의 해소와 최소한의 절대 수준의 보장 양자 모두를 고려할 필요가 있다고 보았다. 앞서 소개한 것처럼 우리나라의 「헌법」, 「교육기본법」 등은 원칙적으로 모든 국민을 교육복지의 대상으로 삼고 있다. 그만큼 모든 국민을 대상으로 교육복지 정책을 수립 집행해야 한다.

2) 저소득층 학생인가, 학업부진 등 사회적 배제 학생인가?

둘째, 교육복지 대상과 관련하여 지난 10여 년간 제안된 교육복지 관련 법안들은 유감스럽게도 자원의 한정성을 고려하여 모든 국민이 아닌 교육복지의 우선 지원 대상을 명시했다. 이인영 의원안(2006. 11. 10.)은 '저소득층, 장애학생, 외국인자녀, 학업중단학생'을 명시했고, 임해규 의원안(2008. 12. 5.)은 '학습부진아, 학교부적응 학생, 신소외계층학생(다문화가족 자녀 등)'을 제시했다. 그렇다면 교육복지의 우선지원 대상을 어떤 기준으로 선정할 것인가?

　　교육복지의 우선지원 대상은 이제껏 교육적으로 배제되거나 소외되어 왔던 사람들이다. 소득, 문화, 지역, 성, 연령, 인종, 장애 중 어느 하나의 요인 때문에도 '낮은 학업성취도'를 보이는 사람을 교육복지 수혜 대상으로 선정할 것인가, 아니면 전통적으로 교육에 가장 큰 영향을 미친다고 여겨지는 '소득 수준'만을 가지고 교육복지 수혜 대상을 선정할 것인가? 어떤 이들은 교육격차를 발생시키는 가장 큰 요인이 소득이므로, 교육복지우선지원사업과 관련하여 "소득과 관계없이 다문화가정 학생을 지원하는 것은 저소득층 학생이나 일반학생에 대한 역차별"이라고 주장하며 교육복지를 저소득층에 한정해야 한다고 본다.

- 예) 한국경제연구원 이진영 연구원에 따르면, 부모의 소득 수준에 따라 교육 지원이나 대학 진학률이 달라진다. 월평균 소득 100만 원 미만 가구의 월평균 교육비는 5만 원인 반면에 월평균 소득 600만 원 이상 가구는 52만 원에 달했다. 민인식 경희대 교수와 최필선 건국대 교수가 2004년 당시 중3 학생 2,000명을 10년간 추적 조사해 발표한 논문 "한국 세대 간 사회계층 이동성에 관한 연구"에 따르면, 4년제 대학 진학률이 소득 상위 20% 가정은 68.7%인 반면 하위 20%는 30.4%에 그쳤다(한국교육신문, 2017. 4. 21.).

반면에 교육복지 우선 지원대상자를 앞의 이인영 의원, 임해규 의원처럼 저소득층뿐만 아니라 다른 변수들을 고려해야 한다는 주장도 있다.

- 예) 2008년 권영진 의원 발의 교육복지법(안)의 취지문: "사회적·경제적 격차가 심화되면서 빈곤층을 포함한 교육취약계층이 확대되고, 교육기회의 불평등이 심해지고 있는 실정입니다. 이를 위해 농어촌 및 도시 저소득 지역을 교육복지투자우선지역으로 정하고, 기초생활수급자와 다문화가족 학생 등 교육취약계층 학생의 비율이 높은 학교를 교육격차해소우선학교로 지정하는 등 교육복지 증진을 위한 법안입니다."
- 예) 한국경제연구원 이진영 연구원에 따르면, 다문화 학생 3분의 1은 수업 내용을 이해 못 하고 학업중단율도 중학생(1.08%)의 경우 일반 중학생(0.33%)의 3배가 넘는다. 탈북학생의 학업중단율도 일반 학생의 3배다(한국교육신문, 2017. 4. 21.).

최근 유럽 국가들은 사회복지 정책에서 우선지원 대상 선정 시 전통적인 '빈곤' 대신에 '사회적 배제social exclusion'라는 준거를 사용하기 시작했다. 경제적 빈곤의 해소만으로 사회적 약자들의 삶의 질이 달라지지 않음을 인식했기 때문이다. 사회적 약자들은 경제적 빈곤과 함께 신체적 건강, 정서적 안정, 심리적 자존감, 인지적 발달, 사회적 인간관계, 사회적 지지, 심지어 영성 등 여러 면에서 적지 않은 문제에 직면하고 있다. 한마디로 사회적으로 배제된 삶을 살고 있다. 그러므로 유럽 사회에서는 사회적 약자들에게 사회적 배제란 개념을 가지고 총체적 · 맞춤형적 접근을 시도했던 것이다. 그렇다면, 교육복지 관련 우리 사회에서 배제된 학생은 누구인가?

- 예) EBS의 어느 프로그램에서는 태어난 지 4년 정도된 퇴역 군견이 일반가정에서 반려견으로 살아갈 때 군견 시절 '학습된 무기력'으로 인해 주인과의 관계에서 어려움을 겪는 사례를 소개했다. 그 TV 프로그램은 단지 먹여주고 데리고 사는 데 그치지 않고, 개의 본성을 회복하고 활발하게 살아가도록 도움을 주는 프로젝트를 진행했다. 그 결과, 그 군견은 최소한 한 마리의 개로서 행복감을 느끼며 반려견으로서 주인과 함께 잘 살 수 있었다.

3) 소외된 학생 개인인가, 이들이 밀집한 학교인가?

셋째, 교육복지 정책의 대상을 교육적으로 소외된 개인으로 할 것인지, 아니면 이들이 밀집해 거주하거나 재학하고 있는 특정 지역이나 특정 학교 등으로 할 것인지에 대한 논쟁이 있다. 미국은 1965년대 연방 초중등교육법을 제정하여 가정 수입이 극히 낮은 학생을 대상으로 직접적인 재정 지원을 통해 교사들의 전문능력 향상, 교수학습 자료와 교육 프로그램 지원 자원 확보, 학부모의 교육참여 촉진 등을 모색했다. 재선에 성공한 레이건 정부는 1988년 교육복지 관련 규정을 개정하여 저소득층 학생 개개인 지원에서 저소득학생(무상급식 대상) 비율이 75% 이상인 학교를 지원하는 것으로 지원방식을 바꿨다. 학교 내 저소득층 학생을 지원하여 그들을 구별하기보다는 학교 전반의 지원을 통해 누구도 지원받을 수 있도록 하는 것이 더 효과적이라는 판단에서였다(윤창국, 2010).

지난 10여 년간 제안된 우리나라의 교육복지법안들 모두—이주호 의원안(2005. 8. 29.), 이인영 의원안(2006.11.10.), 권영진 의원안(2008. 11. 14), 임해규 의원안(2008. 12. 5.), 전재수 의원안(2016. 8. 2.)—가 우선지원학교, 우선지원지역 등을 지정하여 예산을 집행할 것을 제안했다(김수홍, 2017). 우리나라에서 추진 중인 교육복지우선지원사업은 2011년에 개정된「초중등교육법」제28조(학습부진아 등에 대한 교육)와 동법 시행령 제54조에 근거하여, 학습부진아 등이 밀집한 학교에 대해서는 교육·복지·문화 프로그램 등을 제공하는 사업, 학습부진아 등에 대해서는 진단·상담·치유·학습지원 프로그램 등을 지원하는 사업을 실시하고 있다.

한편 제주특별자치도교육청의 경우, 2018학년도부터 교육복지우선지원사업을 폐지하고 '제주형교육복지모델'을 설정하여 제주도 내 전체 학교를 대상으로 교육복지사업을 추진 중에 있다.

3. 오늘날 한국사회에서 교육의 최소한은 어디까지인가?

토론 주제

- "고교무상교육 주장은 포퓰리즘이다."라는 주장에 대해 생각 나누기
- 초중등교육의 산출의 최소한과 관련하여 '기초학력 보장'과 '유의미한 학습경험' 중 어느 것을 강조할 것인가? 최근 국가는 초등학교의 학업성취도평가를 없앴고, 일부 지역교육청은 모든 초등학교에서 객관식 시험을 폐지한다고 선언했다. 과연 이런 조치는 국가의 모든 국민의 '기초학력 보장'이라는 가치를 구현하는 데 도움을 주는지에 대해 생각 나누기

교육복지는 소득 간, 지역 간, 문화 간, 성이나 인종, 연령 간 상대적 교육격차의 해소뿐만 아니라, 해당 사회가 생각하고 기대하는 교육의 '최소한'을 충족시키는 일이기도 하다. 다만 교육의 최소한은 해당 사회가 교육복지 비용을 얼마나 지출할 수 있는지를 가늠하는 경제적 능력, 교육복지 예산의 규모와 분배의 우선순위를 결정하는 정치적 메커니즘, 시민사회 또는 마을공동체 내에 존재해 왔던 교육 안전망의 정도, 그리고 해당 사회구성원들의 교육복지 정책에 대한 사회적 합의 등 시대적 배경에 따라 달라질 수밖에 없다.

- 예) "(우리나라에서) 취약계층 지원을 위한 예산은 지난 2013년 2조 4000억 원에서 2015년 2조 2000억 원으로 되레 줄었다. 누리과정, 무상급식 등 보

편적 복지에 밀린 탓이다" (한국교육신문, 2017. 4. 21.).

- 예) 오늘날 우리 사회는 교육기회의 평등과 관련하여 유아 대상의 누리과정에 이어 고교 무상교육뿐만 아니라 고교 무상급식, 국립대학 무상교육까지 거론되고 있다. 또 최근에는 교육결과의 평등 차원에서 장애인 평생교육, 문해교육 등에 대한 법률과 조례 등이 제정되었다.

1) 우리나라 교육에서 최소한의 투입은 무엇인가?

고등교육, 성인교육, 장애인교육, 유아교육 등은 차치하고서라도 학생 대상 초등등교육에서 국가 또는 지방자치단체가 초중등교육의 투입, 과정, 산출 등에서 책임져야 할 교육의 최소한은 어디까지인가? 우선, 교육의 투입 차원에서는 국가가 책임져야 할(했던) '무상교육의 범위, 학급당 학생 수, 교사의 자격, 형평성equity과 관련한 교육재정' 등을 들 수 있다.

- 예) 덴마크의 교육제도는 크게 기초교육, 후기중등교육, 고등교육으로 대별된다. 기초교육(9년)은 의무교육이고, 공립학교의 경우 무상이다. 사립학교에 약 14% 정도의 학생이 다니고 있으며, 운영비의 75% 안팎의 정부보조가 이루어지고 있고, 학부모의 납부 비율은 그리 높은 편이 아니다. 후기중등교육(9/10~12학년)과 고등교육(전문대학 2년, 종합대학 5년, 단과대학 3년 반 과정)은 의무교육은 아니지만 무상으로 이루어지고 있다(윤성현, 2013).

2) 우리나라 교육의 과정에서 최소한은 무엇인가?

교육의 과정에서 최소한의 기준은 '수업의 질, 교육과정, 학생에 대한 공정한 처우 등'을 들 수 있다. 최소한 절대적 수준의 합당한 수업이 누구에게나 제공되어야 하고, 국가가 법으로 명시한 교육과정을 충실히 수행하여, 모든 학생에게 국가 교육과정을 최소한의 절대적 수준을 제공할 수 있어야 한다.

3) 우리 나라 교육의 산출에서 최소한은 무엇인가?

초중등교육의 산출의 최소한과 관련해서는 '학업성취도, 최소 수준의 교육성취를 보장하기 위한 최소한으로 필요한 교육재정의 확보adequacy' 등을 들 수 있다. 그리고 최소 수준의 학업성취 또는 교육성취를 '기초학력'과 '유의미한 학습경험' 중 어느 것을 강조할 것인지에 대한 검토도 요구된다.

- 예) 최근 한국 정부는 초등학교의 학업성취도평가를 없앴고, 일부 지역교육청은 중학교에서조차 지필평가를 실시하지 않겠다고 선언했다. 과연 이런 조치는 교육복지 관점에 비추어 정당한 것인가?
- 예) 덴마크의 2006년 개정법은 학생에 대한 누적평가에 초점을 맞추었다. 공립기초학교에서의 기말고사가 의무화되었고, 필수적 국가시험이 도입되었다(윤성현, 2013).

4. 교육복지의 집행과정에서 국가는 가족의 사적 영역에 어디까지 개입할 것인가?

토론 주제

국가의 자녀 양육비 지원에서 "어린이집 등 양육시설 이용비를 가정 내 양육 지원비보다 상대적으로 더 많이 책정한 것은 보육시설 활성화 차원에서 당연하다."라는 주장에 대해 생각 나누기

복지사회는 '탈상품화'와 '계층화'라는 기준에 따라 자유주의 복지국가, 조합주의 복지국가, 사회민주주의 복지국가로 구분 가능하다(Esping-Andersen 저, 박시종 역, 2007). 여기서 탈상품화란 "어떤 국가가 그 사회 구성원으로 하여금 시장에 의존하지 않고도 적절한 수준의 인간다운 삶을 영위할 수 있도록 기본적 서비스를 시민권의 일부로 제공하는 정도"를 가리키고, 계층화란 "사회불평등 구조에

개입하여 이를 교정하고자 하는 메커니즘"을 가리킨다. 이때 유의할 점은 국가의 사적 영역에 대한 개입의 정도 및 개입의 방식이다.

1) 사회민주주의 복지국가의 모형

스웨덴과 같은 사회민주주의 복지국가는 탈상품화의 원칙이 취약계층뿐만 아니라 중산층에까지 확대 적용된 사회다. 개인이 시장과 가족에 의존하지 않고 홀로 자립할 수 있는 사회적 조건의 구축을 강조한다. 또한 국가가 이민자 및 장애인 대상 통합교육, 아동보육 등에 적극 개입하는 부의 재분배 차원의 복지제도를 실시하여 계층화의 정도가 높다. 형평성 제고를 위해 '연대성solidarity'을 강조함으로써 국가의 시적 영역에 대한 개입이 강한 편이다.

- 예) 최근 한국은 국가의 자녀 양육비 지원에서 "어린이집 등 양육시설 이용비를 가정 내 양육 지원비보다 상대적으로 더 많이 책정했다. 즉, 보육정책을 복지정책(저소득층의 양육비 부담 완화, 보육시설의 활성화)뿐만 아니라, 경제 · 사회정책(기혼여성 노동력 확보, 가사노동으로부터 일터로 끌어 오기), 인구정책(저출산 문제 완화) 등으로 접근했다. 다만 가족의 자녀교육 역량을 강화하는 가족정책이나 가족의 교육적 기능을 강화하는 교육정책으로는 접근하지 않았다고 해석할 수 있다. 곧 아동 보육에서 가족보다 국가의 역할을 중시한 강한 계층화 정책이었다.

2) 조합주의 복지국가의 모형

독일, 덴마크 같은 조합주의 복지국가 역시 연대성을 바탕으로 탈상품화의 수준은 사회복지 정책을 추진하나, 사회보험을 통해 직업군별, 계층별로 다른 종류의 복지급여를 제공하기 때문에, 복지제도를 통해 계층화를 기대하기는 어렵다. 형평성 제고를 위한 연대성뿐만 아니라 하위 조직의 자율성에 대한 '보조성subsidiarity'을 강조함으로써 국가의 복지적 개입은 가족의 구성원에 대한 부양능력 소진 때에 한정한다. 전통적인 가족의 자율적 역할을 중요하게 여기기 때문이다.

- 예) 1855년 덴마크의 학교법에서도 부모가 아이를 공립학교에 보낼 의사가 없을 경우에 관계 부처에 합리적 근거를 제시하고 의무교육을 면제받을 수 있었다. 이는 국가가 의무교육제도를 통해 가정에 무분별하게 개입하는 데 대해서 국가의 독점을 거부하고 학부모의 권리를 좀 더 확보하기 위한 것이었다(송순재 · 고병헌 · 카를 K.에기디우스, 2010: 19-20).

3) 자유주의 복지국가의 모형

미국과 같은 자유주의 복지국가는 저소득층에게만 최소한의 공공부조를 제공하고, 노동윤리 규범이 강해 복지 의존을 최소화한다. 국가 제공 복지에 의존도가 높은 빈곤층과 비빈곤층 간의 계급정치적 이중구조가 나타난다. 다만 교육이 계층 간 불평등의 완화 수단으로 작동한다고 믿는다. 따라서 미국과 같은 사회는 계층화가 낮아 사적 영역의 자율성을 강조하고, 국가의 국민의 사생활에 대한 개입은 집단별로 차이가 있어 탈상품화 역시 약한 편이라 할 수 있다.

교육복지 사업은 사회 양극화가 가속화하는 상황에서 국가가 나서서 약화된 가정과 지역사회의 교육공동체 기능을 돕기 위해 시작한 것이다. 그러나 공동체주의(연대성) 이념에 입각해서 사회 양극화에 따른 위기의 아동 · 청소년에 대한 국가의 지원을 지나치게 강조하면, 가정이나 지역사회 등 시민사회의 자생력이 축소돼 지역공동체의 교육 안전망 기반이 오히려 붕괴할 소지가 있다. 그렇다고 해서 자유주의(보조성) 이념에 따라 가능한 한 국가의 역할을 축소하고 모든 것을 시장의 기능에 내맡겨 둘 때 허약한 가정과 지역사회가 교육공동체로서 뿌리를 내리지 못하고 사회 양극화가 가속화할 우려가 있다. 따라서 교육복지 사업에서는 국가의 지원(연대성)과 가정 및 지역사회의 자생력(보조성)이 균형과 조화를 이룰 필요가 있다.

5. 교육복지의 주체는 누구인가?

토론 주제

"교사로 하여금 방과 후 학교나 방과 후 돌봄 등의 업무를 맡도록 하는 정책은 교사 본연의 교육활동을 방해하는 것"이라는 주장에 대해 생각 나누기

1) 행정기관과 시민사회의 협력

우선, 교육복지의 주체를 단지 행정기관에 한정할 것이 아니라 시민사회 영역으로 확대할 필요가 있다. 사실 자녀 양육의 책임은 일차적으로 부모에게 있다. 하지만 현실적으로 자녀양육에 형제, 조부모 등 가족 공동체가 참여하고 있다. 전통적으로는 이웃, 마을 주민 등 마을 공동체 전체가 아이를 키우는 데 동참했다. 산업화 이후 지역 공동체가 약화되고 정부의 사회적 역할이 커지면서 자녀 양육 역시 상당 부분 국가의 법, 제도 및 정책 등에 의존하게 되었다. 이후 시장 경제의 역할이 축소되고 정부의 역할마저 충분치 않은 상황에서 제3부문이 하나의 대안으로 떠올랐다.

- 예) 최근 지역사회를 단위로 공동육아 공간이 잇따라 만들어지고 있다. 공동육아뿐만 아니라 노인부양 등에 참여할 수백만 명의 자원활동가를 확보할 필요가 있다. 이 자원활동가들의 노동시간을 확보하려면, 두 집단의 욕구가 충족되어야 한다. 첫째, 시장 부문에 취업하고 있는 사람들이 산업의 자동화로 늘어난 자신들의 여가 시간을 제3부문에 투자하도록 인센티브를 제공하는 것이다. '자원활동에 대한 그림자 임금'을 법제화하는 것이다. 자선 기부한 돈을 세금공제 하듯이, 봉사활동에 쓴 시간만큼 세금을 공제하는 것이다. 예컨대 교육복지 관련 자원봉사자에게 공영주차장 주차권이나 지역화폐를 제공하는 것이다. 둘째, 산업의 자동화, 노동의 종말에 의해 초래된 영구 실업자들이 제3부문에서 유의미한 공동체 노동을 할 수 있도록 입법화하는 것이다. 즉, 이웃 간 우애와 지역 인프라를 재건하는 '공

동체 서비스에 대한 사회적 임금'을 법제화하는 것이다. 클린턴 대통령이 1993년에 설립한 아메리코르프스는 졸업 후 2년간 자원봉사자로 교육, 환경, 인간 욕구 또는 공공 안전 분야에 복무한다는 조건으로 수천 명의 미국인 학생에게 수업료와 생활비를 지급했다. 제3부문의 강화가 교육복지의 사회성에 대한 인식을 제고하고, 특히 기성세대의 참여를 독려할 수 있다.

자원봉사자들로 이루어지는 양육은 종종 유급 전문가들보다도 훨씬 좋은 결과를 낳는다. 흔히 소수의 전문가들과 다수의 자원봉사자들의 결합은 서비스에 필요한 전문성과 애정의 이상적인 조화를 제공한다(Rifkin 저, 이영호 역, 2005: 333).

2) 중앙정부와 지방정부의 협력

둘째, 교육복지 담당 행정기관 역시 중앙 단위에 한정하지 않고 지역으로 확산한다. 이때 지역단위는 어느 수준의 행정단위까지 확산할 것인지를 정해야 한다.

- 예) 2008년 권영진 의원 발의 교육복지법(안): 교육과학기술부장관은 이 법에 따른 사업이 원활하게 추진될 수 있도록 우선적으로 예산을 지원하여야 하며, 교육격차해소우선학교 지원사업 · 다문화가족 학생에 대한 지원사업 · 교육복지투자우선지역 지원사업을 「지방교육재정교부금법」에 따른 기준재정수요액의 측정항목에 반영해야 한다.

3) 지역사회의 문화적 전통 존중

셋째, 지역사회의 주민과 단체들이 교육복지에 관여할 때, 지역의 문화적 맥락에 대한 고려가 필요하다. 세대 간 문화 차이가 발생하는 상황에서 양육자는 양육되는 아동의 문화적 맥락은 물론 양육자 자신의 문화적 배경에 대한 자각을 바탕으로 보육 활동에 임해야 할 것이다. 곧 양육에 미치는 문화적 요인에 대한 인식이 필요하고, 이를 적극 활용할 필요도 있다.

- 예) 제주 전통사회는 자녀 양육에 대해 독특한 문화를 지니고 있다. 자녀 양육 관련 제주의 속담을 살펴보면 다음과 같다(고재환, 2001). "애기 한 게 와시, 말 한 장제." "뚤은 어멍 피 물엉난다." "장항광 어린 아인 실려사 좋나." "줌년 애기 낭 사을이민 물에 든다." "줌녀 애긴 일뤠 만에 아귀것 멕인다." "글 배우렌 ᄒᆞ난 개 잡는 걸 뷉나." "말 테우리보다 ᄉᆞᆷ 테우리가 더 어렵다."

4) 교육, 복지, 문화, 노동 분야 활동가들 간의 협력

넷째, 중앙이나 지역에 교육복지 지원 체제를 마련할 때, 교육 외에 복지, 문화, 노동 등의 부서를 포함, 상호 연계 체제를 구축할 필요가 있다.

- 예) 방과 후 학교를 아동을 단지 보호하거나 학교교육을 보충하는 공간에 그치지 않고, 아동의 '학습권'을 바탕으로 아동들이 독립적으로 사고하고 창조적으로 일하며, 자신의 목표 달성을 위해 힘을 쏟고, 경계를 넘어 다른 이들과 팀을 이룰 수 있는 능력을 배양하는 의미 있는 학습공간(Larson, 2003)으로 전환하기. 또한 방과 후 학교를 학교교육의 연장이 아니라 학교교육의 역기능을 해소하는 대안 학습의 장으로 만들기. 특히 입시 위주의 교육 안에서 창의적이고 전인적 성장에 어려움을 겪는 한국의 학생들에게 '쉼터'와도 같은 기능을 발휘하기. 세계화에 따른 이주민의 증가 속에서 이주민 자녀들과 정주민 학생들이 다양한 문화적 교류를 통해 '문화 민주주의'를 학습하기(Suarez-Orozco, 2003). 지역 정체성이 약화된 시대에 '지역문화학습 공간'(Comier, 2009)으로 자리 잡기(김민호, 2014b).

참고문헌(7, 8, 9장)

고재환(2001). **제주 속담 총론**. 서울: 민속원.

교육개혁위원회(1996). **신교육체제 수립을 위한 교육개혁 보고서**. 교육개혁위원회.

국회의안정보시스템 http://likms.assembly.go.kr/bill/main.do.

김금수(1988). **노동교육의 발전과 노동교육의 임무. 한국노동교육협회. 노동조합의 길**. 1. 서
　　울: 도서출판 한결, 5-14.

김기석(편)(1987). **교육사회학 탐구**. 서울: 교육과학사.

김민호(1991). 안토니오 그람시의 교육론. **제주교육대학 논문집 제20집**, 7-19.

김민호(1993). 비행문화와 청소년 비행－제주지역 보호관찰소년의 경우를 중심으로－. **제
　　주교육대학 논문집 제25집**, 49-70.

김민호(2003). 지역운동 속의 성인학습에 관한 연구－제주시 화북주공아파트 운동을 중심
　　으로－. **평생교육학연구**, 9(2), 21-46.

김민호(2005). 사회운동과 성인학습. 김신일 · 박부권(편저). **학습사회의 교육학**. 서울: 학
　　지사, 363-399.

김민호(2014a). **세월호 참사에 부쳐: 애도를 넘어 성찰로**. 수원시평생학습관 평생학습 아카
　　이브 와(2014. 5. 13.).

김민호(2014b). 한국과 미국의 방과 후 학교 운영 및 지원체제 비교. **초등교육학연구**,
　　27(1), 1-28.

김민호(2014c). 지역개발 반대운동에 참여한 지역주민의 시민성 학습: 밀양 송전탑과 강정
　　해군기지 반대 운동 사례. **평생교육학연구**, 20(4), 1-30.

김수홍(2017). 교육복지 실현을 위한 법적 검토. **법학연구**, 제52집, 57-84.

김신일(2005). '학습주의' 관점에서 본 현대교육제도의 문제. 김신일 · 박부권(편저). **학습
　　사회의 교육학**. 서울: 학지사, 13-37.

김신일(2009). **교육사회학**(제4판). 서울: 교육과학사.

김정원 외(2008). **교육복지정책의 효과적 추진을 위한 법 · 제도 마련 연구**. 한국교육개발원.

김종철(1981). 식민주의의 극복과 민중. R. 자하르 · 김종철(저). **프란츠 파농 연구: 파농 이
　　데올로기의 비판**. 서울: 도서출판 한마당, 133-162.

김학로(1985). Gramsci의 혁명전략 연구－진지전을 중심으로－. **서울대학교 석사 학위
　　논문**.

박용헌(1973), **사회적 행동과 학습**. 서울: 교육출판사.

박주호(2014), **교육복지의 논의: 쟁점, 과제 및 전망**. 서울: 박영스토리.

백은순·최일선(2010). **제6차 세계성인교육회의(CONFINTEA VI) 의미와 결과**. 한국평생
　　　교육학회 학술포럼(2010. 1. 22. 평생교육진흥원).

송순재·고병헌·카를 K.에기디우스(공편)(2010). **위대한 평민을 기르는 덴마크 자유교육**.
　　　서울: 민들레.

유팔무·김동춘(1991). 비판의식 형성과 사회변혁운동. 한국산업사회연구회(편). **한국사
　　　회와 지배이데올로기-지식사회학적 이해**. 서울: 녹두, 385-406.

윤성현(2013). **북유럽의 교육복지 관련 법제에 관한 비교법적 연구-덴마크-**. 한국법제연
　　　구원.

윤창국(2010). 미국 교육복지정책의 변화: 1960년대 이후 초중등교육법 제1편을 중심으
　　　로. **비교교육연구**, 20(4), 203-226.

이규호(1975). **사회화와 주체성**, 서울: 익문사.

이기범(1996). 복지사회와 교육: 자유, 평등, 공동체를 위한 교육복지. **교육학연구**, 34(2),
　　　21-48.

이안희·김민호(2014). 제주지역 필리핀계 결혼이주민 자녀의 문화적 정체성. **한국다문화
　　　교육학회 2014 국제학술대회 논문집** (2014. 5. 8.-10, 한양대학교), 343-351.

이종각(1997). **교육인류학의 탐색**(수정증보판), 서울: 도서출판 하우.

이종각(2005). **새로운 교육사회학 총론**(개정증보판). 서울: 동문사.

이종태(2007). **대안교육 이해하기**. 서울: 민들레.

장상호(1994). 또 하나의 교육관. 이성진(편). **한국 교육학의 맥**. 서울: 나남, 291-326.

장상호(1997). **학문과 교육(상)-학문이란 무엇인가**. 서울: 서울대학교출판부.

정동욱(2011). **교육복지정책의 쟁점과 추진방향 연구**. 한국인적자원연구센터.

조용환(1997). **사회화와 교육**. 서울: 교육과학사.

진원중(1974). 사회교육의 개념. 진원중 외(편). **사회교육의 제 문제(한국교육문제총서#6)**.
　　　서울: 주식회사 능력개발, 13-60.

한국교육신문(2017). 교육복지법 제정해 희망사다리 놓자. 2017. 4. 21.

한만길 외(2000). **21세기 교육복지발전방안연구**. 한국교육개발원.

허병섭(1987). **스스로 말하게 하라-한국 민중교육론에 관한 성찰**. 서울: 한길사.

Abdallah-Pretceille, M. (1999). *L'education Interculturelle*. P.U.F 장한업(역). (2010).
　　　유럽의 상호문화교육: 다문화 사회의 새로운 교육적 대안. 서울: 한울아카데미.

Abdallah-Pretceille, M.(2012). Intercultural education as educational practice and ethi-
　　　cal reflection. 한국다문화교육학회(편). *Diversity, Equity & Excellence in Educa-
　　　tion* (2012 한국다문화교육학회 국제학술대회 발표논문집).

Althusser, L. (1972). Idelogy and ideology state apparatus—notes toward an investigation. In B. R. Cosin (ed.). *Education: structure and society*. London: Open University Press, 242-280.

Archer, D. (1985). Social deviance. Lindzey, G. & Aronson, E. (ed). *Handbook of social psychology. vol. II: Special fields and applications*. New York: Random House, 743-804.

Ballantine, J. H. (2001). *The socilology of education: a systematic analysis* (5th ed.). Pearson Education, Inc. 김경식 · 이병환(역). (2005). **교육사회학**. 서울: 교육과학사.

Baptiste, I. (2006). Beyond lifelong learning: a call to civically responsible. In Jarvis, P. (ed.). *From adult education to the learning society*. London: Routledge, 429-439.

Berger, P. L. & Luckman, T.(공저). 박충선(역). (1982). **지식형성의 사회학**. 서울: 홍성사.

Blau, P. M. & Duncan, O. D. (1967). *The American occupational structure*. John Wiley.

Bourdieu, P. & Passeron, J. (1977). *Reproduction in edcuational society and culture*. Sage Publication.

Bowles, S. & Gintis, H. (1976). *Schooling in capitalist America: Educational reform and the contradictions of economic life*. 이규환(역). (1986). **자본주의와 학교교육**. 서울: 사계절.

Brookfield, S. D. (1983). *Adult learners, adult education and community*. Milton Keynes: Open University Press.

Coffield, F. (ed.). (1997). *A national strategy for lifelong learning*. Newcastle upon Tyne: University of Newcastle Department of Education.

Coleman, J. S. et al. (1966). *Equality of educational opportunity*. Washing D.C.: US Department of education.

Coleman, J. S. (1990). *Equality and achievement in education*. Boulder: Westview Press.

Comier, M. S. (2009). Understanding learning in a community-based afterschool program: An analysis of local and institutional influences. Unpublished Ph. D. dissertation, University of Wisconsin-Madison, USA.

Coombs, P. (1968). *The world educational crisis*. Oxford University Press.

Dreeben, R. (1977). The contribution of schooloing to the learning of norms. *Harvard*

Educational Review, 37(2), 211–237.

Durkheim, E.(저). 이종각(역). (1978). **교육과 사회학(교육신서#66)**. 서울: 배영사.

Esping-Andersen, G.(저). 박시종(역). (2007). **복지 자본주의의 세 가지 세계**. 서울: 성균관 대학교출판부.

Ewert, D. M. & Grace, K. (2000). Adult education for community action. Wilson, A. et al. *Handbook of adult and continuing education* (New Edition). San Francisco: Jossey-Bass Inc., 327–343.

Faure, E. et al. (1972). *Learning to be: the world of education today and tomorrow*. Paris: UNESCO. 오기형 · 김현자(공역). (1975). **인간화 교육**. 서울: 일조각.

Feinberg, W. & Soltis, J. F.(저). 고형일 · 이두휴(역). (1990). **학교와 사회**. 서울: 풀빛.

Feinberg, W. & Soltis, J. F. (1992). *Approaches to teaching*. New York: Teachers College Press. 이지헌(역) (1994). **가르치는 일이란 무엇인가?** 서울: 교육과학사.

Freire, P.(1970). *The Pedagogy of the oppressed*. 성찬성(역). (1979). **페다고지**. 서울: 한 국평신도사도직협의회.

Friedman, M. (1962). *Capitalism and freedom*. Chicago: University of Chicago.

Gibson, R.(저). 이지헌 · 김회수(역). (1989). **비판이론과 교육**. 서울: 성원사.

Hart, M. U. (1992). *Working and educating for life*. London: Routledge.

Hoare, Q. & Smith, G. N. (1971). *Selections from the prison notebooks of Antonio Gramsci*. NewYork: International Publishers. 이상훈(1986). 그람시의 옥중수고 I: 정치편. 서울: 거름.

Griffin, C. (2001). From education policy to lifelong learning strategies. Jarvis, P. (ed.). *The age of learning*. London: Kogan Page, 41–54.

Illich, I. (1970). *Deschooling society*. Harper & Row, 황성모(역). **탈학교의 사회(삼성문 화문고 #115)**. 서울: 삼성미술문화재단.

Karabel, Jerome & A. H. Halsey (eds.). (1977). *Power and Ideology in Education*. New York: Oxford University Press. 최희선(역). (1983). **교육의 사회적 구조와 이데올로 기**. 서울: 교육과학사.

Kirpal, P. N. (1976). Historical Studies and the Foundations of Lifelong Education. Dave, R. H. (ed.). *Foundations of lifelong education. Unesco Institute for Education*. Oxford: Pergamon Press, 97–128.

LaBell, T. J. (1976). *Nonfomal education and social change in Latin America*. Los Angelses: UCLA Latin America Center Publications.

LaBelle, T. J. (1986). *Education and theories of social change. Nonformal Education in Latin America and the Caribbean: stability, reform, or revolution?* New York: Praeger, 41–58.

Larson, R. (2003). Afterschool education: a global perspective. Noam, G. G. et al. *Afterschool education: approaches to an emerging field.* Cambridge: Harvard Education Press, 103–106.

Lengrand, P. (1970). *An introduction to lifelong education.* Paris: UNESCO Press.

Lovett, et al. (1983). *Adult education and community action—adult education and popular social movements.* London: Croom Helm.

Mayo, M. (1997). *Imaging tomorrow.* Leicester: NIACE.

Mouffe, C. (1979) "Hegemony and Ideology in gramsci", Mouffe, C. (ed), *Gramsci & Marxist Theory*, London: RKP.

OECD/CERI (2001). *Scenarios for the future of schooling(ch.3). What schols for the future?* OECD, 77–98.

Ogburn, W. F. (1922). *Technology and culture.*

Parsons, T. (1959). The school class as a social system: some of its functions in American society. *Harvard Educational Review*, *29*(fall), 297–318.

Paulston, R. G. & LeRoy, G. (1975). Strategies for nonformal education. *Teachers College Record*, *71*, 569–596.

Peters, R. S.(저). 이홍우(역). (1980). **윤리학과 교육**. 서울: 교육과학사.

Polanyi, M. (1967). *The Tacit dimension.* University of Chicago Press.

Putnam, R. D. (2000). Thinking about social change in America(chapter I). *Bowling alone: the collapse and revival of American community.* Simon & Schuster.

Reed, D. (1981). *Education for building a people's movement.* Boston: South End Press.

Rifkin, J.(저). 이영호(역). (2005). **노동의 종말**. 서울: 민음사.

Sewell, W. H. & Hauser, R. M. (1975). *Educaion, occupation, and earnings: achievement in the early career.* New York: Academic Press.

Smith, M. K. (1997). A brief history of thinking about informal education. *The encyclopedia of informal education.* www.infed.org/thinkers/et-hist.htm

Smith, M. K. (2001). Social capital. The encyclopedia of informal education. www.infed.org/biblio/social_capital.htm

Suarez-Orozco, M. M. (2003). Globalization and the democratic space: why what happens after school matters. Noam, G. G. et al. *Afterschool education: approaches to an emerging field*. Cambridge: Harvard Education Press, 97–102.

UN(2000). Globailzation and cultural diversity. UN Millennium Forum 중 '**문화**'**에 대한 고찰**(2000. 2. 28., Barcelona).

Wallace, A. F. C. (1956). Revitalization movement. *American Anthropologist*, *58*, 264–281.

Willis, P. (1977). *Learning to labor: how working class kids get working class jobs*. New York: Columbia University Press. 김찬호 · 김영훈(역). (1989). **교육현장과 계급재생산: 노동자 자녀들이 노동자가 되기까지**, 서울: 민맥.

교육행정학과 교육정책

고 전

제10장
교육행정과
교육행정학의 이해

1. 교육행정에 대한 오해와 이해

1) 학교에 대한 행정기관의 임무(지도·감독) 측면

오해 1: 교육부와 교육청은 학교를 늘 지휘 · 통제만 하는 기관인 것 같다.

왜 이러한 오해가 생겼을까? 교육행정기관은 학교에 대하여 행정권한, 즉 인사, 재정, 교육과정에 관한 지도 · 감독권을 행사하도록 권한을 부여받은 공공기관이기 때문이다. 이 행정권한은 법률에 근거하여 국민 공교육을 위하여 위임된 합법적 공권력이다.

교육제도와 그 운영에 관한 기본적인 사항을 정한 교육기본법教育基本法 역시 교육당사자[1]의 일원인 국가 및 지방자치단체의 역할에 대하여 "국가와 지방자치단체는 학교와 사회교육시설을 지도 · 감독한다."(§17)고 규정하고 있다. 즉, 교육부는 국가를 대표하고 시 · 도교육청은 지방자치단체를 대표하는 공익의 대변자로서 학교가 법령대로 이를 행하고 있는지를 행정 영역에서 지도하고 감독하는 역할을 부여받고 있다.

자주와 자율을 특징으로 하는 교육활동이 공공행정으로 다루어지는 것은 그

---

1) 교육기본법상 교육당사자란, 학습자, 보호자, 교원, 교원단체, 학교설립 · 경영자, 국가 및 지방자치단체로 규정되어 있다.

활동 자체가 공공성이 지녀서가 아니다. 즉, 집단 교육, 나아가 국민 의무교육이라는 합의에 기초한 공교육의 공공성에 따른 것이다. 즉, 원래 '교육'과 '학습'은 개인적으로는 지극히 사적私的인 목적에 의한 배움 활동이었다. 그러나 오늘날 공교육 체제의 도입에 따라 모든 국민의 교육기본권으로서 균등하게 보장하여야 할 공적인 영역이 되었다. 모든 국민이 의무적으로 이수해야 한다는 점에서 국민공통 공교육의 의무교육과정은 교육에 대한 공적 관리 요청을 필연적으로 불러왔고, 그 의무를 교육행정기관인 교육부와 교육청이 부여받게 된 것이다.

공적 관리의 방식이란 법률에 근거하여 교육 및 제도(법치행정), 직업공무원 제도(교육공무원)에 기초하며 국가 수준에서는 교육부, 지방자치단체에서는 교육청을 교육행정 당사자로 하고 있음을 의미한다. 그런데 학교행정에서는 학교 내부 구성원(교장, 교감, 교사, 직원, 학생) 및 학부모와 지역사회도 당사자에 해당한다.

교육행정 기관의 역할이 학교를 지도·감독한다고 할 때, 이것은 학교에 대한 일방적 지휘하거나 통제하는 것을 의미하지 않는다. 나아가 교육행정가는 이들 당사자 간의 합리적인 의사결정과정을 이끌어 내는 역할을 하여야 한다. 게다가 교육행정기관은 인사행정과 재무행정 이외에 교육과정 행정(국가교육과정의 관리)을 수행하는 특징을 갖는다.

이 점에서 교육부와 교육청이 학교에 대하여 갖는 '지도·감독' 기능은 일반 상급 행정기관이 하급 행정기관에 대하여 갖는 지휘·통제 기능이라기보다는 학교의 자율적·자주적 운영을 도와주기 위한 조성·지원 활동으로 이해되어야 할 것이다.

이해 1: 교육부와 교육청은 학교 자율운영을 조성·지원하는 기관이어야 한다.

2) 교육행정기관과 학교와의 위상 관계 측면

오해 2: 교육부와 교육청은 학교의 상급기관으로 군림하려 드는 것 같다.

초등학교를 졸업한 모든 사람의 기억 속에는 교육청에서 장학사님이 학교에 오시는 날은 학생은 청소하고 인사하기 바쁘고 담임 선생님은 공개수업 준비로 긴장되는 기억으로 남아 있을 것이다. 학교가 교육청의 상급 감독기관이고 교육부는 그 위라는 인식이 형성되는 순간이기도 하다. 정말 그들은 학교 위에 군림하도록 되어 있는가?

교육부와 교육청은 교육정책을 통해 학교에 큰 영향을 미친다. 학교의 교육과정을 결정하는 것은 교육부 장관(교육부 고시)으로시 학교교육과정을 결정하고, 시·도교육감은 지역실정에 맞도록 이를 운영할 책임을 진다. 학교의 인사 및 재정에 대하여 교육행정기관이 결정한다는 점에서도 그렇다. 강력한 영향력을 행사하는 것은 분명하다.

특히 교육감은 교원의 임용권을 대통령 및 장관으로부터 위임받아 강력한 인사권을 행사하기도 한다. 그러나 교장 및 교원의 인사권을 교육감이 행사한다고 하여 교육행정기관이 학교를 일방적으로 지배하거나 군림하는 위치에 있는 것은 아니다. 다만, 국민의 교육기본권 실현을 위해 인사관리라는 역할분담을 법에 근거하여 수행하고 있을 뿐이며 대부분 자의적 판단보다는 교원의 근무경력, 근무성적, 연수성적 등 능력의 실증에 의하여 법적 절차를 거쳐 행하게 된다.

또한, 지방교육자치 및 학교자치의 진전에 따라 중앙 및 지방교육행정기관에 의하여 단위 학교에 대한 일방적인 지배가 가능하지도 않을뿐더러, 교원들 및 학교구성원의 의식 역시 동등한 교육당사자로서 인식되고 있다. 현직 교원들은 피라미드형의 위계구조를 갖는 다른 일반 공공기관 구성원들과는 달리 교원들 사이에 평등의식이 매우 높아 위계 조직의 성격이 상대적으로 약하다.

교육청에도 교육과정 행정에 대한 전문성을 보강하기 위하여 교원 경력자로 교육전문직[장학사(관) 및 교육연구사(관)]를 충원하게 하여 교육행정에 중추적 역할을 분담하고 있다. 교육청과 학교 간의 이러한 인적 연계 및 교류 측면에서 볼 때에도 군림하고 굴종하는 관계로 보는 것은 잘못된 편견이라고 할 수 있다.

그럼에도 여전히 학교 현장에서는 교육청을 학교 위에 군림하는 상급기관으로 인식하는 경향이 있는 것 또한 사실인데, 이는 학교 교장을 비롯하여 교원들의 인사권과 학교시설·설비와 연관된 교육재정 배분에 관한 영향력을 교육행정기관에서 행사하고 있는 것에 기인한다고 할 수 있다.

오늘날 학교와 교육행정기관은 지배를 하거나 군림을 하는 관계가 아니라 오히려 학교의 다양한 교육 요구에 적극적이고 신속하게 응답할 책무를 지는 입장이라고 할 수 있다. 비록 한국의 오랜 중앙 집권적인 통치구조(대통령제 전통)와 관료주의적 행정문화로 인하여 상급기관이라는 인식이 있는 것도 사실이다.

그러나 더욱 바람직한 양자의 관계는 합리적인 교육정책 결정을 위하여 교육당사자로서 대등하게 '상호협력'하고 '역할분담'하는 관계로 보아야 한다.

이해 2: 교육부 · 교육청 · 학교는 교육당사자로 역할분담 · 상호 협력하여야 한다.

3) 교육행정기관의 궁극적인 존재 이유 측면

오해 3: 교육부는 장관을 위해, 교육청은 교육감을 위해 존재하는 것 같다.

장관과 교육감은 매년 새로운 교육정책과 사업을 발표하고 그 직원들은 방안을 강구하기에 여념이 없다. 그 결과, 학교는 정책의 대상이 되고 사업 결과를 보고하기에 분주해 보이기도 한다. 실제로 학교 현장 교사들은 새로운 개혁방안이나 정책의 보급보다 자신들이 가르치는 일에 전념할 수 있도록 잡무에 가까운 행정 업무를 경감하여 달라는 요구를 가장 많이 하여 왔다.

물론 교육행정기관은 학교교육기관의 유지를 위해 기본적인 인사 · 재무 · 조직관리를 지도 · 감독하는 기관이다. 그러나 그 권한의 행사는 국민의 교육기본권을 실현하는 데 기여할 때에만 존재할 의미를 지닌다. 공익의 대변자로서 장관과 교육감의 책임도 막중하지만, 그 권력은 국민과 주민으로부터 나오기 때문이다.

주민직선제가 도입된 후 선출된 교육감들은 공약사항을 이행한다는 명분으로 교육청에서 여러 새로운 교육정책 및 사업을 시행하게 된다. 그 결과, 구성원과 학교 현장의 교사들은 개혁에 따르는 피로감을 자주 호소한다. 그러나 어느 경우라도 정책이든 공약이든 최종적으로는 교원과 학생에게 최적의 교육환경과 조건을 조성하여 국민과 주민이 교육기본권 보장에 실익이 있도록 하는 것이 우선이다. 공약을 위한 공약, 재선再選을 위한 정책이 우선시된다면 이는 목적과 본말이 전도된 것이다.

　　교육부는 장관의 자리보전을 위하여, 교육청은 교육감의 재선을 위하여 존재하는 기관이 아니다. 장관은 전체 국민의 교육기본권이 균등하게 보장될 수 있도록 조정자 역할을 하여야 하며, 교육감은 지역주민이 치한 나름의 환경에서 그들의 교육기본권이 구체적으로 실현될 수 있도록 조정자 역할을 하여야 한다.

**　　이해 3: 교육부·교육청은 국민·주민의 교육기본권 실현을 위해 존재하여야 한다.**

2. 교육행정의 핵심 개념 및 가치

1) 교육행정이란

『교육학 대백과사전』(서울대학교 교육연구소 편, 1998: 816)에 따르면, 교육행정은 "인간이 교육활동을 수행하면서 그 활동을 합리적으로 관리·운영하고 조직적으로 지원·발전시키려는 노력과 활동들을 통칭하는 것"으로 정의된다.

　　원로 교육행정학자 김종철(1982: 19) 역시 일본과 미국학자의 교육행정 정의[2]를 참고하여 "교육활동의 목표를 설정하고 그 목표 달성에 필요한 인적·물적 조건을 정비 및 확립하고 목표 달성을 위한 활동을 지도 감독하는 것"으로 유사하게 정의했다.

　　무엇보다도 교육행정은 교육활동을 돕는다는 점에서 자체가 목적이 아닌 수단으로서 속성을 지닌다. 핵심 내용인 인적 조건으로는 교원의 선발과 임용, 학생

---

2) 이 견해는 일본의 교육행정학자 안도 다까오(安藤 堯雄)의 정의를 그가 수정하여 준용한 것으로, 시카고 대학의 캠벨(R. F. Campbell) 교수가 교육행정을 "학습활동에 대한 목표와 정책의 수립을 조성하고 학습활동을 위한 계획을 발전시키고 학습활동에 필요한 인원과 물자를 획득하고 관리하는 것"이라고 정의한 것과 유사하다(김종철, 1982: 19 재인용).

선발·교육·이수, 직원인사 활동이 있고, 물적 조건으로는 교육시설·설비·교육재원의 확보와 조달 등을 들 수 있다. 교육과정의 조성은 인적조건과 물적 조건을 아우르게 된다.

한편, 교육행정은 교육법의 시행 자체만을 의미한다기보다는 행정이 형성되고 집행되며 평가와 환류되는 전 과정에 걸쳐 있다는 점에서 교육당사자^{敎育當事者}들 간의 합의의사결정과정^{合議意思決定過程}이 무엇보다 중시된다. 정부 정책의 수립과정, 의회의 견제 과정, 교육감 및 교육위원회 위원의 선임 및 학교운영위원회 구성 과정도 마찬가지다.

지금까지의 논의를 종합하면, 학교교육에서 교육행정이란 "학교교육과정에서 제시된 교육목표 달성에 필요한 인적·물적 조건을 조성해 가는 합리적인 협동행위 과정"을 의미한다. 그 인적·물적 조건의 핵심적인 내용은 학생의 선발과 지도, 교원의 충원과 인사관리, 그리고 각급 학교 교육과정의 관리라고 할 수 있다.

2) 교육행정의 특성

교육행정이 갖는 일반적 특성은 장기적 투자를 요하고, 성과가 비가시적^{非可視的}이며, 따라서 비생산적^{非生産的}이며 비긴요하고 비긴급한 성격으로 알려져 있다. 그 결과 국회 및 지방의회 예산 심의 과정에서 여러 투자 영역 중에서 우선순위에서 밀려나기도 한다.

동시에 균등한 교육여건의 조성을 위하여 전국 1만여 초중등학교와 50만여 명의 교원에 대한 균등한 조치를 위하여 막대한 재원이 소요된다는 점에서 예산 항목을 추가하기가 쉽지 않은 반면, 삭제에 따른 삭감 효과가 크다는 점에서 예산 삭감의 대상이 되기도 한다.

한편, 교육당사자 집단의 이해관계가 복잡하게 얽혀 있고, 교육문제는 전 국민, 전 지역에 미치는 파급효과를 지닌 만큼 계획에서 실행 및 평가에 이르는 행정과정에서 구성원의 합의의사결정을 이끌어 내기가 어려운 것이 특징이다.

3) 교육행정의 영역

교육행정의 영역 구분은 법규, 업무, 기능, 교육영역, 학교급, 행정단계 등에 따라 다양하게 구분되기도 하나, 행정단계에 따라 중앙·지방·학교 단위로 교육행정 영역을 구분하는 것이 가장 일반적이다.

〈표 10-1〉 **교육행정의 영역 분류**

분류기준	영역의 분류
법규	중앙 정부(교육부 장관) 및 지방자치단체(교육감) 관할의 행정 활동
업무내용	기획, 조직, 교육내용, 장학, 학생학사, 교직원 인사, 재무, 시설, 사무관리, 평가, 홍보
기능	관리행정과 지도행정(일반 행정의 지시·감독보다 지도·조언 강조)
교육영역	학교교육행정과 사회교육행정 및 평생교육행정
학교급별	유아교육·초등교육·중등교육·고등교육행정
행정단계	중앙교육행정, 지방교육행정(지방교육자치제도), 학교교육행정(학교자치제)

4) 교육행정이 추구하는 가치와 원리

교육행정이 추구하는 가치는 다음 여섯 가지로 제시될 수 있다.

① **타당성**: 교육목표 달성에 적합한 행정이어야 한다는 것을 의미한다.
② **민주성**: 의사결정으로 영향받는 당사자를 행정과정에 참여시키는 것을 말한다.
③ **능률성**: 투자 대비 최대의 산출이라는 경제적 능률 이외에도, 구성원의 실질적인 만족도 증진이라는 사회적 능률 측면도 포함한다.
④ **적응성**: 사회 및 구성원의 요구의 변화에 능동적으로 대처해야 한다.
⑤ **안정성**: 예측 및 실현 가능하며 일관성 있는 정책을 수립하고 지속해야 한다.
⑥ **균형성**: 민주성·능률성 간, 적응성·안정성 간의 균형과 조화를 추구한다.

교육행정의 전 과정을 통하여 지켜져야 하는 원리는 다음과 같다.

① **기회균등**機會均等의 원리: 헌법 제31조 제①항에 규정된 바와 같이, 교육행정은 국민의 능력에 따른 균등한 교육기회의 보장에 기여해야 한다.

② **법치행정**法治行政의 원리: 헌법 제31조 제⑥항에 규정된 바와 같이, 교육행정은 법규에 의거하고 법규가 정하는 범위 내에서 이루어져야 한다. 이는 합헌성合憲性 및 합법성의 원리라고도 할 수 있다.

③ **교육조리**敎育條理 존중의 원리: 헌법 제31조 제④항에 규정된 바와 같이, 자주성自主性 · 전문성專門性 · 정치적 중립성 · 대학의 자율성 보장 등은 모든 교육법이 담고 교육행정이 실천해야 할 교육조리이다.

④ **적도집권**適度集權의 원리: 중앙 집권과 지방 분권 사이의 최적最適의 균형점을 찾아 능률성과 민주성 간의 균형을 도모하는 원리를 말한다.

5) 현대 교육행정의 경향

① **행정력의 강화**: 행정입법 및 행정통제가 강화되고 있고, 교육부 역시 교육입법 정책을 주도하고 있다.

② **직무의 전문화**: 전문적 교육활동을 지원을 위하여 교육적 소양과 더욱 높은 전문지식이 요구되고 있다. 교육행정관료들의 등용문인 교육분야 국가고등고시, 교육감 및 교육의원 후보자에게 요구되는 교육경력 요건 등은 그 예이다

③ **효율성과 효과성의 동시 강조**: 경제적 투입 · 산출 비율상의 경제적 효율성은 물론, 교육목표의 실질적 달성도를 중시하는 효과성도 중시된다

④ **교육수요자, 선택 중심의 행정**: 교육자치제도가 확대되고, 학부모 · 시민단체의 영향력이 높아지면서 교육행정은 점차 교육수요자 중심으로 옮겨간다.

⑤ **사회교육 및 평생교육행정의 강화**: 학교교육행정 외에도 평생학습사회에 대비하기 위하여 사회교육 및 평생교육행정 영역이 확대되어 가고 있다.

⑥ **일반 행정과의 연계 강화 추진**: 완전한 분리 · 독립보다는 교육부와 일반 행

정부처 간, 시·도지사 및 지방의회와 교육감 간 연계·협력 행정이 강조된다.

⑦ 국가 발전을 좌우하는 핵심 국정 과제화: 모든 정권에서 교육정책은 국가발전의 주요 아젠다로 인식되고 있고, 1985년부터 시작된 대통령 자문기구 중심의 교육개혁 정책 수립방식은 노무현 정부까지 30여 년 동안 지속된 바 있다.

6) 교육행정과 교육제도 및 교육법

『교육학 대백과 사전』(서울대학교 교육연구소편, 1998: 762)에 따르면, 교육제도란 "교육적인 목적을 실현하기 위한 교육활동의 조직으로서 사회일반으로부터 공인되어 있는 제도"로 정의된다. 김종철(1982)은 교육제도를 "국가 사회의 의도적 교육활동이 특정한 형식과 조직을 통하여 비교적 안정되고 영속적인 형태를 갖추

〈표 10-2〉 **2013학년도 초등학교 학교 개황**(2013. 4. 1. 기준)

구분	초등학교	특징	전체 학교에서의 분포
학교 수	5,913개교 (국 17, 공 5,820, 사 76)	공립학교 98.4%	초중고학교(11,408개교)의 51.8%
학생 수	전체 2,784,000명 학급당 23.2명 교원 1인당 15.3명	여학생(1,335,941명) 48.0% 중학급당 31.7명 고학급당 31.9명 중교원 1인 16명 고교원 1인 14.2명	초중고학생(6,481,492명)의 43.0%
교원 수	181,585명	여교사(139,023명) 76.6%	초중고교원(427,689명)의 42.5%
교장 수	5,875명	여교장(1,095명) 18.6%	중학교 20.0% 고등학교 8.74%

주: 초중고는 초등학교, 중학교, 일반·전문고교 수임, 2013년 학급당 학생 수는 유치원은 21.5명, 초등학교 23.2명, 중학교 31.7명, 일반고 33.6명, 특성화고 27.6명, 특수목적고 25.8명, 자율고 31.5명이다. 교원 1인당 학생 수는 유치원 14.3명, 초등학교 15.3명, 중학교 16명, 고등학교 전체 14.2명이다.

게 된 것"으로 정의하기도 했다.

교육제도는 교육의 목표달성을 위하여 교육법에 근거하여 갖추어진 조직 및 기구와 관련된 시스템을 총칭한다. 동시에 교육제도의 영역은 학교교육과 사회교육, 그리고 이를 조성·지원하는 교육행정 및 재정 제도로 나누어 볼 수 있다(강원근 외, 2010: 93).

교육제도의 유형은 학교교육제도, 사회교육제도, 교육행정제도로 구분할 수 있다. 학교교육제도는 학교제도 또는 학제(學制, school system)로 지칭되기도 한다.

최근 5년 사이의 학교 개황 변화(〈표 10-2〉, 〈표 10-3〉 참조)에서 두드러진 점은 72,615명의 학생 수 감소에도 학교수는 151개교 증가하고, 교원 수 역시 5,099명 증가했다는 것이다. 그 결과, 학급당 학생 수 및 교원 1인당 학생 수는 약 1명 정도 감소하여 교육여건이 개선되는 경향을 보였다. 다만, 이러한 교육여건은 전국 평균에 불과하며, 대도시로의 집중과 농촌 소규모학교의 폐지 문제 상황은 여전하여 도시와 농촌 간 교육여건 간에는 차이를 보이고 있다. 초등학교 여교

〈표 10-3〉 **2018학년도 초등학교 학교 개황(2018. 4. 1. 기준)**

구분	초등학교	특징	전체 학교에서의 분포
학교 수	6,064개교 (국 17, 공 5,973, 사 74)	공립학교 98.5%	초중고학교(11,636개교) 의 52.1%
학생 수	전체 2,711,385명 학급당 22.3명 교원 1인당 14.5명	여학생(1,315,080명) 48.5% 중학급당 25.7명 고학급당 26.2명 중교원 1인 12.1명 고교원 1인 11.5명	초중고학생(5,584,249명) 의 48.5%
교원 수	186,684명	여교사(144,055명) 77.2%	초중고교원(430, 817명) 의 43.3%
교장 수	6,023명	여교장(2,697명) 44.8%	중학교 26.9%, 고등학교 10.9%

주: 초중고는 초등학교, 중학교, 일반·전문고교 수임, 2018년 학급당 학생 수는 유치원은 17.9명, 초등학교 22.3명, 중학교 25.7명, 일반고 27.1명, 특성화고 23.0명, 특수목적고 23.1명, 자율고 28.1명이다. 교원 1인당 학생 수는 유치원 12.3명, 초등학교 14.5명, 중학교 12.1명, 고등학교 전체 11.5명이다.

원(77.2%) 및 여교장의 비율(44.8%)은 꾸준히 증가하고 있다.

　사회교육제도는 과거에는 학교외 교육이나 생애교육으로 혼용되기도 했으나 현재에는 평생교육제도와 같은 의미로 사용되고 있다. 평생교육법에 따르면, 평생교육이란 "학교의 정규교육과정을 제외한 학력보완교육, 성인 기초·문자해독교육, 직업능력 향상교육, 인문교양교육, 문화예술교육, 시민참여교육 등을 포함하는 모든 형태의 조직적인 교육활동"을 말한다. 관련 기관으로는 정책 연구개발기관인 평생교육진흥원이 설치되어 있고, 자치단체에서는 평생학습관이 있기

〈표 10-4〉 **한국의 교육 3법 체제**

영역		관계 조항 및 법규
교육법의 헌법 근거		헌법 제31조: 교육의 기회균등, 의무 무상교육, 교육의 자주성·전문성·정치적 중립성, 대학의 자율성, 평생교육진흥, 교육제도 법정주의
기 본 교 육 법 규	교육 기본법	교육에 관한 국민의 권리·의무, 국가 및 지방자치단체의 책임, 교육제도와 그 운영에 관한 기본적인 사항을 정한 교육법의 헌법
	교육 행·재정 법률	• 교육부와 그 소속 기관 직제 • 지방교육행정기관의 기구와 정원 기준 등에 관한 규정(제주특별자치도는 조례로 위임) • 지방교육자치에 관한 법률, 지방교육자치에 관한 법률시행령 • 교육세법, 지방교육재정교부금법, 기타 교육재정 관계 법규
학교교육법규		• 유아교육법 • 초·중등교육법 • 고등교육법 • 사립학교법 • 학교보건법 • 국립학교설치령, 서울대학교설치령, 한국교원대학교설치령 • 교육공무원법, 교육공무원임용령, 교육공무원승진규정, 교육공무원징계령 • 교원의 노동조합 설립 및 운영 등에 관한 법률 • 교원자격검정령, 교수자격인정령, 교원연수에 관한 규정 • 교원의 지위향상 및 교육활동 보호를 위한 특별법, 동법 시행령 • 공무원연금법 • 장애인 등에 대한 특수교육법 • 영재교육진흥법
사회교육법규		• 평생교육법 • 독학에 의한 학위 취득에 관한 법률, 학점인정 등에 관한 법률 • 직업교육훈련촉진법, 자격기본법 • 도서관 및 독서진흥법 • 학원의 설립·운영에 관한 법률 • 청소년기본법, 청소년보호법, 국민체육진흥법 • 영유아보육법

도 하다. 대학에 부설된 평생교육원 역시 대표적인 사회교육기관이다.

끝으로 교육행정제도로는 국가 수준의 교육행정을 총괄하는 교육부가 있고, 17개 시·도에는 시·도교육청이 설치되어 있으며, 시·도교육청의 하급교육행정기관으로서 전국에 176개의 교육지원청이 설치되어 있다.

한편, 국민의 교육기본권 보장을 위한 중요한 제도 보장책으로서 교육제도는 법률에 근거해야 한다는 것이 '교육제도 법정주의'라는 헌법 정신이다. 그리고 그 법을 시행하는 것이 곧 교육행정이 되는 것이다. 따라서 교육행정제도는 교육제도의 일종이고, 교육제도의 운영은 교육법에 근거한 교육행정 활동에 의하여 현실적으로 나타나는 관계에 있다.

3. 교육행정학의 개관과 한국의 교육행정학

1) 교육행정학이란

교육행정학이란 교육행정 현상과 교육행정 행위에 관한 과학적 이론과 그 적용기술에 관한 종합적이며 논리적인 지식의 체계를 말한다(김종철, 1982: 69). 간단히 표현하면 교육행정에 관한 이론과 기술을 총칭한다.

연구의 대상은 교육활동을 조성하는 다양한 합리적 협동행위의 전 과정이며, 그 연구방법은 교육학과 행정학 간의 간학문적inter-disciplinary이거나 다학문적multi-disciplinary인 다양한 접근방법을 사용한다. 교육행정의 궁극 목적이 교육활동(교육목표달성, 교수학습효과)을 돕기 위한 지원·조성 활동에 있는 만큼, 그 주요 관심사도 제도와 정책에 주목하며, 법규나 재정과 불가분의 관계 속에서 논의된다.

일반적으로 학문disciplines의 성립 요건으로는 독자적인 연구영역·연구방법론·학술활동學會, 學派, 學風 등을 든다. 이런 관점에서 교육행정학의 발달과정과 주요 이론, 그리고 미국과 한국의 교육행정학을 개관하기로 한다.

2) 교육행정학의 성립과 전개과정

(1) 성립 배경 및 성격

교육이 양적으로 팽창됨에 따라 더욱 전문적이고 공공성을 갖춘 관리방식이 요구되었다. 이를 배경으로 교육행정에 대한 더욱 전문적인 이해와 관리기법에 대한 요구가 일게 되었고, 이론화가 진행되었다. 교육행정학은 행정학과 교육학의 연구성과를 바탕으로 접근하는 종합학문적인 성격을 지닌다. 초기에는 행정학 이론 및 실천사례를 교육행정 영역 연구와 조직관리에 적용하는 방식으로 출발되었다.

(2) 미국의 교육행정학

미국의 교육행정학의 발전 과정을 정리하면 다음과 같다(고전, 2006: 26).

- 1812년 뉴욕 주의 교육감 제도 창설로 일반 행정에서 교육행정기능의 독립
- 과학적 관리단계(1910~1930년): 교육행정의 효율성 추구, 과학적 관리기법의 적용(F. W. Taylor)
- 인화강조 시기(1930~1950년): 교육행정의 민주성 추구, 인간관계론, 조직분위기 강조(E. D. Mayo)
- 교육행정이론 발전단계(1950~1970년): 실증적 연구 수행, 지도성 · 동기에 관심, 행동과학적 접근
- 체체론 시기(1970~1990년): 투입, 과정, 산출, 환류로 행정과정 및 학교조직체제 과정을 설명
- 체제론 이후(1990-현재): 상황조건적 접근Contingency Approach, 복잡계론複雜界論, 교사의 지도성

(3) 한국의 교육행정학

한국의 교육행정학에 대하여 개관하면 다음과 같다(고전, 2006: 26).

- 1945년 해방 후: 미국식 교육제도의 이식과 1950년대 교육행정이론의 도입(교육학과 설치)

- 1949년 12월 31일 교육법 제정: 교육제도 법정주의 실현, 그러나 6.25로 시행령은 1953년 제정
- 1953년 서울대학교 교육행정학과, 1960년 서울대학교 교육행정연수원, 1963년 서울대학교 교육대학원 설치
- 1967년 3월 25일 한국교육학회 내 교육행정학연구회 창립(현 한국교육행정학회의 전신)
- 1978년 12월 30일 제주대학교 교육대학원 석사과정(교육행정 전공 등) 설치 인가
- 1999년 11월 19일 제주교육대학교 교육대학원 석사과정(초등교육방법 등) 설치 인가
- 2008년 3월 1일 제주대학교 대학원 박사과정(교육학 내 교육행정 전공) 개설
- 한국교육행정학회(www.kssea.or.kr)의 설립과 현황
  - 1967년 3월 25일 한국교육학회 내 자회로 교육행정학연구회 창립(총회)
  - 1995년 1월 1일 한국교육행정학회로 개칭(1994년 12월 9일 정기총회 의결)
- 학회지 『教育行政學研究』(1983년 12월 창간, 2019년 현재 36권, 연 4회 발간)
- 교육행정 관련 학회: 대한교육법학회, 한국재정경제학회, 한국교육정치학회

제11장

한국의
교육행정 체제와 현황

1. 중앙 · 지방 · 학교 교육행정 체제와 역할 분담

1) 교육행정기관과 학교와의 관계 변화

종래에는 학교는 교육행정기관이 관리하는 대상으로만 인식하는 경향이 있었다. 즉, 교육행정기관은 학교를 법규대로 관리하는 주체인 반면, 학교는 수동적으로 감독을 받는 객체라는 입장이었다. 이는 중앙 집권형 통치구조에서 보이는 전통적인 학교관리체제이기도 하다.

그러나 오늘날 교육행정기관의 기능은 학교 위에 군림하는 것이 아니라 학교를 지원하는 데 초점을 맞춘다. 교육의 자주성과 전문성, 그리고 지역적 특수성을 감안하여 지방교육의 발전을 위하여 1991년부터 본격 실시되고 있는 지방교육자치와 함께 강조되어 온 관점이기도 하다. 교육행정기관은 학교의 행정적 재정적 조성 · 지원활동을 함은 물론, 단위 학교의 교수 · 학습활동을 지원하는 곳으로 기대되고 있다. 2010년 9월 교육청이 교육지원청으로 개칭된 것도 같은 맥락이다.

향후 기대되는 두 기관 간의 관계는 교육청이 학교를 관리 대상이나 지원 대상을 너머 하나의 자치기관으로서 보는 관점이다. 현재 논의되고 있는 학교 단위의 책임운영제School Based Management나 학교자율화 정책 등은 이를 염두에 둔 정책이다. 가장 이상적인 것은 중앙정부와 지방교육행정기관, 그리고 학교 간의 역할 분담이다.

2) 중앙 교육행정기관(교육부)

문교부에서 교육부에 이르기까지 중앙정부에서 교육행정 업무를 담당했던 부처의 명칭 변경 과정을 살펴보면 다음과 같다.

- 1948년 11월 4일 문교부 직제 제정으로 출범(1실 5국 22과)
- 1990년 12월 27일 교육부로 개칭
- 2001년 1월 29일 교육인적자원부로 개칭
- 2008년 2월 29일 교육과학기술부(약칭 교과부)로 개칭(기존의 과학기술부 통합)
- 2013년 3월 23일 교육부로 개칭(기존의 과학기술부는 미래창조과학부로 이관)

장관은 교육에 관한 정책을 수립하고 제반 시책에 관한 종국적인 의사결정의 권한과 책임을 가지고 있을 뿐만 아니라 교육행정 전반에 관하여 최종적인 조정과 통제를 행한다. 정부 18개 부처[1] 중 기획재정부에 이어 서열 2위인 중앙행정관청으로서 교육부령을 발포하고 교육관계 법률 및 대통령령을 입안하며, 소속 공무원과 산하기관에 대한 감독권을 행사한다.

장관은 기획재정부 장관과 함께 양대 부총리로서 국무총리의 명을 받아 정부의 교육 · 사회 및 문화 정책에 관하여 관계 중앙행정기관을 총괄 · 조정하며, 교육부장관으로서는 인적자원개발정책, 학교교육 · 평생교육, 학술에 관한 사무를 관장한다. 2018년 8월 현재 장관, 차관, 3실, 4국 10관 49과(담당관, 팀, 단) 등 총 정원 599명으로 편제되었다.

3) 지방 교육행정기관(시·도교육청과 교육지원청)

한국은 지방 교육행정에서 지방교육자치제도를 근간으로 하고 있는데, 이는 17

---

1) 정부조직법 제26조(행정각부)에 따르면 대통령이 통할하는 행정각부는 1. 기획재정부, 2. 교육부, 3. 과학기술정보통신부, 4. 외교부, 5. 통일부, 6. 법무부, 7. 국방부, 8. 행정안전부, 9. 문화체육관광부, 10. 농림축산식품부, 11. 산업통상자원부, 12. 보건복지부, 13. 환경부, 14. 고용노동부, 15. 여성가족부, 16. 국토교통부, 17. 해양수산부, 18. 중소벤처기업부이다.

개 광역 시 · 도 단위에서 실시되고 있다. 주요 지방교육행정조직은 지방의회 위임형 심의 · 의결기구인 교육위원회와 집행기구인 시 · 도 교육감으로 구성된다. 제주특별자치도는 이미 2006년 도의회 상임위원회로 통합된 바 있고, 15개 시 · 도는 2010년에 7월에 통합되었다. 세종특별자치시 교육위원회는 2012년 7월 1일에 통합형으로 발족되었는데, 교육의원이 아닌 일반의원으로만 구성되었다. 교육감이 있는 시 · 도 교육청을 본청이라 하고, 그 아래 하급 교육행정기관인 시 · 군 · 구 단위의 교육청을 교육지원청이라 칭한다.

2. 지방교육자치제도와 교육의 자주성 · 전문성 보장

1) 지방교육자치제도의 의미와 원리

지방자치란 지역 중심의 지방자치단체가 독자적인 자치기구를 설치해서 그 자치단체의 고유사무를 국가기관의 간섭 없이 스스로의 책임 아래 처리하는 것을 말한다. 교육자치란 교육당사자들의 자주적인 의사결정, 자주적인 참여에 의한 교육이 이루어지는 것을 말하며, 자치단위에 따라 중앙교육자치, 지방교육자치, 학교자치 등으로 구분할 수 있다.

　　지방교육자치란 지방자치와 교육자치를 통합시킨 것으로서 지역적 자치와 영역적 자치가 내포된 개념이다. 즉, 지방분권(단체자치)과 민중통제(주민자치)를 기반으로 한 '행정자치'를 교육의 특수성을 기초로 한 '전문자치'인 교육자치와 결합시킨 것이다.

　　교육의 특수성에 입각한 교육자치는 이 제도가 지향하는 가장 포괄적인 이념적 기초라 할 수 있고, 지방자치(지방교육행정자치)는 그 방법적 기초라 할 수 있다. 지방교육자치는 교육과 교육행정활동에서의 전문적이고 지역적인 교육자치를 모두 포함하는 개념이다. 현대 공교육체제의 특성상 지방교육자치제도의 핵심 내용은 지방교육행정자치로 한정되는 경향이 있다(고전, 2006: 68).

　　지방교육자치의 원리는 지방분권의 원리, 주민통제의 원리, 자주성 존중의 원리, 전문적 관리의 원리가 통설적인 견해이다. 지방분권의 원리와 주민통제의 원리는 지방자치의 이념 및 연원(단체자치와 주민자치)과 관련된 원리이고, 자주성 존중의 원리와 전문적 관리의 원리는 교육자치의 이념 및 특수성(교육의 자주성과 전문성)을 바탕으로 한 것이다. 지방분권의 원리와 자주성 존중의 원리는 지방교육자치기관이 국가 및 지방자치단체의 기관에 대하여 갖는 권한의 위임 및 이양의 범위를 설정하는 준거가 된다. 주민통제의 원리와 전문적 관리의 원리는 권한 부여의 정당성 및 특수성의 근거가 된다.

최근 직선제 도입으로 주민통제가 강화되고, 행정의 능률성의 도모 차원에서 전면적 지방 분권보다는 적도適度, optimal balance 집권의 재조정이 강조된다(고전, 2006: 70).[2]

2) 현행 지방교육자치제도 개요

(1) 2014년 6월까지의 지방교육자치제도의 특징

2010년 9월 1일부터 지방교육자치제는 큰 변화를 겪고 있다. 과거에 지방의회로 위임받아 별도 기관으로 존재하던 교육위원회가 지방의회 상임위원회로 통합되었으며(제주도는 특별자치도 실시와 함께 2006년 도의회 내로 통합), 15개 시·도의 경우 교육의원 선거는 2010년에 처음이자 마지막으로 실시되었다. 2014년에는 제주도를 제외하고 나머지 시·도에서는 폐지되는 이른바 '교육의원 일몰제'가 적용되었다.

---

2) 헌법 제31조 ③ 교육의 자주성, 전문성, 정치적 중립성 및 대학의 자율성은 법률이 정하는 바에 의하여 보장된다.

- 교육기본법 제5조 (교육의 자주성 등) ① 국가와 지방자치단체는 교육의 자주성과 전문성을 보장하여야 하며, 지역 실정에 맞는 교육을 실시하기 위한 시책을 수립·실시하여야 한다. ② 학교운영의 자율성은 존중되며, 교직원·학생·학부모 및 지역주민 등은 법령으로 정하는 바에 따라 학교운영에 참여할 수 있다.
- 지방교육자치에 관한 법률 제1조 (목적) 이 법은 교육의 자주성 및 전문성과 지방교육의 특수성을 살리기 위하여 지방자치단체의 교육·과학·기술·체육 그 밖의 학예에 관한 사무를 관장하는 기관의 설치와 그 조직 및 운영 등에 관한 사항을 규정함으로써 지방교육의 발전에 이바지함을 목적으로 한다.

〈표 11-1〉 2014년 6월까지 한국의 지방교육자치제도 개요

구분		현황
자치 형태		• 일반 자치와 분리 운영하다가 2010년 9월부터는 지방의회 통합형 교육자치
실시 단위		• 전국 16개 시·도 광역 단위(2012년 7월 세종특별자치시를 추가하여 17개 시·도)
교육위원회	성격	• 교육·학예에 대한 위임형 심의기구였다가 의회 상임위원회로 성격 전환
	구성	• 시도 의회 교육위원회 위원은 7~15인으로 구성되어 총 148명(82선거구). • 이 중 교육의원은 각 과반수로 구성되어 총 52명(세종시는 선출하지 않음) • 15개 시도의 경우 교육의원제는 2014년 6월까지만 존속(제주도만 현재 존속)
	교육의원 선출방식	• 2014년부터는 교육의원 직선제를 폐지하고 일반 지방의원으로 대체토록 함(제주도 제외)
	교육의원 자격	• 현재 시·도의회 의원의 피선거권이 있는 자로서 비정당원(후보등록일로부터 과거 1년간), 정수의 1/2 이상은 교육 또는 교육행정경력이 5년 이상일 것(선거 기탁금 300만 원)
	임기	• 4년
	상임위원장	• 위원 간에 호선함(제주도의 경우 교육의원이 상임위원장을 맡는 경우가 많음)
교육감	선출 방식	• 주민 직접선거를 통하여 선출(최초 2007년 2월의 부산광역시 교육감 선거)
	자격	• 시·도지사의 피선거권이 있는 자로서 비정당원(1년 이내) • 선거기탁금은 5,000만 원 • 교육경력 또는 교육행정경력이 3년 이상(양 경력 합산 가능)일 것(제주도는 5년)
	임기	• 4년. 교육감의 계속 재임은 3기에 한함
	성격	• 독임제 집행기관

주: 제주도특별자치도는 15개 시·도보다 4년 먼저 2006년에 전국 최초로 지방의회 통합형 교육위원회제와 주민직선제 교육의원제를 실시한 바 있음. 15개 시·도는 2010년에 통합됨. 교육위원회는 과반수의 교육의원과 일반 지방의원으로 구성됨. 2010년 개정은 교육감 후원회제 및 주민소환제 즉시 도입과 교육경력과 정당제한의 완화, 교육의원 일몰제를 골자로 함.

(2) 2014년 7월부터의 지방교육자치제도의 특징

교육감은 과거와 마찬가지로 주민직선으로 실시되어 선출되었다. 이른바 진보경향의 교육감이 2014년에는 17개 시·도 중 13개 지역(2018년에는 14개 지역)에서 당선되어 개혁적인 성향을 반영했다.

2014년 6월 4일 교육감 선거에서는 교육감의 자격제한을 두지 않았으나 교육경력이 없는 후보가 당선되지는 않았다. 2014년 2월 법 개정을 통하여 7월 이후 실시되는 교육감 선거의 경우, 교육 및 교육행정경력 3년을 요구하고 있다(제주도의 경우는 5년). 투표 방법에서는 '가로열거형 순환배열 방식'을 도입하여 정당과 무관한 선거에서 기호효과(앞 순위의 후보가 유리하거나 번호가 특정 정당을 연상시키는 효과)를 최소화하고자 했다.

그러나 교육위원회 측면에서는 커다란 변화가 있었다. 이른바 교육의원 일몰제 적용에 따라 지방교육자치에 관한 법률상에 교육위원회 조항은 효력을 잃게 되었다. 그 결과, 제주도를 제외한 16개 시·도는 각 지역의 지방의회 구성 및 운영에 관한 조례에 따라서 교육위원회를 구성하게 되었다. 2014년 7월 현재 모두 교육위원회라는 명칭으로 개설되었는데, 구성원은 과거처럼 교육의원이 과반수였던 것과는 달리 전원 일반 지방의원으로 채워지게 되었고, 이전보다 교육위원회 위원 수도 다소 감소하는 경향을 보였다.

제주특별자치도의 경우에는 제주특별자치도법에 근거하여 교육자치를 실시하고 있기 때문에 일몰제의 적용을 받지 않고, 5인의 교육의원을 주민직선으로 선출했고, 4인의 일반 지방의원을 포함시켜 예전과 동일하게 9인으로 교육위원회를 구성했다. 제주특별자치도법상 규정된 교육위원회의 의결 사항은 다음과 같다.

제주특별자치도법 제84조(교육위원회의 의결사항)[3]

① 교육위원회는 제주자치도의 교육·학예에 관한 다음 각 호의 사항을 심의·의결한다.

1. 조례안

---

3) 지금은 삭제된 지방교육자치법상의 교육위원회의 의결사항도 이와 동일했다(제6호와 제7호는 도조례가 아닌 대통령령, 기타 도조례는 시·도조례로, 도지사는 특별시장·광역시장·도지사로 적용했음).

2. 예산안 및 결산

3. 특별부과금 · 사용료 · 수수료 · 분담금 및 가입금의 부과와 징수에 관한 사항

4. 기채안

5. 기금의 설치 · 운용에 관한 사항

6. 도조례로 정하는 중요재산의 취득 · 처분에 관한 사항

7. 도조례로 정하는 공공시설의 설치 · 관리 및 처분에 관한 사항

8. 법령과 조례에 규정된 것을 제외한 예산 외 의무부담이나 권리의 포기에 관한 사항

9. 청원의 수리와 처리

10. 외국 지방자치단체와의 교류협력에 관한 사항

11. 그 밖에 법령과 도조례에 의하여 그 권한에 속하는 사항

② 제1항 제5호 내지 제11호에 규정된 사항에 대하여 행한 교육위원회의 의결은 도의회 본회의의 의결로 본다.

③ 교육위원회 위원장은 교육위원회가 제1항 제5호 내지 제11호의 사항 중 다음 각 호의 어느 하나에 해당하는 의안을 의결하기 전에 미리 도지사의 의견을 들어야 한다.

1. 주민의 재정적 부담이나 의무부과에 관한 조례안

2. 제주자치도의 일반회계와 관련되는 사항

16개 시 · 도의회 내의 교육위원회의 의결사항에 대하여 본회의 의결로 보는 위임형 의결기능을 두는지의 여부는 16개 시 · 도의회 내의 의회 운영에 관한 조례에 정하는 바에 따르고 있다.

(3) 교육감의 사무 관장

교육감은 교육 · 학예에 관한 다음 각 호의 사항에 관한 사무를 관장한다.

1. 조례안의 작성 및 제출에 관한 사항

2. 예산안의 편성 및 제출에 관한 사항

3. 결산서의 작성 및 제출에 관한 사항

4. 교육규칙의 제정에 관한 사항

5. 학교, 그 밖의 교육기관의 설치ㆍ이전 및 폐지에 관한 사항

6. 교육과정의 운영에 관한 사항

7. 과학ㆍ기술교육의 진흥에 관한 사항

8. 평생교육, 그 밖의 교육ㆍ학예진흥에 관한 사항

9. 학교체육ㆍ보건 및 학교환경정화에 관한 사항

10. 학생통학구역에 관한 사항

11. 교육ㆍ학예의 시설ㆍ설비 및 교구教具에 관한 사항

12. 재산의 취득ㆍ처분에 관한 사항

13. 특별부과금ㆍ사용료ㆍ수수료ㆍ분담금 및 가입금에 관한 사항

14. 기채起債ㆍ차입금 또는 예산 외의 의무부담에 관한 사항

15. 기금의 설치ㆍ운용에 관한 사항

16. 소속 국가공무원 및 지방공무원의 인사관리에 관한 사항

17. 그 밖에 당해 시ㆍ도의 교육ㆍ학예에 관한 사항과 위임된 사항

위의 17가지 권한 이외에 교육감이 갖는 가장 막강한 권한은 당해 지역 교장ㆍ교감ㆍ교사에 대한 인사권을 대통령 및 장관으로부터 위임받아 행사한다는 것이며, 직원에 대한 인사권 역시 교육감의 핵심적인 권한에 속한다.

(4) 하급교육행정기관인 지역교육청(교육지원청)

하급교육행정기관은 시ㆍ도의 교육ㆍ학예에 관한 사무를 분장하기 위하여 1개 또는 2개 이상의 시ㆍ군ㆍ자치구를 관할구역으로 하여 설치된 교육청으로서 통상 지역교육청이라 칭하는데, 2010년 9월부터 ○○교육지원청으로 개칭되었다.

지역교육청의 설치 기준은 주민 인구수와 학생 수이고, 유형은 2국(인구 50만+학생 6만 이상), 4과ㆍ2센터(인구 30만+학생 4만 이상), 3과ㆍ2센터(인구 15만+학생 2만 이상), 2과ㆍ2센터(인구 10만+학생 1만 이상), 2과ㆍ1센터(인구 10만 미만이거나 학생 1만 미만) 등의 다섯 가지 유형으로 되어 있다.

2018년 3월 현재 전국에 176개(제주시 및 서귀포시 교육지원청 포함)가 설치

되어 있다. 다만 제주도의 경우는 위의 학생 기준이 아닌 제주특별자치도조례로 정하도록 되어 있어서 다소 큰 체제를 유지하고 있다.

교육지원청에는 장학관으로 보하는 교육장을 두도록 되어 있는데 교육감이 장학관 중에서 임명한다(제주특별자치도의 경우 공모제 가능). 교육장은 시·도의 교육·학예에 관한 사무 중 공·사립 유치원·초등학교·중학교·공민학교·고등공민학교 및 이에 준하는 각종학교의 운영·관리에 관한 지도·감독업무와 기타 시·도의 조례로 정한 사무를 처리한다(지방교육자치에 관한 법률 제35조).

❂ **지방교육자치에 관한 법률 시행령 개정**(2010년 6월 29일 개정, 2010월 9월 1일 시행)

- 지역교육청의 명칭을 ○○교육지원청으로 변경(영 제4조·제6조 및 별표 2)
- 교육감은 특정 교육지원청을 지정, 지역관할 관계없이 일부 사무를 통합처리 가능
- 경남 진해교육청과 마산교육청을 창원교육청으로 통합

❂ **지방교육행정기관의 기구정원기준규정 개정**(2010년 6월 29일 개정, 2010월 9월 1일 시행)

- 서울특별시와 경기도의 교육청에는 기획관리실을, 그 밖의 교육청에는 기획관리국을 의무적으로 두도록 하는 공통필수기구 조항을 삭제함
- 중앙행정기관·지방자치단체 및 공공기관의 감사업무의 독립성과 전문성을 높이기 위하여 각 시·도교육청 본청에 감사업무를 전담하여 수행하는 자체 감사기구를 두도록 하고, 감사기구의 장의 직급기준을 정함
- 통합창원교육청은 2020년까지 2개 과·담당관을 별도의 한시조직으로 설치 운영

---

(5) 제주 지역 교육행정기관 개관

제주특별자치도 교육청(본청)은 1실 2국 2담당관 12과로 이루어져 있다. 16개 시·도와는 달리 조례로 그 규모를 정하도록 되어 있기 때문에 다소 많은 편이다. 2개의 하급교육행정기관인 제주시교육지원청과 서귀포시교육지원청이 있고, 탐라교육원 등 8개의 직속기관(탐라교육원, 제주교육과학연구원, 제주국제교육정

보원, 제주학생문화원, 서귀포 학생문화원, 제주교육박물관, 제주도서관, 제주유아교육진흥원)이 있다.

[그림 11-1]   제주특별자치도 교육청 조직(2018. 3. 1.)

〈표 11-2〉 제주특별자치도 교육청 공무원 정원(공립만 해당)

구분	정무직	특정직 (교육전문직원)	교원 (공립)	일반직	전문 경력관	연구직	별정직	계
인원	1	124	4,780	1,235	17	7	3	6,053

〈표 11-3〉 제주특별자치도 학교 현황(2018. 3. 1. 기준)

구분	학교 수	학급 수	학생 수	교원 수
유치원	119	258	5,986	499
초등학교	113(7)	1,748	39,187	2,671
중학교	45	718	19,589	1,450
고등학교	30	715	22,252	1,554
특수학교	3	91	446	161
합계	310(7)	3,530	87,460	6,335
국제학교	3	152	2,898	472

※ ( )는 분교장 수로 전체 학교 수에 포함되지 아니함
※ 교원 수: 기간제교사 포함, 시간강사 제외, 직원 수는 기타 직 제외

〈표 11-4〉 제주특별자치도 평생교육기관 및 공익법인 현황(2017. 12. 31. 기준)

구분	평생교육시설	학원	교습소	비영리(공익)법인
제주시	17	890	286	54
서귀포시	5	176	105	6
계	22	1,066	391	60

〈표 11-5〉 제주특별자치도 예산규모(2018년 본예산)

세입		세출	
계	10,934억 원(100%)	계	10,934억 원(100%)
중앙정부이전수입	8,315억 원(76%)	유아 및 초중등교육	10,486억 원(95.9%)
자치단체이전수입	2,294억 원(21%)	평생·직업교육	28억 원(0.3%)
자체수입 및 차입, 기타	325억 원(3%)	교육일반	420억 원(3.8%)

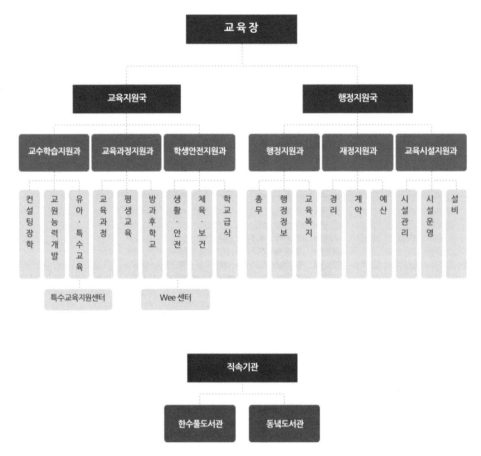

[그림 11-2] 제주시교육지원청: 2국 6과 체제(2018. 3. 1.)

3. 학교 단위 행정과 학교운영위원회

1) 의미

학교경영은 학교 단위에서 교장이 자율적·창의적으로 구성원과 더불어 학교운영 목표를 설정하고, 그 목표 달성을 위해 필요한 제반 조건을 더욱 경제적으로 조성·지원하는 활동을 말한다. 학교경영의 주체(최종 책임자)는 학교장으로서, 교무校務를 통할하고, 교직원(교원과 직원)을 지도·감독하며, 학생을 교육한다.

과거 진보 성향의 정권에서는 학교장 중심의 경영체제에서 학교교육 당사자

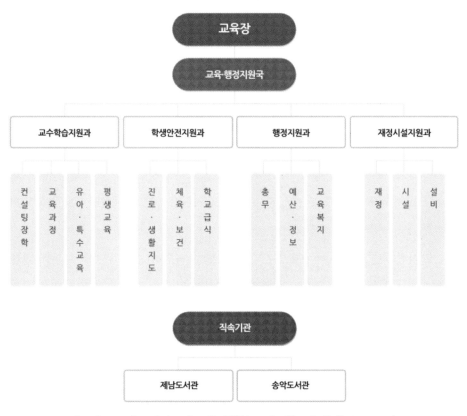

[그림 11-3] 서귀포시 교육지원청 조직: 1국 4과 체제(2018. 3. 1.)

의 참여를 강조하는 방향으로 개혁이 전개되었다가, 보수적이었던 이명박 정부에서는 학교장의 리더십을 기반으로 한 교장 중심의 자율경영 체제가 강조되기도 했고, 진보적인 문재인 정부에서는 지방분권 및 단위학교 구성원의 참여를 강조하는 학교자치가 강조되고 있다.

한편, 학급경영은 학급 단위 수준에서 학급담임이 학생 교육에 관하여 교수·학습의 목표를 설정하고 목표달성을 위한 제반 활동을 더욱 효율적으로 수행하는 과정을 말한다. 현재의 '학교경영'은 이론화되었다기보다는 학교운영에 있어서 공적 자금이 투여되는 점을 감안하여 효율성 등 경영의 측면을 강조한 하나의 '관점觀點'이자 학교에 접목할 수 있는 경영이론의 '접목接木' 단계이다.

이런 관점에서 학교경영이라는 용어 대신 '학교행정'을, 학급경영 대신 '학급운영'을 사용하는 것이 현 단계의 이론화 수준에서는 더 적절한 표현 방식이다.

2) 학교조직의 이해

학교조직의 기초 구성단위는 학생 및 학부모, 교직원으로 되어 있다. 교직원은 교원과 직원으로 구분되며, 교원은 다시 교장ㆍ교감ㆍ교사 등으로 나뉜다. 초ㆍ중등학교 및 특수학교에 교장ㆍ교감 및 교사를 두며, 유치원에는 원장ㆍ원감 및 교사가 있다.

학생의 자치활동은 장려ㆍ보호되며, 조직ㆍ운영에 관한 기본적인 사항은 학칙으로 정하도록 하고 있다. 교장은 학생의 자치활동自治活動을 권장ㆍ보호하기 위하여 필요한 사항을 지원해야 한다.

교직원회는 교원과 직원으로 구성된 조직을 지칭하나 법적 기구로 되어 있지는 않다. 학교 행정조직은 학교운영의 계선적인 기구인 교무분장 조직과 막료기구로 각종 위원회를 두고 있다. 초등학교에는 보직교사제에 따른 교무분장 조직과 법정기구인 학교운영위원회, 학교교권보호위원회, 학교폭력대책자치위원회를 두어야 한다.

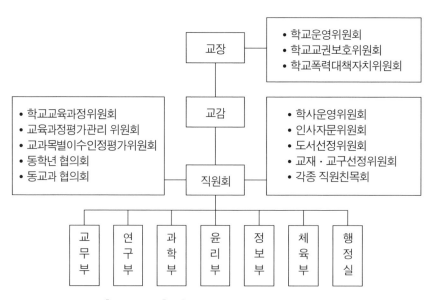

[그림 11-4] 초등학교 교무분장 조직도 예시

3) 학교운영위원회

학교운영위원회 제도는 교장 중심 학교운영에서 구성원 중심 학교운영 체제로 전환하고자 1995년부터 도입된 제도이다. 그 의의는 단위학교 의사결정과정을 민주화하고 학교교육의 효율성을 제고시키며, 단위학교 운영주체들의 학교운영에 대한 책무성 강화를 통해 교육에서 주민자치의 원리를 실현하는 '풀뿌리 학교자치기구'라는 데 둘 수 있다. 그 법적 기초는 교육기본법 제5조 교육의 자주성 등 조항에 두고 있다.[4]

학교운영위원회는 국·공립학교에서는 심의기구로, 사립학교에서는 자문기구라는 성격이 가장 큰 차이이고, 학교규모 및 학교종별에 따라 다소간에 차이가 있다(〈표 11-6〉 참조).

---

4) 교육기본법 제5조 (교육의 자주성 등) ② 학교운영의 자율성은 존중되며, 교직원·학생·학부모 및 지역주민 등은 법령으로 정하는 바에 따라 학교운영에 참여할 수 있다.

〈표 11-6〉 국 · 공 · 사립학교 학교운영위원회의 비교

구분		국 · 공립학교	사립학교
성격		필수적 심의기구	필수적 자문기구
위원 정수		학생 수 200명 미만 5인 이상 8인 이내	
		학생 수 200~1천 명 미만 9인 이상 12인 이내	국 · 공립학교와 같음
		학생 수 1천 명 이상 13인 이상 15인 이내	
위원 선출 방법	학부모 위원	민주적 대의절차에 따라 학부모 전체회의에서 직접 선출. 단, 학교의 규모 · 시설 등을 고려하여 전체회의에서 선출하기 곤란한 경우 학급별 대표로 구성된 학부모대표회의에서 선출할 수 있음.	국 · 공립학교와 같음
	교원 위원	교직원 전체회의에서 무기명투표로 선출하되, 교장은 학교운영위원회의 당연직 교원위원이 됨.	당연직 외 교원위원은 교원 중 선출하되, 정관에 따라 교직원 전체회의에서 추천한 자 중 학교의 장이 위촉
	지역 위원	학부모위원 또는 교원위원의 추천을 받아 학부모위원 및 교원위원이 무기명투표로 선출	국 · 공립학교와 같음
기능		• 학교헌장 및 학칙의 제정 또는 개정에 관한 사항 • 학교의 예산안 및 결산에 관한 사항 • 학교교육과정의 운영방법에 관한 사항 • 교과용도서 및 교육자료의 선정에 관한 사항 • 교복 · 체육복 · 졸업앨범 등 학부모가 경비를 부담하는 사항 • 정규학습시간 종료 후 또는 방학기간 중의 교육활동 및 수련활동에 관한 사항 • 교육공무원법 제31조 제2항의 규정에 의한 초빙교원의 추천에 관한 사항 • 학교운영지원비의 조성 · 운용 및 사용에 관한 사항 • 학교급식에 관한 사항 • 대학입학 특별전형 중 학교장 추천에 관한 사항 • 학교 운동부의 구성 · 운영에 관한 사항 • 기타 대통령령, 특별시 · 광역시 · 도의 조례로 정한 사항 ※ 학교발전기금의 조성 · 운용 · 사용 관련 사항(심의 · 의결)	왼쪽의 사항에 대하여 자문 〈제외되는 자문사항〉 • 초빙교원의 추천에 관한 사항 〈학교법인 요청 시 자문사항〉 • 학교헌장 및 학칙의 제정 또는 개정에 관한 사항 ※ 학교발전기금의 조성 · 운용은 국 · 공립학교와 같이 심의 · 의결사항

자료: 고전(2006). **학교행정의 이해**. 대구: 정림사. 106면의 내용에 최근 개정사항 보완

제12장

교육정책과
교육개혁의 논의

1. 교육정책과 교육개혁의 의미

1) 교육정책의 의미

원로 교육행정학자인 백현기(1964: 30)는 교육정책을 "정치적 권력과정을 거쳐서 형성된 어떤 교육계획이 실현되는 일체의 과정"으로 정의했다. 1세대 대표 교육행정학자인 김종철(1982: 120)은 "교육정책이란 사회적·공공적·조직적 활동으로서의 교육활동에 관하여 국민의 동의를 바탕으로 하면서 국가의 공권력을 배경으로 강행되는 기본 방침 또는 지침을 의미하며, 그것은 교육활동의 목적·수단·방법 등에 관한 최적의 대안을 의도적 합리적으로 선택한 것"이라고 했다.[1]

간단히 표현하면 교육정책은 교육에 관한 기본 방침 또는 계획으로서 교육입법에 기초하고 교육행정을 통해 전개된다. 교육정책의 주관 수준에 따라 국가 수준의 정책과 지방자치단체 수준의 것으로 구분이 가능한데, 전자는 교육부 장관의 정책수립으로, 후자는 교육감의 지방교육행정 및 정책을 통해 나타난다.

교육과정 및 교수학습과 관련하여 장관과 교육감은 함께 장학·지도권을 행

---

1) 김종철(1990)은 후속 연구 '한국교육정책연구'에서 "교육정책이란 사회적·공공적·조직적 활동으로서의 교육 활동을 위하여, 국가와 공공 단체가 국민 또는 주민의 동의를 바탕으로 하여 공적으로 제시하며, 공권력을 배경으로 강행성强行性을 가지는 기본 방침 또는 지침을 의미한다. 그것은 교육 활동의 목표, 수단, 방법 등에 관한 최적의 대안을 의도적·합리적으로 선택한 것이며, 교육이념을 구현하기 위한 수단인 동시에, 교육제도와 그 운영을 위한 대강을 제시하며 협의의 교육행정에 대해서는 그 지침이 된다."라고 정의한 바 있다.

사하지만 기본적으로 유 · 초 · 중등교육에 관해서는 시도의 교육감 관할을 원칙으로 하고 있고, 장관의 경우 국립학교와 대학에 대한 정책을 담당하고 있다.

국회는 입법부로서 정책의 법적근거를 마련함으로써 정책의 형성에 결정적인 역할을 하는데, 국회의 교육문화체육관광위원회(2012. 3. 23.)나 17개 지방자치단체의 지방의회 내 교육위원회가 어떤 입법정책을 갖고 있느냐에 따라 국가 및 지역의 교육행정을 좌우하게 된다.

오늘날 학습자와 보호자나 교직단체들이 중요한 교육당사자로서 권리의식을 가지고 적극 참여함으로써 교육정책의 결정구조와 과정은 더욱 복잡하고 다양한 방식을 취하고 있다. 그 어느 때보다도 주무 행정기관의 의사 조정능력이 관건인 시기라고 할 수 있다. 각종 학부모 교육단체들은 자녀들의 자기개발에 필요한 정책을 주문하고 있으며, 교원단체 및 교원노조는 정책건의 등을 통하여 영향을 행사하는 한편, 교원의 근무조건 등과 관련하여 장관 또는 교육감과의 교섭 · 협의 및 단체교섭을 통하여 영향력을 높여 가고 있다.

또한, 국가 수준의 교육정책이 국가발전의 기본 아젠다agenda로서 등장하고 있고, 나아가 모든 정권의 초기 정책은 교육개혁안을 포함하고 있는 것이 현실이다. 그러나 어떠한 교육정책이라도 모든 국민이 능력에 따라 균등하게 교육을 받을 수 있도록 기회를 보장하는 것, 즉 교육기본권敎育基本權을 보장하는 데 기여하지 않으면 안 된다. 동시에 그 정책은 교육당사자들의 참여를 민주적으로 보장하고, 교육이론에 근거하여 과학적으로 추진되어야 하며, 국가 공공자금과 지원금의 투자인 만큼 경제적 효율성은 물론 당사자의 만족도와 변화를 보장하여 사회적 효율성을 신장시키도록 하여야 한다. 물론 이 모든 과정이 교육법의 테두리 안에서 이루어져야 하는 것은 법치행정法治行政의 원리와 교육제도 법정주의法定主義의 원리를 교육행정과 마찬가지로 적용받기 때문이다.

교육정책의 과정은 정책 관련자들의 참여를 통하여 정책 의제를 선택하는 정책 형성formation 과정과 정책 담당 부서에 의하여 시행되는 정책 집행implementation 과정, 그리고 정책의 목표 달성 및 교육당사자의 만족도를 점검하는 정책 평가evaluation 과정으로 이루어진다. 특히, 교육정책의 경우에는 여러 가지 대안들 가운데에서 가장 합리적이고 민주적이며 능률적인 방법을 선택하는 과정이라는 점에서 교육당사자 모두의 '참여와 의사결정 과정'이 강조되고 있으며, 시행과 결과에 대한 평가와 검증을 통하여 차후 정책 형성으로 환류되는 것은 정책의 체계적 관리상 당연한 수순이다.

그러나 역시 정책의 최종 결정자는 공익의 대변자로서 업무 위임을 받은 정책 결정권자에 있음은 의심할 여지가 없다. 최근 들어 정책의 효율성을 높이기 위하여 대부분의 정책은 각 행정기관의 평가와 연동하여 점검되고 있는 추세이기도 하나 때로는 평가를 위한 행정에 치우친다는 비판도 받는다.

한편, 모든 정책은 정책의 이슈를 내걸기도 하는데, 이 역시 자유민주주의의 이념 범위 내의 것이어야 하며, 세계정세의 변화와 경쟁력 강화를 내세운 신자유주의라는 지나친 경제논리보다는 국민들의 능력에 따른 균등한 교육기회 보장의 목적에 하나의 수단으로서 기능해야 하지 그 자체가 목적이 될 수는 없다.

2) 교육개혁의 의미

김윤태에 따르면 교육개혁教育改革이란 "교육의 목표, 내용, 방법, 교원, 행·재정 등 교육체제 전체에 영향을 주는 특정 부문에서 그동안 잘못되어 왔거나 결함이 발견된 정책, 제도, 관행, 의식 등을 변혁하는 일"로 정의한다(서울대학교 교육연구소, 1998: 369). 대상에 따라 제도개혁과 의식개혁으로 분류하기도 하며, 범위에 따라서는 프로그램 개혁과 총체적 개혁Programmatic & Systemic Reform으로 분류하기도 한다. 그중에서도 의식 개혁은 더욱 본질적인 부분이면서도 가치관의 변화를 의미하므로 개혁이 가장 어려운 영역이기도 하다.

교육개혁이 갖는 의의는 현재의 교육위기를 극복하고 미래 사회의 변화에 대처하는 데 있다. 따라서 교육개혁 정책은 위와 같은 변혁을 달성하기 위하여 국가가 결정한 기본적인 행동 방안과 지침으로 설명되기도 한다. 또한 교육발전을 통한 국가번영의 원동력 창출이라는 의의가 적지 않은데, 국가 수준 교육개혁이 필요한 이유이기도 하며, 오늘 대부분의 국가들은 이를 국정 과제로 삼고 있다.

교육개혁의 궁극적인 목적과 이념은 '교육에 관한 헌법 정신의 구현', 즉 교육기본권에의 기속성羈束性에 있다. 즉, 교육의 질적 향상과 능력에 따른 균등한 교육기회의 보장에 두며, 수월성과 평등성의 달성을 동시에 지향한다. 따라서 개혁을 위한 개혁이나 정치적 목적 달성을 위하여 수단으로 이용되는 것도 경계되어야 한다.

그러나 교육개혁 방안들은 정권이 지향하는 통치 철학에 따라 차이점을 나타내는데, 보수와 진보 정당의 성향은 물론, 대통령의 국정운영 방향에 따라 영향을 받기도 한다. 그럼에도 불구하고 교육개혁의 교육 본연의 입장에서 자주적 · 전문적 · 중립적 판단 아래 전 국민의 교육기본권 보장을 고려하여 추진되어야 한다.

교육개혁이 대두되게 되는 배경은 교육 외적 요인과 내적 요인에 기초하고 있다. 즉, 교육을 둘러싼 환경의 변화와 교육 내부의 요구라는 두 측면에서 살펴볼 수 있는데, 이들 두 요인이 복합적인 요인으로 작용하기도 한다. 교육제도 및 체제 자체의 결함에 따른 개혁으로서 대학 입시제도, 공교육 부실화, 고교 평준화, 교원 수급불균형 등과 관련된 개혁 정책을 들 수 있다.

한편, 교육개혁의 교육 외적 요인이라고 할 수 있는 정치 · 경제 · 사회 · 문화 영역에서의 변화는 필연적으로 교육의 변화를 수반하게 된다. 평생학습사회의 실현이나 지식 기반 사회를 위한 교육, 그리고 국제정보화 사회에 대응하고 국가 경쟁력을 갖추는 교육개혁 등은 오늘날 일반화된 교육개혁의 화두이기도 하다.

교육의 기능이 개인의 자아실현과 사회의 유지와 발전이라는 양 측면을 내포하고 있기는 하지만, 교육의 본질적 기능은 개인의 잠재적 능력의 계발과 문화 및 직업생활의 기초를 제공하는 데 있다고 할 수 있다. 따라서 교육개혁은 교육당사자(학습자 · 보호자 · 교원 · 학교 설립 운영자 등)의 요구와 필요에 대응하여 추진되는 것이 바람직하다. 특히 국가적 차원의 교육개혁도 중요하지만, 학교 현장에서 필요로 하는 개혁이 되어야 한다. "교육개혁의 발안發案도 교실이요, 완성完成도 교실"이라는 '교실개혁론教室改革論'이 중요한 이유도 여기에 있다.

교육개혁은 그 파급효과가 전 국민과 전 지역에 미친다는 점에서 정치사회적 영향력이 적지 않다. 현재 시점에서 5,000만 명의 인구 중 4분의 1에 가까운 1,200만여 명이 학생인구라는 것이 이를 단적으로 보여 준다. 새로운 정권이 교육개혁안을 늘 발표하는 것도 그 정치적 영향력이 적지 않기 때문이다. 교육개혁 의제의 영역을 분류하여 제시하면 다음과 같다.

- 교육과학기술 인력의 양성과 배분 등 국가 인적자원의 관리
- 중앙 및 지방교육행정체제의 개편과 분권 등 통치구조의 개편
- 단위 학교의 자율 운영 및 참여의 보장과 교육당사자 간 역할분담
- 국가 및 학교 수준의 교육과정, 교수-학습, 그리고 교육평가 및 학습환경
- 학교교육 및 평생교육 제도의 개편과 대학입시 등 각급 학교 학생 선발 방법
- 교원 양성체체의 개편과 교원 자격검정, 임용, 승진, 연수 등 인사관리
- 각급 학교에 대한 지역사회 및 기업, 공공기관의 요구와 필요의 수렴

교육개혁의 방법은 상향식과 하향식 방식으로 나뉜다. 상향식bottom-up 방식은 이른바 아래로부터의 개혁으로서 민주적 방식이라 통칭하는데, 다음의 특징을 갖는다.

- 현장으로부터 개혁의 발안이 시작되는 개혁 방식
- 개혁안의 현장 적합성 및 현장 변화 체감도에 중점을 두는 방식
- 정책결정의 민주적 전형을 보여 주나 의사결정과정의 합리적 운영이 관건
- 복잡계複雜界인 교육계의 다양한 의견수렴을 위한 용광로melting pot 역할이 필수
- 구체적인 교육 프로그램 개혁의 마련에 유리
- 학교 단위의 자율적 교육개혁운동의 확산에 유리
- 정책의 안정성 및 신속성을 유지하기 곤란하다는 단점

하향식top-down 방식은 위로부터의 개혁을 지칭하며 다음의 특징을 갖는다.

- 통치권자 및 교육핵심 관료가 발안자initiator
- 국가 수준의 교육체제의 개편 및 인프라 구안단계에서는 다소 유리한 방식
- 정책결정의 효율적 전형을 보여 주나 정책내용의 현장 착근성이 관건
- 경제적 효율성은 있으나 사회적 효율성(교육구성원의 만족도 등) 미흡
- 개혁 인플레 상황에서는 현장으로부터 오히려 개혁 거부정서를 유발
- 개혁정책이 정치 선전화 및 관료 실적화를 위한 수단으로 전락할 가능성

오늘날 교원과 교직단체(한국에서는 통상 교원단체와 교원노조를 합하여 통칭하는 정책용어임)는 교육개혁의 주된 정책 파트너로서 중요한 역할을 수행하는 동시에 현장 교육개혁의 주관자이며 대상이 된다.

2. 최근 교육개혁 정책의 흐름

1) 한국 교육개혁 정책의 전개과정

한국의 근대교육은 19세기 말 갑오개혁을 통해 도입된 근대식 학교와 법제 등을 통해 제도적 기초 기틀을 마련했지만, 국민 모두에게 교육기회가 주어지지는 못했고 바로 식민시대의 반교육적·반민족적·정치 종속적 식민교육 상태에 머물러 공교육으로서 근대교육이라 칭하기에는 부족함이 많은 것이었다.

광복 이후에는 일제에 의하여 왜곡된 교육을 바로잡고, 교육의 기회를 확장하는 노력을 기울이는 데 주력했는데, 1949년 12월 31일 「교육법」이 제정되면서 학교교육제도(6-3-3-4제)가 정비되어 학교제도의 기초를 다지게 되었다. 그러나 이 역시, 바로 1950년 6월 25일 한국전쟁과 전후 복구 과정에 이르기까지 정상적인 교육 체제가 정비되기까지는 시간이 필요했다.

1952년 교육법시행령과 1955년의 '대학설치기준령' 및 '초중등학교 교육과정'이 정비되어 나름대로 신교육체제를 갖추게 된 것이 1950년대 중반이었다. 이후 사립학교를 중심으로 많은 학교가 설립되어 양적 팽창은 있었으나 질적 관리가 되지 않은 문제점도 나타났다.

1961년 5월 16일 군사정변으로 집권한 박정희 정권은 '교육에 관한 임시특례법'을 통하여 많은 교육개혁 정책을 발표하기도 했는데, 정부가 주도하는 위로부터의 강요된 개혁으로서 한계를 드러내기도 했다. 1960년대는 경제개발과 반공反共을 국가시책으로 했던 만큼 국민정신교육이 강화되었고, 1968년 12월 5일에 공포된 국민교육헌장은 그 대표적인 예이다. 박정희 정권에서 중학교 무시험 입학제도와 고교 평준화 정책이 도입되기도 했으나 대학입시 위주의 주입식 교육과

〈표 12-1〉　역대 정부의 대통령 교육정책 자문기구와 주요 교육개혁안

정부 명칭 (대통령)	대통령자문기구	개혁 방안
신군부 정권 (전두환)	• 교육개혁심의회 　(1985. 3.~1987. 12.)	• 고교체제 다양화, 평생교육체제 확립 • 우수교원의 확보(시수 감축, 수석교사제 제안) • 교육행정 자율화(교육위원회 의결기구화안)
신군부 정권 (노태우)	• 교육정책자문회의 　(1989. 9.~1993. 2.)	• 초중등교원종합대책(교원교육 평가인정제도) • 대학자율화, 대학교육의 다양화 및 개방화 • 교직사회발전방안(교과전담제 확대, 수습교사)
문민정부 (김영삼)	• 교육개혁위원회 　(1994. 2.~1998. 2.)	• 신교육체제(5·31): 수요자 중심, 평생학습체제 • 학교운영위원회, 학교평가, 교원초빙제 제안 • 교육재정 GNP5%, 전문대학원, 사교육비경감
국민정부 (김대중)	• 새교육공동체위원회 　(1998. 7.~2000. 9.) • 교육인적자원정책위원회 　(2000. 10.~2003. 6.)	• 자율학교, 자립형 사립학교, 교원평가 제안 • 교원정년단축과 교원노조 합법화(1999. 1. 29.) • 교원예우에 관한 규정, 교직발전종합방안 발표
참여정부 (노무현)	• 교육혁신위원회 　(2003. 7.~2008. 2.)	• 개방형 자율학교, 대안교육 활성화, • 지역균형발전, 분권과 참여, 교육복지정책 • 교장공모제(내부형, 개방형, 초빙형) 제안
실용정부 (이명박)	• 국가교육과학기술자문회 　(2008. 6.~2010. 2.) • 교육개혁 대책회의(2010. 　3.~2013. 2.): 초기 대통 　령주재, 이후 총리 주재	• 고교 다양화 300프로젝트, 학교자율화 추진 　(자율형 사립고, 기숙형 공립고, 마이스터고) • 교육비리 근절 대책, 창의적 인재, 교육 선진화
박근혜정부	• 대통령 산하 교육개혁기구 　없음(지방자치발전위원회 　에서 교육자치와 일반자치 　의 연계·통합 다룸)	• 창의교육(꿈과 끼 교육, 전문인재 및 평생학습, 　스펙 초월)
문재인정부	• 대통령직속 국가교육회의 　(2017. 12.~): 국가교육위 　원회 발족을 위한 회의 • 교육자치정책협의회 　(2017. 8.~): 교육부, 시도 　교육청, 교육전문가, 학교 　현장 대표 간의 협치協治 　기구	• 국가교육위원회 사전 개혁논의기구로 출범: 수 　능 개편(절대평가범위 등), 자사고·외고 폐지, 　고교학점제, 고교성취평가제(내신절대평가) • 교육부 재정지원사업의 전면 개편, 학교의 창의 　적 학사운영, 교육청조직·인사·평가자율성 　등 중점과제로 교육자치 학교자율화 추진

※ 미국: National Commission on Excellence in Education의 *A Nation At Risk* (1983)
　일본: 나까소네中曾根 수상의 臨時敎育審議會(1984)의 '교육개혁에 관한 1, 2, 3, 4차 답신'

잦은 제도 개편은 국민들의 불만을 사기도 했다.

1978년 10월 26일 박정희 전 대통령의 피격으로 등장한 신군부(국가보위입법위원회)는 1980년 7월 30일에 과외금지와 대학 본고사 폐지라는 '7 · 30 교육개혁 조치'를 발표했고, 전두환은 1981년 3월 새 헌법에 의한 대통령에 취임했다.

이 무렵, 미국 레이건 행정부에서는 『위기에 처한 국가 *A Nation at Risk*』보고서가 발간되어 미국 공교육의 위기 타파와 대학교육의 수월성에 대한 개혁방안이 발표되기도 했다. 이에 일본은 1984년 8월 나까소네 수상의 자문기구로 '임시교육심의회'가 교육개혁을 국가적 현안으로 다루게 되었다.

이에 전두환 정부는 1985년 3월 대통령 자문기구로 교육개혁심의회를 발족시키게 되었는데, 이를 계기로 한국의 교육개혁 정책은 약 25년 이상 대통령 자문기구 중심으로 교육개혁 정책을 수립해 오게 되었다. 최근에는 별도의 교육개혁 관련 대통령 자문기구를 설치하고 있지는 않다.

대통령 자문기구가 제안했던 교육개혁 방안들은 대통령의 강한 지원 아래 정책으로 실현하는 순기능적인 측면도 있었으나 교육현실과 동떨어진 방안의 경우 위로부터 획일적으로 추진되는 비효율성을 초래하기도 했다. 이후 설치된 주요 대통령 자문기구 및 주요 개혁 방안은 다음과 같다.

2) 핵심 교육개혁 정책으로서 5·31 교육개혁안

역대 교육개혁 방안 중, 학교 현장에 가장 큰 변화를 가져온 개혁정책은 '5 · 31 교육개혁안'으로, 신교육체제 수립을 내걸었다. 1995년에 발표된 이 개혁안은 세계화 · 정보화 시대를 주도하는 신교육체제 수립을 목표로 하여 다음 아홉 가지 핵심 정책을 발표했는데, 이후 교육정책의 흐름을 좌우하는 계기가 되었다.

1. 열린 교육사회 · 평생학습사회 기반구축
2. 대학의 다양화와 특성화
3. 초 · 중등교육의 자율적 운영을 위한 '학교공동체' 구축
4. 인성 및 창의성을 함양하는 교육과정
5. 국민의 고통을 덜어 주는 대학입학제도

6. 학습자의 다양한 개성을 존중하는 초·중등교육 운영

7. 교육공급자에 대한 평가 및 지원체제 구축

8. 품위 있고 유능한 교원 양성

9. 교육재정 GNP 5% 확보

당시 위원회 활동을 종합평가한 동 위원회의 교육개혁의 추진성과를 요약하면, 첫째, 초·중등교육 분야에서는 공급자 중심에서 학습자 중심의 교육으로 전환되고 있는 것으로 평가된다. 둘째, 고등교육 분야에서는 정부규제의 획일화 교육에서 다양화, 특성화, 자율화 쪽으로 옮겨 가고 있는 것으로 평가된다. 셋째, 평생·직업교육 분야에서는 교육과 노동시장의 긴밀한 연계체제를 구축하여 신직업교육체제의 구축이 진행되고 있는 것으로 평가된다. 넷째, 교육 인프라 구축분야에서는 교육개혁의 추진기반 강화를 위한 법적·제도적·재정적인 지원체제가 구축되고 있는 것으로 평가된다. 그 예로서는 교육재정을 GNP 5% 수준으로 확보토록 추진하고 있으며, 교육여건 및 환경의 획기적인 개선을 위한 투자가 진행되고 있고, 개혁 관련 법령의 정비를 위해 교육기본법, 초·중등교육법, 고등교육법을 제정했고, 교육 연구 지원체제의 구축을 위해 첨단학술 정보센터, 멀티미디어 교육지원센터, 한국직업능력개발원, 한국교육과정평가원 등을 발족시킨 점 등을 들 수 있다(이형행·고전, 2001).

3) 한국 교육정책의 흐름: 학교자율화 및 자율학교

역대 정권에서 지속적으로 추진되어 온 정책 흐름 중, 특징적인 것은 '자율화 정책'이다. 학교의 자율성과 학교구성원의 참여의 보장은 학교운영의 기본 원칙이다. '학교의 자율성自律性'은 '학교자치學校自治'라는 표현과 혼용되어 쓰이며, 학교운영위원회는 풀뿌리 교육자치로서 학교자치의 이상을 실현할 핵심 기구로 평가된다.

물론 학교에서의 자치는 의무교육 시행을 위하여 국민적으로 합의한 국가 표준화 교육과정(제7차 교육과정 고시 등)이나 국·검·인정제에 의한 교과서제도라고 하는 제반 교육법규의 범위 내에서의 자율성이라는 점에서 다소 제약이 따른다.

학교 자율성은 원천적으로 헌법이 정한 교육의 자주성 보장(헌법 제31조 제4항)이라는 정신에서 유래한다. 더 구체적인 학교 운영에 관한 기본 원칙은 교육기본법에 명시되어 있다. 즉, 교육기본법 제5조(교육의 자주성 등)는 "학교운영의 자율성은 존중되며, 교직원·학생·학부모 및 지역주민 등은 법령이 정하는 바에 의하여 학교운영에 참여할 수 있다."(제2항)라고 규정하고 있다.

동시에 학교의 공공성을 천명한 교육기본법 제9조 제2항을 통해서는 자율성의 범위와 한계 정신을 읽을 수 있다. 학교 자율성에 관한 더욱 구체적인 언급은 초·중등교육법에 나타나 있다. 우선, 학생 자치활동(제17조)에 관하여 "학생의 자치활동은 권장·보호되며, 그 조직 및 운영에 관한 기본적인 사항은 학칙으로 정한다."라고 하면서, 이 법 시행령에서는 "학교장은 학생의 자치활동을 권장·보호하기 위하여 필요한 사항을 지원하여야 한다."(제30조)라고 규정하고 있다.

다음으로 교육과정 측면에서는 기본적으로 "학교는 교육과정을 운영함에 있어서 교육부장관이 정한 기준과 내용에 관한 기본적인 사항을 따르고, 기준과 내용은 교육감이 지역의 실정에 적합하게 정한다."(초·중등교육법 제23조)라고 하여 지역의 자율성을 인정하고 있다. 더 나아가 학교 및 교육과정 운영에서 특례(초·중등교육법 제61조)를 정하고 있는데, 이를 '자율학교'라 칭하기도 한다.

즉, 학교제도를 포함한 교육제도의 개선과 발전을 위하여 특히 필요하다고 인정되는 경우에는 대통령령(초·중등교육법시행령)이 정하는 바에 따라 제21조 제1항(교장·교감자격증제), 제21조 제1항(3. 1.~2. 28. 학년도제), 제26조 제1항(학년제에 의한 진급 또는 졸업), 제29조 제1항(국·검·인정 교과용 도서의 사용 의무), 제31조(학교운영위원회 설치), 제42조(중학교의 수업 연한), 제46조(고등학교의 수업 연한)의 규정을 한시적으로 적용하지 아니하는 학교 또는 교육과정을 운영할 수 있다고 규정하고 있다. 또한, 이 규정에 의하여 운영되는 학교 또는 교육과정에 참여하는 교원 및 학생 등은 이로 인하여 불이익을 받지 않도록 하고 있다.

한편, 초·중등교육법시행령 제105조는 위의 자율학교는 교육감이 국·공·사립의 초·중등학교를 대상으로 지정하며(제1항, 국립학교 등 일부학교는 장관과 협의), 자율학교를 운영하고자 하는 학교장은 교육감의 지정을 받아야 하고(제2항), 교육감은 다음의 학교를 자율학교로 지정·운영할 수 있다고 규정한다.

1. 법 제28조에 따른 학습부진아 등에 대한 교육을 실시하는 학교

2. 개별학생의 적성·능력 개발을 위한 다양하고 특성화된 교육과정을 운영하는 학교

3. 학생의 창의력 계발 또는 인성 함양 등을 목적으로 특별한 교육과정을 운영하는 학교

4. 특성화중학교

5. 산업수요 맞춤형 고등학교 및 특성화고등학교

6. 「농림어업인 삶의 질 향상 및 농산어촌지역 개발촉진에 관한 특별법」 제3조 제3호에 따른 농산어촌학교

7. 그 밖에 교육감이 특히 필요하다고 인정하는 학교

또한, 교육감은 학생의 학력향상 등을 위하여 특히 필요하다고 인정되는 공립학교를 직권으로 자율학교로 지정할 수 있다. 통상 자율학교는 5년 이내로 지정·운영하되, 교육감이 정하는 바에 따라 연장 운영할 수 있다. 교육부장관 또는 교육감은 자율학교의 운영에 필요한 지원을 하여야 한다(시행령 §105의 2).

학교 자율성과 지방교육자치의 연계성은 교육의 자주성 보장 제도라는 점에서 찾을 수 있다. 즉, 교육기본법의 교육자주성 조항(제5조)에서 "국가와 지방자치단체는 교육의 자주성 및 전문성을 보장하여야 하며, 지역의 실정에 맞는 교육의 실시를 위한 시책을 수립·실시하여야 한다."(제1항)라고 지방교육자치제도의 근거를 밝힌 데 이어 제2항에서 학교운영의 자율성 존중 및 구성원의 참여를 보장하는 규정을 두고 있다는 점에서도 확인된다(강원근 외, 2010: 116-119).

4) 제주형 자율학교: i-좋은학교와 다훈디배움학교

제주특별자치도의 경우, 특별법에 근거한 학교 및 교육과정 운영의 특례 규정(이 법 216조 및 이 법 시행령 44~46조)에 근거하여 지정·운영되는 자율학교로 i-좋은학교[2]와 다훈디배움학교가 있다. 모두 제주형 자율학교라 지칭되며, 특별히 후

---

[2] 아이들이 좋은 학교 또는 I('나')가 좋은 학교, 감탄사 '아이!' 좋은 학교라는 뜻으로 명명되었다. i의 이니셜은 국제적인international, 창의력이 풍부한imaginative, 즐겁게interesting 공부하는 학교를 의미한다.

자의 경우 혁신학교로 불리기도 한다.

제주형 자율학교에는 교육과정 자율 운영 및 국·내외 교과서 자율 선택(국어, 사회, 도덕 교과 제외)이 주어지는데, 주요 특징은 다음과 같다.

- 총교과 시수의 50% 범위 내에서 자율 편성/ 외국어 교육강화(영어몰입 교육, 매일 영어수업 실시)/ 원어민 보조교사 확대 배치(9학급 미만 1명, 9학급 이상 2명)/ 외국교과서 사용
- 특성화된 다양한 교육 프로그램 개발 및 운영

방과 후 학교와 연계한 특별 프로그램 운영(외국어 강좌, 독서·논술교육, 예체능 강좌 개설 및 발표회 개최, 토요 특별 프로그램 운영 F-day 등)

- 학생 선발을 위한 다양한 전형방법 적용, 우수학생 등 수업 연한 단축(조기 졸업 등)
- 학교의 교육성과를 높이기 위한 제도적 장치: 워크숍 등 연수의 활성화, 성과협약제도

(1) i-좋은학교(2007년 3월 1일~2019년 2월 28일)

이 학교는 제주특별자치도에 걸맞는 국제 수준의 '선진학교'를 창출한다는 취지에서 국무총리와 교육감 간 성과협약이 체결(2006년 8월 23일)된 것이 계기가 되었다. 학교를 운영하는 목적은, 국제자유도시에 걸맞은 제주지역의 차별화된 교육 인프라를 구축하고, 교육과정 및 학교경영의 자율권 부여로 특성화된 학교를 조성하며, 도심 공동화·소규모학교의 교육력을 제고하고, 도내 지역 간 교육격차를 해소한다는 취지이다. 따라서 이 학교로 지정·운영되는 대상 학교는 도내 읍·면지역 소규모학교나 원도심[3] 학교이다.

2007년에 9개 학교(초등 5, 중 3, 고 1: 학교별 2억 원 지원)가 2년간 운영되었고, 2009년도에 25개 학교(초 14, 중 6, 고 5: 학교별 1~2억 원 지원)로 확대 지정·운영된 바 있다. 2018년 3월 현재, 제주형 자율학교는 초등학교 11개 학교(2013년

---

3) 원도심原都心이란, 도시에서 신도심新都心과 대비되는 용어로, 과거에 도시의 중심을 이루던 곳을 말한다. 인구가 빠져나가는 원도심 공동화에 따라 학교 규모가 급격히 작아지는 경향이 있다.

36개 학교), 중학교 4(2013년 중학교 10개 학교, 고등학교 5개 학교)로 총 15개 학교[4](2013년 51개 학교)가 지정·운영되고 있고 2019년 2월에 종료될 예정이다.

특성화(국제이해 영어교육 및 특기적성 등) 교육을 내세운 이 학교의 운영 결과 학생 수가 증가(대흘초등학교 75%)하거나 학교구성원 만족도가 향상되는 성과가 있는 것으로 보고되고 있다. 문제는 지원 예산이 점차 감소하여 프로그램이 축소되고 U턴 전학이 나타나는 등 그 효과를 보증하기 어려운 측면도 발생하고 있어서, 특성화 교육 성과 이면에 학교 자율운영을 위한 시스템의 개발이라는 과제를 남기기도 했다.

(2) 다혼디배움학교(2015년 3월 1일~현재)

이 학교 역시 위의 학교와 마찬가지로 같은 제주특별법 규정(제216조 등)에 근거한 제주형 자율학교로서 2014년 진보 성향의 이석문 교육감이 당선된 이후, 공약 사항이던 혁신학교를 2015년 3월부터 도입한 것이다. 제주어로 '다함께 배우는 학교'라는 뜻을 지닌 이 학교는 교육의 3주체(학생, 학부모 및 지역사회, 교직원)가 다 함께 협력하고 서로 존중하는 배움을 통해 성장하며, 새로운 학교 모델을 창출한다는 취지이다. 기존의 i-좋은학교에서 한 단계 도약한 제주형 자율학교로서 통상 현장에서는 혁신학교라 지칭한다.

i-좋은학교가 특성화 교육에 중점을 두었다면 다혼디배움학교는 배움 중심 교육과정 중심의 공동체 학교문화 창조에 역점을 두었고, 혁신학교 공모단계에서부터 학교 구성원들의 희망과 열의를 더 중시하여 선정했다. 이 학교의 비전은 '존중하고 협력하며 함께 성장하는 교육공동체 실현'에 두고 있으며, 4대 목표(추진과제)는 다음과 같으며, 운영 원리는 공공성·민주성·지역성·윤리성·전문성·창의성·다양성에 두고 있다.

1. 존중과 참여의 학교 문화 형성
2. 배움 중심의 교육활동 실천

---

4) 2017년 3월 1일부터 2019년 2월 28일까지 운영되며, 초등 11개 학교(사계초, 수원초, 안덕초, 재릉초, 어도초, 하도초, 봉개초, 도순초, 평대초, 남원초, 성읍초) 중학교 4개 학교(조천중, 효돈중, 귀일중, 표선중) 총 15개 학교이다. 기간 내에는 수천만 원의 지원금이 있으나 연장할 경우 지원금은 없다.

3. 교육활동 중심의 학교조직 개편

4. 학부모, 지역사회와의 협력적 관계 구축

이 학교들에 대해서는 매년 2천 만~4천만 원씩(1년차 4천만원, 2년차 3천만 원, 3, 4년차 2천만 원) 운영비를 지원하게 되며, 추가지원금은 6학급 초과 시 학급당 1백만 원씩 최대 1천만 원까지이다. 이 학교들에 대해서는 교장공모제를 시행하여 자율화 책임의 학교 문화를 지원하고 있고, 학급당 학생 수 또한 초등학교 25명(전국 평균 22.3명), 중학교 26명(전국 평균 25.7명)으로 정하고 교무행정지원인력 또한 공모하여 배치하고 있다. 혁신학교의 교육성과에 대하여 책임을 부여하는 제도적 장치로는 매년 실시하는 자체평가와 2년 주기의 교육청 주관평가가 실시된다. 평가 결과에 따라 지정이 연장되거나 취소될 수도 있다.

〈표 12-2〉 **제주형 자율학교 다훈디배움학교 운영현황(2019년 2월 현재)**

구분	2018년 신규 지정	2017년 지정	2016년 지정 2018년 재지정	2015년 지정	비고
지정기간	2018. 3. 1.~ 2020. 2. 28.	2017. 3. 1.~ 2019. 2. 28.	2016. 3. 1.~ 2018. 2. 28. 2018. 3. 1.~ 2020. 2. 29.	2015. 3. 1.~ 2019. 2. 28.	
초등학교	제주북초, 시흥초, 토산초, 대정서초	구엄초, 귀덕초, 금악초, 대정초, 풍천초, 홍산초	광양초, 덕수초	납읍초, 애월초, 수산초, 종달초	16교
중학교	제주중, 한림여중, 안덕중	대정중, 오름중, 애월중, 제주동중	세화중	–	8교
고등학교	–	대정고	제주중앙고	–	2교
초·중 통합학교	–	–	저청초·중	무릉초·중	2교
계	7교	11교	5교	5교	28교

3. 정부의 교육정책 현안

1) 정부 교육정책의 의미

정부의 교육정책은 정부가 헌법에 명시된 "능력에 따라 균등한 교육을 받을 국민들의 교육기본권"을 보장하기 위하여 어떠한 기본방침과 목표달성 전략을 가지고 있는지를 보여 주는 것이며, 교육제도의 유지활동으로서 교육행정은 물론 새로운 변화와 요구에 대응한 교육 개혁정책을 포함하기 마련이다.

당해 정부의 교육정책은 주무 부서인 교육부의 주요 업무를 통하여 살펴볼 수 있고, 당해 연도 대통령 업무보고에 드러나게 된다. 또한 지방자치단체에서는 17개 시·도별로 정부의 주요 정책을 기반으로 각 시·도별 주요 업무계획을 수립하여 공개한다.

이러한 교육부 및 시·도교육청의 정책방향은 최고 정책 결정권자인 장관과 각 교육감에 의하여 달라진다는 점에서 이들의 임명 및 선거가 국민과 주민의 교육기본권 보장을 실현하는 데 결정적 역할을 하게 되는 것이다.

동시에 정부의 교육정책 및 개혁 현안에 대하여 한국교총, 전교조, 좋은교사운동 등 교직단체들은 가장 민감하게 반응하며, 언론 역시 이에 대한 논의를 통하여 민의를 수렴하는 역할을 수행하기도 한다. 따라서 이 정책들에 대한 현장의 반응 및 여론을 살펴보는 것 또한 정책을 바로 이해하는 데 중요한 과정이기도 하다.

2) 역대 정부 교육개혁의 슬로건

앞서 살펴본 바와 같이 한국의 역대 각 정권은 국가발전의 좌표를 정하고 이를 달성하는 데 있어서 교육 개혁정책을 중요한 국가 아젠다로서 설정하여 왔고, 그 강조점 또한 시대별로 차이가 있었다. 1995년 신교육체제를 선언한 김영삼 정부에 있어서의 "수요자 중심 교육, 평생학습 체제"나 김대중 정부에 의한 "교육 인적자원의 개발, 교육공동체의 확립", 노무현 정부의 "지역균형 발전을 위한 참여, 교육격차 해소 등 교육복지의 실현" 등이 그것이다.

2008년 2월 출범한 이명박 정부의 경우 "학교의 자율화·다양화, 교육 선진화"를 슬로건으로 내걸었다. 앞선 진보 성향의 10년 정권 동안 평준화 및 교육기회 균등에 좀 더 정책의 무게를 두었다면, "교육의 수월성과 경쟁력, 그리고 효율성 및 생산적 복지를 겨냥한 교육선진화"를 내걸은 적이 있다.

2013년 2월 출범한 박근혜 정부는 국정의 기조를 경제부흥, 국민행복, 문화융성, 평화통일 기반 구축에 두었다. 이 중 교육분야는 국민행복 4대 전략 및 64개 과제에 포함되어 있었다. 즉, 맞춤형 고용·복지, 창의교육, 국민안전, 사회통합이 그것이다. 창의교육이라는 4대 전략하에 8개 과제를 선정했다. 꿈과 끼 교육(4), 전문인재 및 평생학습(3), 스펙 초월(1)이다. 박근혜 정부는 2014년 교육개혁 슬로건을 "모두가 행복한 교육, 미래를 여는 창의인재"로 내걸기도 했다.

꿈·끼 교육 본격화를 위해 중학교 5곳 중 1곳 자유학기제 시행 계획을 발표하고, 창의·융합형 인재양성을 위하여 문·이과 통합형 교육과정 개발을 발표하기도 했다.

문재인 정부의 교육정책 슬로건은 "교육이 희망이 되는 사회를 만들겠습니다."였다. 구체적으로는 서로 협력·참여하는 교육, 희망의 사다리가 되어 주는 교육, 그리고 현장 중심의 실천하는 교육이었다.

4차 산업혁명을 선도하는 인재양성
- 고교학점제 도입 추진
- 미래역량 교육 및 환경조성
- 고교체제 및 대입제도 개편 추진
- 대학의 경쟁력, 자율성 강화
- 대학의 교육·연구 역량 강화
- 직업·평생교육 활성화

교육, 희망의 사다리
- 국공립유치원 취원율 확대
- 고교 무상교육 도입 준비
- 대학생 교육비 부담 완화
- 기초학력 보장 및 학업중단 학생지원
- 취약계층 지원 및 기회균형 선발 확대
- 평생교육 바우처 신설

안심하고 보내고, 안전하게 다니는 학교
- 온종일 돌봄체계 구축
- 청소년 폭력 예방
- 아동학대 점검 방지
- 학교 내진성능 보강
- 미세먼지 대책 마련
- 감염병관리 및 급식·영양관리 강화

소통하는 정책, 협력하는 정부
- 국민참여 정책숙려제 도입
- 국가교육회의 협력 강화
- 사회부처간 협업 활성화
- 지자체 교육청과의 협력 강화

〈표 12-3〉 문재인 정부 교육부 주관 국정과제 및 실천과제

국정과제	실천과제
49. 유아에서 대학까지 교육의 공공성 강화	• 유아교육 국가책임 확대/ 온종일 돌봄체계 구축 • 고교 무상교육 실현/ 대학 등록금 및 주거비 부담 경감
50. 교실혁명을 통한 공교육 혁신	• 학생 중심 교육과정 개편/ 진로맞춤형 고교체제 전환 • 기초학력 보장/ 혁신학교 등 확대 • 교원 전문성 신장/ 대입제도 개선 및 공정성 제고
51. 교육의 희망사다리 복원	• 사회적 배려 대상자 대입 지원/ 사회 취약계층 교육 지원 • 고졸 취업자 지원 확대/ 학력 · 학벌주의 관행 철폐
52. 고등교육의 질 제고 및 평생 · 직업교육 혁신	• 고등교육 공공성 강화/ 대학 자율성 확대 • 직업교육 국가책임 강화/ 전문대 질 제고 • 성인 평생학습 활성화/ 산학협력 활성화
54. 미래 교육 환경 조성 및 안전한 학교 구현	• 지식정보 · 융합교육/ 선진국 수준의 교육환경 조성 • 학교 노후시설 개선/ 학교 주변 교육환경 개선
76. 교육 민주주의 회복 및 교육자치 강화	• 역사교과서 국정화 금지/ 교육민주주의 회복 • 국가교육위원회 설치/ 교육부 기능 개편 • 단위학교 자치 강화/ 현장과의 소통 · 협력

3) 문재인 정부의 국정과제 및 교육개혁 방향 사례

(1) 교육분야 국정과제 체계

총 100개의 국정과제 중 중 교육부 주관은 6개 국정과제, 30개 실천과제로 구성되었다. 교육부 과제는 주로, 5대 국정목표 중 '내 삶을 책임지는 국가', 20대 국정전략 중 '국가가 책임지는 보육과 교육'에 포함되어 있다.[5]

---

5) 국민이 주인인 정부: ① 국민주권의 촛불 민주주의 실현, ② 소통으로 통합하는 광화문 대통령, ③ 투명하고 유능한 정부, ④ 권력기관의 민주적 개혁

• 더불어 잘사는 경제: ① 소득 주도 성장의 일자리 경제, ② 활력이 넘치는 공정경제, ③ 서민과 중산층을 위한 민생경제, ④ 과학기술 발전이 선도하는 4차 산업혁명, ⑤ 중소벤처가 주도하는 창업과 혁신성장

• 내 삶을 책임지는 국가: ① 모두가 누리는 복지국가, ② 국가가 책임지는 보육과 교육, ③ 국민안전과 생명을 지키는 안심사회, ④ 노동존중 · 성평등을 포함한 차별 없는 공정사회, ⑤ 자유와 창의가 넘치는 문화국가

• 고르게 발전하는 지역: ① 풀뿌리 민주주의를 실현하는 자치분권, ② 골고루 잘사는 균형 발전,

(2) 교육분야 국정과제 세부 내용

【 유아에서 대학까지 교육의 공공성 강화 】

■ **과제목표**
- 누리과정 지원예산 등에 대한 국가 책임 확대 및 경제적 여건에 관계없이 고등교육의 실질적 기회 제공

■ **주요 내용**
- **(유아교육 국가책임 확대)** '18년 어린이집 누리과정 전액 국고지원, 국 · 공립유치원 취학률 확대('17년 25% → '22년 40%)
- **(유치원과 어린이집 격차 완화)** 교사 · 교육 프로그램 · 교육시설 질 균등화
  - 교사 자질 향상과 교사 처우 개선('18년), 전문교육과정 운영, 자격체계 개편 추진(교육부 · 복지부)
  - * 추진방법 및 일정은 국가교육회의에서 협의 · 조정
- **(온종일 돌봄체계 구축)** 온종일 돌봄교실을 초등학교 전 학년으로 점차 확대하고 내실화 방안 병행 추진
  - 부처 간(교육부, 복지부, 여성부 등), 지자체-교육청 간 협력을 통해 학교 안 · 밖 온종일 돌봄체계 모델 개발 · 확산('17년~)
- **(고교 무상교육)** '20년부터 고등학교 무상교육 단계적 실시('22년 완성)를 통해 고등학교 입학금 · 수업료 · 학교운영지원비 · 교과서비 지원
  - * 고교 무상교육 시행을 위한 초 · 중등교육법 개정('19년)
  - * 지방교육재정교부율 조정을 위한 지방교육재정교부금법 개정('19년)
- **(대학 등록금 및 주거부담 경감)** '18년부터 대학생이 체감할 수 있는 등록금 부담 경감, 학자금 대출이자 부담 경감 및 입학금 단계적 폐지 추진
  - 관계부처 협업으로 **대학생 기숙사 수용인원 5만 명**(실입주 3만 명) **확충**

■ **기대효과**
- 누리과정, 고교 무상교육 등 공교육 비용에 대한 국가 책임을 강화하여 출발선 단계부터 균등한 교육기회 보장

---

③ 사람이 돌아오는 농산어촌
- 평화와 번영의 한반도: ① 강한 안보와 책임국방, ② 남북 간 화해협력과 핵 없는 한반도, ③ 국제협력을 주도하는 당당한 외교

【 교실혁명을 통한 공교육 혁신 】

■ 과제목표

- 경쟁 중심의 교육에서 벗어나 진로맞춤형 교육으로 학생의 성장 지원
- 수업 혁신을 선도하는 혁신학교 · 자유학기제 확대, 대입전형 간소화 등을 통해 교실에서 시작되는 공교육 혁신 도모

■ 주요 내용

- **(학생 중심 교육과정 개편)** 유아 · 초등학생 적정 학습시간 및 휴식시간 보장 법제화, 초중고교 필수교과 축소 및 선택과목 확대, 문예체 교육 활성화
- **(진로맞춤형 고교체제)** '18년 고교 학점제 도입 · 확대, '17년 국가교육회의('17년 설치)에서 의견수렴을 통해 단계적 고교체제 개편 추진
  * 외고 · 국제고 · 자사고의 일반고 전환, 일반고와 입시 동시 실시 등
- **(기초학력 보장)** '17년 기초학력 보장법 제정을 통해 국가 차원의 기초학력 보장체제 구축, **'18년 1수업 2교사제** 등 단위학교 지원 확대
- **(혁신학교 등 확대)** **'17년 국가 수준학업성취도 평가 표집평가로 전환**, '18년부터 초 · 중학교 학생 평가제도 개선, 혁신학교(지구)의 성과 일반학교 확산, 자유학기제의 내실화 및 자유학년제 확산 등 추진
- **(교원 전문성 신장)** **교장공모제 확대**('18년), 성과제도 개선 등 교원인사제도 개선, 교 · 사대 교육과정(교직과정) 개선방안 마련('18년)
- **(대입제도 개선 및 공정성 제고)** **복잡한 대입전형 단순화** 추진 · 적용('18년~), **중장기 대입제도 개선*** 추진
  * 2021 수능개편안 발표('17년~) 및 학생부 위주 전형 개선방안 마련, 고교학점제에 맞는 대입제도 개선('18년~)
  - ▪ 비리 대학에 대한 재정 지원 중단, 대입정책 예고제(3년 6개월 전) 법제화 ('17년)

【 교육의 희망사다리 복원 】

■ 과제목표

- 사회적 배려 대상자, 사회 취약계층에 대한 교육 지원 강화
- 학력 · 학벌차별 관행 철폐 및 고졸 취업 지원 확대

■ 주요 내용

- **(사회적 배려 대상자 대입 지원)** **사회적 배려 대상자 기회균형 선발 의무화**('21학

년도), 선발 비율 확대 대학 인센티브 마련

- **저소득층 · 지방고 졸업생 지방대 의약학 계열 입학기회 확대*, 법학전문대학원 블라인드 면접 의무화** 및 취약계층 학생선발**과 장학금 지원 확대

  * 지방대학 및 지역균형인재 육성법 개정, 지역인재선발 의무화(30% 원칙)

  ** 취약계층 선발 비율: (현) 5% 이상 → (개선) 7% 이상 선발 대학에 인센티브 제공

- **(사회 취약계층 교육 지원)** 특수교사 · 학교(급) 확대, 통합교육 지원교사(순회교사) 배치, 장애대학생 진로 · 취업교육 강화 추진

  * 장애대학생 진로 · 취업교육 거점센터 지원('18년부터 6개 권역)

  - 다문화 · 탈북학생을 위한 범부처 종합대책 수립('18년)

  - 학교 밖 청소년 학력 취득 기회 제공, 학업중단 위기학생 조기 대응 · 관리 ('17년~)

- **(고졸 취업자 지원 확대)** 국가직 지역인재 9급 채용 단계적 확대 및 공공기관 · 민간기업의 고졸채용 유도('17년~)

  - 고졸 기술 인재 국비유학 및 글로벌 인턴 확대, 직업계고 취업처 발굴('17년~)

- **(학력 · 학벌주의 관행 철폐)** 대입에서 출신 고교 블라인드 면접 도입, 공공기관 · 지방 공기업 블라인드 채용 의무화 및 민간기업 확산 유도

【 고등교육의 질 제고 및 평생 · 직업교육 혁신 】

■ 과제목표

- 거점 국립대 · 지역강소대학 육성 등 대학의 공공성 · 경쟁력 강화
- 국가 직업교육 책임 강화 및 성인평생학습 활성화

■ 주요 내용

- **(고등교육 공공성 강화)** 지자체와의 연계 강화를 통한 **거점 국립대 집중육성** 및 지역 강소대학 지원 확대('18년~)

  - '19년부터 공영형 사립대 단계적 육성 · 확대 추진

- **(대학 자율성 확대)** 대학 재정지원사업 전면 개편(일반과 특수목적 구분) 및 **순수 기초연구 예산 약 2배 증액**, 도전적 연구 지원 확대

  - 연구성과 집적, 융복합 기술사업화 등 미래 성장동력 실용화 지원

- **(직업교육 국가책임 강화)** '18년 **직업교육 마스터플랜 마련** 및 직업계고 재정지

원 확대, 직업계고 학점제 단계적 운영('18년~)

- **(전문대 질 제고)** '17년 **전문대학에 지원 확대 방안 마련** 및 '19년 공영형 전문대 운영을 통해 전문대를 **직업교육 지역거점**으로 육성
- **(성인평생학습 활성화)** '18년 4차 산업분야를 우선으로 분야별 '**한국형 나노디그리**' 모델 개발·운영, 성인 비문해자 교육 기회확대, 한국형 무크(K-MOOC) 강좌 확대
- **(산학협력 활성화)** 대학-공공기관-지자체가 연계된 산학협력 클러스터 조성, 대학 내 기업·연구소 등 입주로 상시적 산학협력 촉진

【 미래 교육 환경 조성 및 안전한 학교 구현 】

■ 과제목표

- 제4차 산업혁명에 대비한 창의·융합형 인재 육성
- 학급당 학생 수 감축 등 교수-학습활동 개선 및 안전하고 쾌적한 교육환경 조성

■ 주요 내용

- **(지식정보·융합 교육)** 디지털 인문학적 소양을 갖추도록 **소프트웨어교육 내실화** 및 **선도 핵심교원 육성**('21년, 1만 명), 지능형 학습분석 서비스 제공('20년) 및 교육용 오픈마켓 구축·운영('18년~)
  - STEAM 연구·선도학교 운영 확대
- **(선진국 수준 교육환경 조성)** 교사 1인당 학생 수를 OECD 평균 수준으로 개선, 초·중등 교과교사와 비교과교사(유아·특수 등) 확충, 학교 비정규직의 정규직화 및 처우 개선
- **(학교 노후시설 개선)** '18년 **학교시설 개선 종합계획 수립**, 교육시설 안전인증제 도입
  - 석면 제거, 내진 보강, 분필칠판 및 노후 냉난방기 교체 등 낡은 학교 환경 개선, 공기정화장치 설치 등 **학교 미세먼지 대책 마련**('18년)
- **(학교 주변 교육환경 개선)** '18년 **아동학대 조기 발견**을 위한 **시스템 간 연계**, 교육 환경보호구역 인근 도박시설에 대한 합리적 규제조치 마련('18년)
  - 유치원 안전교육 이수 의무화, 초등 생존수영 교육 연차적 확대 운영('17년 초등 3학년~5학년 → '20년 초등 전 학년)

【 교육 민주주의 회복 및 교육자치 강화 】

■ 과제목표

- 역사교과서 국정화 폐지, 사학비리 근절 등 교육의 민주성 · 책무성을 강화하고, 교육부 개편 등 교육 거버넌스 개편

■ 주요 내용

- **(역사교과서 국정화 금지)** '17년 국정 역사교과서 폐지(5 · 31 확정) 및 **검정 역사교과서 개발방안 마련**
  - 발행체제 연구 · 의견수렴('18년)을 통해 **자유발행제 단계적 도입**('19년~)
- **(교육민주주의 회복)** '18년부터 **국립대 총장후보자 선정방식과 재정지원사업 연계 폐지** 및 사학비리 근절을 위한 사립학교법령 개정 추진
- **(국가교육위원회 설치)** '17년에 대통령 직속 자문기구인 **'국가교육회의'를 설치**하고, 중장기 교육정책 수립을 위한 국가교육위원회 설치 추진('19년)
- **(교육부 기능 개편)** '17년에 고등 · 평생 · 직업교육 중심으로 **교육부 조직 개편** 및 초 · 중등교육 이양 확대를 위한 공동협의체(시도교육청 등) 구성
- **(단위학교 자치 강화)** 학교운영위원회 학생 · 학부모 자치활동 활성화 방안 마련('17년), 유치원 포함 초중고 학교 학부모회 지원 확대
- **(현장과의 소통 · 협력)** 찾아가는 정책 설명회 등 현장 소통 기회를 확산하고, 교육 현장과의 교류 활성화 및 교육정책이력제 확대('17년)

문재인 정부는 학교자치 및 학교자율화 로드맵을 2017년 8월에 교육자치정책협의회를 통하여 심의한 후 발표한 바 있다. 교육자치정책협의회는 교육부와 시도교육청, 교육전문가와 학교 현장 대표가 한 자리에 모여 교육자치 강화 및 학교자율화와 관련된 주요 안건들을 심의 · 의결하는 교육 분야 협치協治의 상징 기구로 구성되었다.

(3) 교육부의 대통령 보고 주요 업무계획

교육부는 매년 대통령에게 교육부의 주요 업무보고를 보고하고 있고, 이는 교육부가 추진하는 주요 정책의 청사진으로서 언론에 공개되고 있다. 한국교원단체총연합회(한국교총)과 전국교직원노동조합(전교조)의 논평도 이어 소개한다.

[그림 12-1] 문재인 정부의 교육자치 및 학교자율화 로드맵(2017. 8.)

2019년도에도 교육부는 대통령에게 "모두를 포용하는 사회, 미래를 열어가는 교육"이라는 주제로 업무보고(2018년 12월 11일)를 했다. 교육부는 2019년 '교육현장의 신뢰도 제고'와 '사람 중심 미래 교육 실현'을 중점 추진하겠다고 밝혔다. 먼저, 국민들의 우려가 큰 교육분야 부정·비리와 관련하여 무관용 원칙으로 엄정하게 대응하는 한편, 교육부부터 혁신하고 교육 현장의 투명성을 높여 자정 역량을 제고하겠다고 강조했다. 또한, 혁신적 포용국가로 나아가기 위하여 평등한 교육 출발선을 보장하고, 개인의 선택과 성장을 지원하는 학생 성장 중심 교육을 실현하겠다고 밝혔다. 2019년 교육부 업무계획의 주요 내용은 다음과 같다.

【 교육 현장의 신뢰도 제고 】

■ 공정하고 신뢰할 수 있는 교육 현장을 만들기 위해 교육부부터 혁신하고, 학교 구성원 참여 활성화를 통해 학교 운영의 투명성을 제고한다.

■ 먼저, 교육부와 사립학교의 유착 가능성을 원천 차단하여 교육부에 대한 국민

들의 신뢰를 회복할 계획이다. 사립대학 보직 교원에게 적용되고 있는 퇴직 공무원 취업제한을 사립 초 · 중 · 고등학교와 사립대학 무보직 교원까지 확대하고,[6] 문제 발생 사립대학[7] 총장의 경우 취업제한 심사기간을 현행 3년에서 6년으로 강화한다.

■ 교육부와 교육청, 대학 간 인사교류 기준을 강화하고, 능력 중심 인재 등용을 위한 인사혁신안을 마련한다. 부서 간 벽을 낮추고, 국민에게 필요한 정책은 부서나 직급 상관없이 유연하게 협력하는 조직문화를 만든다. 그 일환으로 부총리가 부내 협의회를 통해 젊은 직원들과 정책에 대해 가감없이 논의하고, 이를 정책결정에 반영할 계획이다.

■ 국민 눈높이에 맞는 현장 중심의 교육행정체계를 만든다. 정책 발굴부터 결정, 집행, 평가까지 전 과정에 걸쳐 국민 참여 통로를 제도화하고, 교육부 직원이 현장을 직접 체험하는 '교육 현장 근무제(가칭)' 도입을 통해 현장 밀착형 교육정책을 수립 · 추진한다.

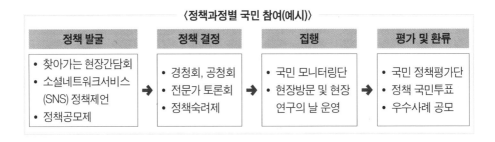

〈정책과정별 국민 참여(예시)〉

정책 발굴	정책 결정	집행	평가 및 환류
• 찾아가는 현장간담회 • 소셜네트워크서비스 (SNS) 정책제언 • 정책공모제	• 경청회, 공청회 • 전문가 토론회 • 정책숙려제	• 국민 모니터링단 • 현장방문 및 현장 연구의 날 운영	• 국민 정책평가단 • 정책 국민투표 • 우수사례 공모

■ 국가교육위원회 출범을 통해 국민의 의사를 반영한 중장기 교육정책 수립을 위한 기반을 마련한다. 현장의 요구를 반영하여 유 · 초 · 중등분야 사무와 권한을 시 · 도 교육청으로 지속 이관하고, 개별 학교의 자율성을 강화한다. 또한, '미래교육위원회(자문기구)'를 구성하여 현장 전문가, 학생, 학부모와 함께 미래인재 양성에 대하여 논의하고, 부처 간 협업을 통해 '미래인재 양성방안'을 마련한다.

■ 학교 현장의 투명성을 높이고 스스로 비리를 예방하는 자정 시스템을 구축하기

---

6) (현행) 사립대학 보직 교원 및 법인 직원 → (개정) 사립 초 · 중 · 고 · 대학교 및 법인

7) 기본역량 진단 결과 재정지원 제한 대학이거나 최근 5년간 비리로 제재를 받은 대학 등

위해 구성원의 학교 운영 참여를 확대한다. 초·중·고등학교 학생회·학부모회 제도화[8] 및 대학 평의원회 제도 안착 등을 통해 구성원의 학교 운영 참여 기반을 마련하고, 학교운영위원회에 학생, 학부모가 안건을 제안할 수 있도록 한다.

■ 교육 현장의 부정·비리에 대해서는 엄정 대응한다. 시험지 유출 등 비위 발생 시 사립 교원에게도 국·공립 교원과 동일한 징계 기준을 적용하여 징계를 강화한다. 그동안 교육부(교육청)의 교원 징계의결 요구 또는 시정·변경 명령에 사립학교(법인)가 불이행하는 경우가 있었으나, 교원 징계의결 요구 불이행 시 과태료를 부과하고, 시정·변경 명령 불이행 시 고발 조치를 의무화하는 법률 개정을 통해 교육비리 근절의 실행력을 높일 예정이다. '교육 신뢰 회복 추진팀(가칭)'을 설치하여 교육비리를 집중 조사하고 실효성 있는 제도 개선을 발굴하고, 부총리 주재 '교육 신뢰 회복 점검단' 운영을 통해 교육비리 관련 현황 및 추진상황을 집중 점검한다. 공익제보 신고센터를 내실화하고, 학교 비리를 밝히는 내부 공익 제보자에 대한 신변노출 방지 및 신분보장 제도를 정비한다. 유·초·중·고 및 대학의 감사 결과를 학교명까지 실명 공개하여 학교 현장의 자정 노력을 강화하고 투명성을 제고할 예정이다.

【 사람 중심 미래 교육 】

① 평등한 출발선 보장

■ 교육부는 국민의 신뢰를 토대로 사람 중심 미래 교육을 실현하기 위해 먼저, 차별 없는 포용적 교육을 구축한다. 유아기와 초등학교 저학년 시기는 삶에서 가장 기본적인 역량을 함양하는 결정적 시기로, 국가가 평등한 교육기회와 기초학력 보장을 책임진다.

■ 학부모들이 학비 부담 없이 안심하고, 믿고 맡길 수 있도록 국·공립 유치원을 확충(2019년. 1,080개 학급 신설)한다. 통학버스, 돌봄 등 학부모가 필요로 하는 서비스를 개선하고,[9] 교육 내용도 창의성을 발현시키는 놀이 중심 교육으로

---

8) 학생회 법제화(초·중등교육법 개정 추진) 및 학부모회 조례 제정 확산 지원

9) 통학 권역이 넓은 유치원 및 농어촌, 집단 폐원·모집보류 지역 중심으로 통학차량을 우선 지원하고, 돌봄 필요 자녀의 방학 중 돌봄 및 학기 중 오후 돌봄 참여 보장

전환한다.

■ 선행학습 없이도 학교 수업을 통해 한글·수학·영어 기초 능력을 확보할 수 있도록 국가가 책임지고 교육한다. 수준별 맞춤형 한글 학습 프로그램(한글 또 박또박), 초등학교 1~2학년 어휘 수준에 맞춘 수학 교과서 및 놀이·실생활 중심 교육과정 등을 통해 아이들이 쉽고 재미있게 한글과 수학을 익힐 수 있도록 한다. 아이들이 영어에 친숙해질 수 있도록 수준에 맞는 교과서와 교육과정을 토대로, 보조인력(학부모, 교원 임용 후보자 등 자원봉사자)과 방학 중 무료 영어학습 돌봄 등을 지원하고, 학년별 맞춤형 수업[10]을 통해 듣기, 말하기, 읽기 등 전반적인 언어 능력을 확보할 수 있도록 한다.

■ 학습 성취수준 진단과 맞춤형 지원을 통해 학습 과정에서 발생하는 교육 격차를 최소화한다. 기초학력 진단-보정 시스템 등을 활용하여 단계별 학생들의 기초학력을 정확하게 진단하고, 학습 부진 학생에 대해서는 수준과 원인 등에 따라 맞춤형 지원을 제공한다.

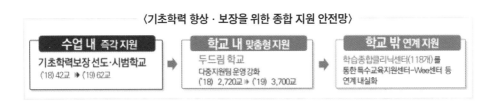

〈기초학력 향상·보장을 위한 종합 지원 안전망〉

■ 특수교육 대상 학생의 교육권을 보장하기 위해 교육시설을 확충하고, 인권보호를 위해 범정부 차원의 대책을 마련(2018년 12월)한다. 국립대학(공주대, 부산대) 부설 특성화 특수학교(2021년 개교)를 설립하여 장애학생이 꿈과 끼를 키울 수 있도록 예술교육과 진로·직업교육을 실시할 계획이다.

■ 학부모들이 체감할 수 있는 수준으로 교육비 부담 경감도 지속적으로 추진해 나간다. 2019년 고교 무상교육 시행을 위한 법령(초중등교육법 및 지방교육재정교부금법) 개정을 위해 관계부처 및 국회 등과 계속해서 긴밀하게 협의할 계획이다. 저소득층 가정의 유치원 선택 폭을 넓힐 수 있도록 사립 유치원에 다니는 저소득층 유아에게 유아학비를 월 10만 원 추가 지원한다. 저소득층 교육급

---

10) (3학년) 놀이·활동 중심 → (4~5학년) 듣기·말하기 중심 → (6학년) 읽기 능력 집중

여 지원금을 최저교육비 100% 수준[11]으로 인상하고, 국가장학금을 통한 반값 등록금 수혜범위도 지속 확대할 계획이다.

② 미래 사회에 대비한 학교교육 혁신

- 4차 산업혁명에 대비한 미래 인재를 키우기 위해 학교 공간, 교육과정, 교육방식 등을 혁신한다.

- 획일적인 학교 시설을 창의성과 융합적 사고를 키워 주고, 새로운 교육방법을 적용할 수 있는 학생 중심 학습공간으로 변화시킨다. 친교·놀이활동 등이 가능한 창의·감성적 생활공간을 조성하여 머물고 싶은 학교를 구현한다.

  ※ 교육청별 공간혁신사업 지원(2019년 400억 원), 공간별 표준 모델 마련 및 확산 추진

- 학교의 자율성을 확대해서 다양한 교육이 가능한 기반을 마련한다. 학교의 자율적인 교육과정 편성·운영 권한을 확대하고, 일부 교과(학교장 개설 교과, 전문교과)에 한해 인정도서의 심사 기준을 간소화한 자유발행 형식의 교과서를 도입한다. 학생의 창의성 및 문제해결력을 키워 주기 위해 과정 중심 평가를 활성화한다.

- 고교학점제 도입을 위한 기반을 차질 없이 구축해 나간다. 연구·선도학교 확대(2018년 105교 → 2019년 342교)를 통해 다양한 고교학점제 모델을 마련하고, 직업교육 선도모델인 마이스터고에 학점제를 우선 도입(2020년)한다. 고교학점제 도입에 대비하여 일반고도 온라인 공동 교육과정(2017년 6개 교육청, 2018년 11개 교육청, 2019년 17개 교육청) 등 학교 안팎의 자원을 활용한 다양

---

11) [초] ('18) 116,000원 → ('19) 203,000원, [중·고] ('18) 162,000원 → ('19) 290,000원

한 교육과정 운영을 확대한다.

■ 참여하고 실천하는 성숙한 민주시민을 길러내기 위해 학교교육 전반에 걸쳐 민주시민교육을 강화[12]하고, 예술교육도 활성화[13]할 예정이다.

③ 대학의 지식창출 및 지역성장 역량 강화

■ 대학의 자율성을 토대로 고등교육 혁신 생태계를 조성한다. 2019년 시작되는 (전문)대학혁신지원사업(대학 5,688억 원, 전문대학 2,908억 원)은 각 대학이 중장기 발전계획에 부합하는 혁신과제를 자율적으로 선택하여 추진할 수 있도록 일반재정지원 방식으로 지원한다. 4차 산업혁명 대비 신산업 분야(스마트 헬스케어, 자율주행차, 사물인터넷(IoT) 등) 미래인재양성을 위한 교육과정 개편, 환경개선 등 교육혁신에 대한 지원을 확대(2018년 10교 → 2019년 20교)한다.

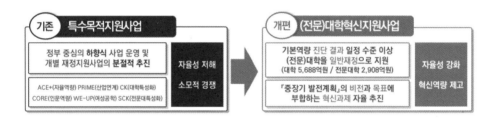

■ 대학의 학술 및 연구역량을 강화하고, 시간강사 처우를 개선한다. 학계가 주체가 되어 학술 중장기 계획[14]을 수립(2019년 하반기, 학술비전 2030)하고, 향후 우리나라 학술발전 10년의 비전을 제시한다. 세계적 수준의 연구 중심 대학 육성을 위해 BK21 후속사업(2020~2027년) 개편방안을 마련한다. 시간강사의 안정적인 교육여건을 확보하기 위해 처우개선을 위한 예산을 지원(2019년 288억 원)하고, 시간강사제도 운영 매뉴얼을 마련한다.

■ 연구 기여도가 없는 자녀를 논문 공저자로 등재, 논문 가로채기 등 연구자의 비

---

12) 민주시민교육 목표 · 원칙을 포함한 기준 마련 및 '민주시민학교(가칭, '19. 51교)' 지원

13) 지역사회와 연계 · 협력하는 예술이음학교('19. 11교) 및 문화소외지역 학생 지원을 위한 예술드림거점학교('18. 88교 → '19. 211교) 운영

14) (주요 과제) 인문사회 학술생태계 구축, 분과학문 연구에서 의제agenda 중심 연구로 전환, 학제간 융합연구 확대 및 기초학문분야 연구역량 강화 등

윤리적 연구행위는 원천 차단하고 국가 연구비 지원[15]에 대한 대학의 책무성을 강화할 예정이다.

■ 대학을 지역혁신 및 지역발전을 위한 거점으로 육성한다. 특히, 국립대학은 국가 고등교육기관으로서 공공성을 강화하고 지역별 거점으로 육성(2019년 1월, 504억 원)한다. 우수인재 양성 및 취약계층 지원, 기초·보호학문 연구, 자원 개방·공유 등 지역 고등교육 발전을 위한 토대 역할을 강화한다. 지역사회와의 상생 협력 및 지역발전을 위한 사립대학의 역할을 확대하기 위해 공영형 사립대 추진을 위한 기반을 준비한다.

■ 향후 2~3년 내 입학자원 급감으로 폐교하는 대학이 나타날 것으로 예상됨에 따라, 대학 폐교가 교직원·지역사회 등에 미치는 영향을 최소화할 수 있는 방안[폐교 대학 청산 지원을 위한 근거 법령(사립학교법) 마련 등]도 마련할 예정이다.

4 고졸 취업 활성화

■ 대학 진학만이 유일한 성공 경로가 되지 않도록 고등학교 졸업 후 원하는 학생은 본인의 적성에 따라 바로 취업하고 원할 때 다시 배울 수 있는 경로를 구축한다.

■ 직업계고를 학생들이 오고 싶어 하는 매력적인 학교로 만든다. 지역사회 및 지역산업과 연계를 강화한 '지역산업 밀착형 직업계고' 도입[16](2019년 5교 → 2022년 50교)을 통해 지역과의 상생모델을 발굴한다. 미래산업과 연계하여 직업계고 학과를 개편[17]하고 교육역량 강화, 학교문화 개선 등 직업계고의 자발적인 혁신을 지원한다. 신산업 전문가 및 우수한 현장 전문가가 직업계고 교사가 될 수 있는 기회를 확대[18]하여 직업계고 교육의 현장 적합성을 높인다. 현장

---

15) 국가지원을 받는 논문에 자녀 또는 배우자가 참여할 경우, 연구비 지원 기관의 사전 승인 의무화, 연구비 수혜 상위 20교 대상 연구윤리 실태조사 등

16) 지역 명장을 교수인력으로 적극 활용, 생활 사회기반시설(SOC) 협동조합 등을 학교 내 설치·운영하여 현장 실무교육 확대 및 지역기업으로의 취업 연계

17) 2019년부터 연간 100개 이상, 2022년까지 약 500개(누적) 학과 개편 추진

18) 교사양성 특별과정 활성화, 사범대에 재직자 특별전형 도입, 임기제(5~10년) 채용 근거 마련 등

실습과 관련해서는 기업 참여 기준 및 절차를 합리화하고, 현장실습을 3학년 2학기에 단일 교과로 운영하는 방안을 적극 검토한다.

■ 양질의 고졸 일자리를 확대하고, 취업을 지원한다. 국가직 · 지방직 9급 공무원 고졸채용 인원[19]을 확대하고, '선취업–후학습 우수기업' 인증제[20]를 통해 양질의 고졸 일자리를 확대한다. 전문적인 취업지원 역량을 갖춘 취업지원관을 모든 직업계고에 1인 이상 배치(2019년 400명 → 2022년 1,000명)하고, 중소기업 취업 시[21]* 고교취업연계장려금(1인당 300만 원)을 지원한다.

■ 재직자의 역량개발을 위한 지원도 확대한다. 모든 국립대에 고졸 재직자 전담 과정을 개설(2019년 거점 국립대 → 2022년 전체 국립대)하고, 재직자가 학습하기 용이하도록 유연한 학사제도를 운영하는 등 고졸 취업자의 역량개발을 지원한다. 또한, 고졸 재직자가 대학에 입학하는 경우, 학비를 전액 지원[22]하여 경제적 부담 없이 고등교육을 통해 역량개발을 할 수 있도록 기회를 확대한다.

---

19) (국가직 지역인재 9급) ('18) 7.1% → ('22) 20% / (지방직 기술계고 경채) ('18) 20% → ('22) 30%

20) 인증심사지표 마련('19. 상) → 인증제 도입 · 운영('19. 하) / 우수기업에 대해서는 세제혜택, 정책자금 지원, 공공입찰 가점, 중소기업 지원사업 평가우대 등 인센티브 제공

21) 대상: 직업계고 학생(일반고 직업교육 위탁과정 포함)

22) (고졸 후학습자 장학금) 중소기업 3년 이상 고졸 재직자 / ('18) 290억 → ('19) 580억

2019

우리 교육이 이렇게 바뀝니다.

국민들이 신뢰할 수 있는 교육을 만들겠습니다

믿고 보낼 수 있는 사립유치원

'에듀파인' 단계적 도입

일정규모(200명) 이상 유치원(600여개) 우선 사용

공정한 내신을 위한 학생평가 관리 강화

보안강화, 관련자 처벌규정 명시

시험지 유출 처리기준 마련

상피제도 추진

사립학교 취업 제한

3년 → 6년

교육부 퇴직공무원 부실 사립대학 총장 취업제한

사립 초·중등학교 및 사립대학 무보직 교원 취업도 제한

같이 출발하는 교육을 만들겠습니다

유치원의 공공성과 질 강화

국공립유치원 확대

40% 조기달성

'19. 1,080개 학급 신설

방과후 놀이유치원

('18) 51개
('19) 500개

국·공립 유치원 서비스 개선

통학차량 지원, 돌봄 확충

모든 아이의 기초학력 보장

초등 저학년 한글 책임교육

한글 또박또박 등 활용
(웹기반 한글 책임교육 지원 프로그램)

가나다

두드림 학교

3,700교
2,720교
('18) ('19)

국민의 교육비 부담을 덜어드립니다

어려운 학생도 걱정없이 받는 교육

유아 학비지원

유아학비(월10만원) 추가지원

교육 급여 인상

초등 ('18) 116 천원
('19) 203 천원

중·고 ('18) 162 천원
('19) 290 천원

고등학생학부모 교육비 부담 경감

고교 무상교육 조기 시행
('19)

대학생 등록금 부담 완화

등록금 절반이상 국가장학금 수혜자 확대

('18) 31.9% 692,282 명
('19) 33.2% 700,024 명

도움이 필요하면 더 따뜻하게 보살펴줍니다.

저소득층

▪ 장학지원 확대

('18) 꿈사다리 장학금
300명 5년

('19)복권기금 저소득층 장학금
1,500명 최대 9년

다문화학생

▪ 초등학교 입학 준비교육
(징검다리 과정)

'19 20교 시범운영

탈북학생

▪ 맞춤형 멘토링

교사 1:1 맞춤형 멘토링 1,500명
전문가 결연 멘토링 20명

▪ 한국어 교육
▪ 진로·직업 교육

농어촌

▪ 농어촌학교 특색 프로그램 지원

소규모학교 공동 교육과정
학교-마을 연계 등

학업중단학생

▪ 학교 밖 학습경험을 학력으로 인정

6개 44명 ('17)
7개 226명 ('18)
15명 400명 이상 예상 ('19)

참여 시·도 등록학생수

우리 아이들의 학교가 보다 안전해집니다

미세먼지로부터 학생 건강 보호

공기정화장치 설치 확대
(유치원,초등학교,특수학교)

'19 단계적 확대 > '20 전면설치 완료

교실 내 공기질 관리기준 강화
(미세먼지 유지 기준 강화)

PM10 100 μg/㎥
75 μg/㎥

통학과 학교생활 안전

'어린이 통학버스 위치알림 서비스' 확대

('18) 500 대
('19) 700 대

내진보강, 석면제거 등 학교노후시설 개선 예산

2.73조 3.43조
('18) ('19)

대학의 경쟁력을 높이고, 미래인재를 양성합니다

대학의 자율적 성장 지원

대학혁신지원사업 실시

5,688억 대학
2,908억 전문대

국립대학육성사업

800 억원
1,504 억원
('18) ('19)

혁신성장을 주도하는 미래인재 양성

LINC+ 사업

('18) 2,813 억원
('19) 3,469 억원

4차 산업혁명 혁신선도대학

10교 ('18)
20교 ('19)

먼저 취업하고, 원할 때 교육 받습니다

중등직업교육 체질 개선

직업계고 학과 개편

'19년부터 연간 100개 이상
'22년까지 약 500개

직업계고 취업지원

모든 직업계고 취업지원관 배치

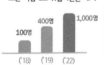

100명 400명 1,000명
('18) ('19) ('22)

고교취업연계 장려금

'18 24,000명
'19 25,500명

고졸 재직자 역량개발 지원

국립대 고졸 재직자 전담과정

거점 국립대 국립대 전체
('19) ('22)

누구나 쉽게 새로운 교육을 받을 수 있습니다

어디에서나 손쉽게 받는 교육

K-MOOC 강좌확대

'18 500개
'19 650개

방송대 모바일학습 컨텐츠 확대

'18 1,016개
'19 1,320개

지역과 연계하는 맞춤형 평생교육

평생학습도시 지정 확대

153개 160개 167개
('17) ('18) ('19)

성인친화적 학사제도 (전문대학까지 확대)

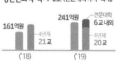

161억원 4년제 21교
241억원 4년제 20교 전문대학 6교 내외
('18) ('19)

【보도자료】 2019년 교육부 업무보고에 대한 교총 입장(2018. 12. 12.)

교육의 국가의무 떠넘기는 교육분권 안 된다
교육청 권한 확대 아닌 학교 자율, 학교장 책임경영제 강화해야
학생회 · 학부모회 법제화, 학교 '정치화' 우려 … 자율에 맡겨야
국가교육위와 기능 유사한 미래교육위 신설 신중할 필요
고교학점제는 교과 확충, 교원 충원, 도농격차 해소 등 관건
시간강사 처우개선 당연 … 대학 전가 말고 정부 지원 확대도
'교육의 중심' 교원의 교육활동 보호대책 없어 … 조속히 마련을

1. 한국교원단체총연합회(회장 하윤수)는 11일 교육부가 발표한 '2019년 교육부 업무보고'에 대해 교육정책의 명확한 방향성 제시와 현장성 강화를 촉구한다.

2. 이번 업무보고는 '모두를 포용하는 사회, 미래를 열어 가는 교육'의 실현을 내세워 기대되는 측면이 있지만, 국정과제 등 이미 제시했던 내용이 다수이고 현안 해결을 위한 대중적 정책 등에 초점을 맞추는 부분도 많다고 보여진다. 따라서 그동안의 정책 추진성과를 면밀히 평가하고 현장성을 바탕으로 교육방향에 대한 고민과 명확한 재설정이 필요하다.

3. 이와 관련해 교총은 '미래를 열어 가는 교육'을 강조하면서 정작 학교교육의 중심이자 주체인 교원의 교육활동 보호와 사기 진작 등 현장 중심 정책이 부재하다는 점을 지적하며 구체적 방안이 조속히 제시되길 요구한다.

4. 이를 바탕으로 세부과제별 대안과 보완점을 밝히면,

▲국가교육위원회 출범에 대해서는, 중장기 교육정책을 수립하는 범정부 기구로서의 위상 부여와 추신의 안성성 확보를 위해 가칭 '국가교육위원회 설치 및 운영에 관한 특별법'으로의 입법이 필요하다고 본다. 또한 정부, 국회, 학계는 물론 교원단체 등을 포함시켜 교육전문성을 확보해야 한다. 아울러 유 · 초 · 중등교육 이양은 시 · 도교육청 권한 강화가 아닌 '단위학교의 자율성 강화'에 방점을 둘 것을 강조한다. 교육의 국가의무를 떠넘기는 '교육분권'은 안 된다는 점을 분명히 밝힌다. 반면 국가교육위원회 출범이 예정된 상황에서 기능이 유사한 미래교육위원회 신설은 옥상옥이 될 수 있다는 점에서 신중해야 한다.

▲학생회(초중등교육법 개정) 및 학부모회(조례 제정) 법제화는 학사 운영 영역까지 법률로 규정해 학교의 자율성과 특성을 무시하고, 교육구성원 간 갈등과 혼란을 가중시킬 우려가 크다는 점에서 재검토해야 한다. 현행법상 학생자치기구는 학칙에 따라 조직 · 운영되고 있으며, 학부모회도 자체 '규약'에 따라 운영되고 있다. 이는 지역별 · 학교별 여건에 따라 학교가 자율적으로 운영할 수 있도록 보장한다는 입법 취지가 있다. 더욱이 법적 자치기구인 학교운영위원회가 존재하는 상황에서 또 다른 각각의 기구를 법제화하는 것은 권한과 책임의 충돌과 갈등을 초래해 학교를 민주화하기보다 '정치화'할 우려가 크다. 따라서 학교의 여건에 따라 자율성을 보장하는 방식으로 운영돼야 한다.

▲국가기초학력 보장과 관련해서는 우선 정확한 실태조사와 공개가 선행돼야 한다. 최근 국정감사 자료에 따르면, 교육부는 지난 5년간 시 · 도교육청에 '기초학력향상지원사업'으로 총 918억여 원을 지원했지만 기초학력 부진 실태를 파악하지 못하고 있고, 시 · 도교육청도 초 · 중 · 고 기초학력 진단검사 결과를 수집하지 않는 것으로 지적됐다. 국가가 기초학력 제고를 위한 맞춤형 지원을 하려면 정확한 실태를 파악, 공개하고 그 결과를 분석해 대책을 내놓는 것이 기본이다.

▲고교학점제 연구 · 선도학교를 확대하고 도입 시기를 연기(2022 → 2025)한 것은 여건 조성과 준비가 더 필요한 고교 현실을 고려할 때 바람직하다. 고교학점제 도입을 위해 다양한 교과목 개설, 교원 충원, 지역 간 격차 해소, 특정 교과 쏠림현실 방지 대책 등을 다각도로 마련해 줄 것을 주문한다.

▲대학 시간강사 처우개선과 지원은 당연히 필요하다. 다만, 국회 입법조사처 추정 결과, 국립대학 지원분만 연평균 721억여 원, 사립의 경우 2,000억 원 이상이 필요하다는 점을 간과해서는 안 된다. 대학의 추가 재정 부담을 고려하지 않을 경우 시간강사 대량해고와 강의의 대형화 등 부작용이 예견되기 때문이다.

5. 교육정책의 추진과 안착의 필수요소는 현장성이다. 학교와 교원이 갈등과 업무 부담에서 벗어나 학생교육에 전념할 수 있도록 정책 방향을 재검토하고 과제를 다듬어 나갈 것을 다시 한 번 촉구한다.

☞ 자료검색방법: 한국교원단체총연합회(http://www.kfta.or.kr/) 보도자료(2018. 12. 12.) 검색

【기사】 주요 업무보고 관련 전교조 신문(교육희망) 보도(2018. 2. 12.)

교육부, 공교육 혁신정책보다 가시적 성과 보이는 정책 추진
내년 업무계획, 특권학교 일반고 전환, 혁신학교, 교원확충 내용 빠져…
'교육비리 척결'에 강조점

문재인 정부가 대통령 공약과 국정과제에도 핵심으로 담은 '혁신학교 확대' 내용이 빠졌다. 교육부가 올해 이어 내년 업무계획에서도 제외한 탓이다.

교육부가 11일 정부세종청사에서 문재인 대통령에게 보고한 '모두를 포용하는 사회, 미래를 열어 가는 교육' 주제의 2019년 업무계획을 보면, 혁신학교를 확대한다는 국정과제 내용은 없었다.

'공교육혁신' 대신 '미래 교육'

교육부는 '사람 중심 미래 교육–미래 사회에 대비한 학교 교육 혁신' 단락에서 학교 공간을 바꾸는 것을 첫머리에 올렸다. 고교학점제 연구·선도학교 확대, 민주시민교육 강화 등도 포함됐으나, 혁신학교 확대는 빠졌다.

혁신학교 확대는 문재인 정부 100대 국정과제 가운데 '50. 교실혁명을 통한 공교육 혁신' 과제 내용으로, '혁신학교(지구)의 성과 일반 학교 확산'이라고 명시돼 있다. 진보 성향의 교육감 지역에서 추진해 학교혁신의 모델이 된 혁신학교의 성과가 정부 주도로 퍼질 가능성을 높인 것이다.

그러나 김상곤 전 교육부 장관 시절이었던 2018년 업무계획에 이어, 유은혜 교육부 장관 체제인 2019년 업무계획에서도 해당 국정과제가 제외된 것이다. 이를 두고, 지난하지만 중장기적으로 공교육을 혁신하기 위한 정책보다는 현안이나 가시적인 성과가 보이는 정책 추진으로 정부가 방향을 잡고 있다는 지적이 나온다.

외국어고 등 특수목적고와 자율형 사립고에 대한 일반고 전환 구상도 없었다. 내년도는 이들 학교에 대한 재지정평가가 다시 이뤄지는 해이다. 이에 따라 이들 학교가 어떤 경로로 일반고로 전환해 고교 서열화를 해소할지에 대한 관심이 높다.

외고·국제고·자사고 일반고 전환도 국정과제다. 정의당은 이날 논평에서 "고교체제 개편의 두 번째 단계가 도래하는 만큼 기존에 밝혔던 '공정하고 엄정한 평가로 일반고 전환'이 어떻게 진행되는지, 교육부와 교육청은 각각 무엇을 하는지, 기조의 변화가 없는지 밝힐 필요가 있다."라며 "우리 교육에 끼치는 외고, 국제고, 자사고의 영향을 누구보다 잘 알고 있는 정부가 언급조차 하지 않아 의아하다."라고 촌평했다.

교원 확충에 관한 내용도 담기지 않았다. 교육부는 사립유치원 비리에 대한 대책으로 국·공립유치원을 확대하겠다고 했다. 올해 1080개의 학급을 신설하는 등 오는 2021년까지 국·공립 유치원 40%를 달성하겠다는 것이다.

하지만 늘어난 학급을 담당할 유치원 교원 증원에 대한 방안은 없었다. "교사 1인당 학생 수를 경제협력개발기구 OECD 평균 수준으로 개선하기 위해 초·중등 교과 교사와 유아, 특수 등 비교과 교사를 확충"하겠다고 명시한 국정과제는 문재인 정부 3년차에도 과제로만 남을 공산이다.

특권학교 일반고 전환·교원 확충 내용도 빠져

앞뒤가 맞지 않는 내용도 있다. 교육부는 업무계획에서 "모든 아이가 선행학습 없이도 한글, 수학, 영어 기초 수준을 성취할 수 있도록 국가가 책임지고 교육하겠다."라고 밝혔다. 그러나 유은혜 교육부 장관은 지난 10월 초, 취임 직후 유치원과 어린이집 영어 방과 후 수업을 허용했고 나아가 초1~2학년 방과 후 영어 수업 허용 가능성도 언급했다. 사실상 영어 선행학습을 열어 놓은 것이다.

여기에 여당인 민주당은 자유한국당과의 합의로 지난 6일 국회 교육위원회 법안심사소위원회에서 선행학습 금지 대상 제외 조항에 초1~2학년 영어 방과 후 학교 과정을 포함하는 내용의 '공교육 정상화 촉진 및 선행교육 규제에 대한 특별법' 개정안을 통과시켰다. 현실에서는 선행학습을 허용하면서도, 업무계획에서는 선행학습 없이 국가가 책임지겠다는 모순적인 계획을 잡은 것이다.

교육부는 내년도 업무계획에서 첫머리에 올린 것은 '교육 현장의 신뢰도 제고'였다. 김영철 교육부 기획조정실장은 "2019년 교육부는 공정하고 신뢰할 수 있는 교육을 만들기 위해 교육부부터 혁신하겠다."라고 밝혔다.

이를 위해 교육부는 현재 사립대학 보직 교원에게 적용되는 퇴직 공무원 취업제한을 사립 초·중·고등학교와 사립대학 무보직 교원까지 확대하고, 시험지 유출 등의 비위가 발생할 때 사립교원도 국·공립 교원과 같은 징계 기준을 적용해 징계를 강화하기도 했다.

부총리 주재 (가)'교육 신뢰 회복 점검단'을 설치해 교육 비리를 집중적으로 조사하고 실효성 있는 제도개선을 발굴하는 한편, 학교 비리를 밝히는 내부 공익 제보자에 대한 신변이 노출되는 것을 막고 신분을 보장하는 제도를 정비하기로

했다.

이와 함께 유치원과 초·중·고교와 대학교의 감사 결과를 학교명까지 실명으로 공개하고, 사립학교(법인)가 교육부의 교원 징계의결 요구를 이행하지 않을 때는 과태료를 부과하고, 시정·변경 명령을 이행하지 않을 때는 고발조치를 의무화하기로 했다.

눈에 띄는 것은 학교 교육과정 편성·운영 자율성 확대와 학생회 법제화다. 교육부는 학교 교육과정 자율성 확대를 위해 올해 개별 과목에서 범교과 학습을 편성할 수 있도록 지원하고 내년부터는 교과군별로 20% 범위에서 감축된 시수를 지역 연계 활동 등 교과융합 창의 활동에 운영하도록 교육과정을 개정하기로 했다.

학교 교육과정 자율성 확대 · 학생회 법제화 주목

또 올해 안으로 초·중등교육법을 개정해 학생회를 법적 기구로 만든다는 구상이다. 학부모회는 지역별로 조례 제정을 퍼지도록 지원한다는 계획이다. 나아가 학교운영위원회에 학생과 학부모가 안건을 제안할 수 있도록 했다.

교육부는 "학교 구성원들이 학교 의사결정에의 적극적인 참여를 통해 학교 현장의 투명성을 높여 스스로 비리를 예방하는 자정 시스템을 구축하는 등 교육 비리를 예방하도록 하겠다."라고 설명했다.

교육부가 그동안 밝혀 온 국가교육위원회 설치와 고교 무상교육 도입, 서·논술형 평가와 과정 중심 평가 활성화 등도 주요 업무계획에 포함됐다.

교육부 2019년 업무계획 보고는 예년보다 1달가량 빨리 이뤄졌다. 교육부 관계자는 "서둘러 업무계획을 확정하고서 안정적으로 2019년을 시작하기 위한 것으로 알고 있다."라고 밝혔다.

문 대통령은 이날 교육부 업무보고 자리에서 "교육에 대한 공정성과 투명성에 대한 신뢰가 확보되지 않으면 교육에 대한 더 큰 개혁도 불가능한 것이 현실이라고 본다."라고 말했다. ("교육희망" 최대헌 기자)

> **【전교조 제주지부 보도자료】 제주특별자치도 교육여건에 대하여(18. 12. 28.)**

열악한 제주교육 현실을 외면한 교육당국을 규탄한다!

열악한 제주교육 현실을 외면한 교육당국을 규탄한다! 당장 대책을 내놓아라!

1. 제주교육 현실은 열악합니다.

가. 제주시 동지역 학생들은 전국최악의 교육환경이다.

2018년 제주시 동지역 인문계고 3학년 인문반 44명, 2학년 인문반 학생 수 40명(중소도시 평균 27.6명) 전국 1위, 콩나물 교실이다. 제주시 동지역 평준화 공립 7개 고교 교원 주당 수업시간은 18.97시간(중소도시 평균 17.1시간), 전국 1위이다. 제주시 동지역 중학교 교원 주당 수업시간 19.75시간(중소도시 평균 18.7시간) 전국 1위이다. 양질의 수업이 불가능하다.

나. 읍면지역 학교는 힘들어요!

읍면지역 중, 고교는 순회교사가 많다. 항상 교사가 없어 생활지도, 상담이 어렵다. 면학 분위기 유지가 어렵다. 주로 읍면 지역 초·중학교는 보건교사가 없다. 제주지역 보건교사 배치율은 63.1%(초등 41.9%)이다. 읍면 학생들은 건강권 불평등을 당하고 있다.

다. 도내 전체 학교의 교사들은 여전히 교육은 틈틈이 하고 주로 많은 행정업무만 하고 있다. 학업성취와 진학에 불리하다. 일반 학교(159개교)는 교육중심학교(28개교)에 비해 1일 74분(초), 50분(중) 상담 및 생활지도 시간이 적다. 일반 학교 교사들은 교육 중심 학교보다 공문, 회계 등 교육 이외의 일을 1일 1시간 정도 더하고 있다(김민호, 제주대교수, 2018 조직개편 용역보고).

2. 전국 최악의 교육현실에 대응 못 하는 교육감과 도교육청 관료들

교육감의 제주도교육청은 학급당 학생 수 1위, 주당 수업시수 1위, 읍면지역 학교 순회, 보건교사 문제, 교사들의 교육 시간 확보 부족 등 전국 최악의 교육환경을 계속 방치하였다. 이번 제주도 교육청의 2018년 도교육청 조직개편 관련 조례와 2019 예산안 등에도 최악의 교육환경에 대한 대책이 없다. 오히려 교육감과 교육관료들은 51억 들여 76명 본청 전문직, 일반 공무원을 증원하겠다고 하였다. 2018년 광주교육청 조직개편 중인데 지방공무원 증원은 없다. 더군다나 도민 공청회, 토론회 한 번도 안 하고 증원된 공무원이 할 일을 결정하는 조직개편안을 도민들에게 알리지도 않았다.

3. 도민과 교직원의 목소리를 무시하고 소통하지 않는 제주도교육청과 도교육위원회를 규탄한다!

지난 11월 22일 기자회견을 통하여 도민들은 먼저 최악의 학급당 학생 수 등 제주교육환경을 개선하라고 요구하였다. 그리고 교육과 학생을 위한 행정기구 개편을 하기를 원했다. 그리고 지방 공무원이 증감이 필요한지 살펴보자고 하였다. 그리하여 제주 교육관료 76명 승진 증원 조례 부결을 요구하였다. 834명 교직원이 2018 제주도교육청조직개편에 반대 서명하고 교육감과 교육위원장에게 전달하였다. 공무원 증원 조례 입법예고에 대한 156명 도민, 행정기구 개편안에 대한 도민들의 의견이 도교육청에 제출되었지만 반영이 안 됐다. 오히려 개정안의 76명 증원보다 16명 더 많은 92명의 본청의 교육공무원이 증원되었다.

제주시 내 인문계 고등학교 학급당 학생 수가 40명이 넘어가는데 염치가 없이 15명의 장학사, 장학관을 늘리는가? 77명의 지방공무원을 늘리는가? 교사를 더 뽑아야 하지 않겠나? 왜 학생과 교사에 대한 대책은 없는가? 92명의 본청공무원 증원 예산이면 제주시 평준화 동지역 고교 8개교, 제주도 내 중학교 45개에 교원을 2명씩 채용하여 학급당 학생 수와 주당 수업시수를 줄여서 보다 나은 학습환경을 만들 수 있다.

4. 우리의 요구

가. 제주도 교육청은 학급당 학생 수 1위, 주당 수업시수 1위, 읍면지역 학교 순회, 보건교사 문제, 교사들의 행정업무 없애기 대책을 당장 도민들에게 제출하라!

나. 도교육청과 교육위원회는 행정기구 개편안의 교육규칙(담당), 훈령(분장사무) 개정을 위한 토론회, 공청회를 도민들과 함께하라! 소통하라! 본청을 학생을 위한 조직으로 바꾸어라!

다. 도교육청의 실적 사업을 대폭 축소하고 본청 조직의 인원을 줄여라! 이번 92명 증원된 본청 공무원들을 모두 학교 현장 또는 학생과 교원을 지원하는 역할을 맡겨라!

2018년 12월 28일 전국교직원노동조합 제주지부

☞ 자료검색방법: 전국교직원노동조합(http://www.eduhope.net/) 보도자료(2018. 12. 28.) 검색

📖 **학습 과제**

교육부의 당해 연도 대통령 업무보고(통상 연초 발표)와 당해 교육청의 주요 업무계획(연초 교육청 홈페이지 공개)을 통해 주요 정책현안을 살펴보고 교직단체 및 이에 대한 국내 언론들의 반응을 조사해 보자.

☞ 자료 검색방법: 교육부(http://www.moe.go.kr/) 보도자료

　　　　　　　　한국교원단체총연합회(http://www.kfta.or.kr/) 보도자료

　　　　　　　　전국교직원노동조합(http://www.eduhope.net/) 보도자료

　　　　　　　　좋은교사운동(http://www.goodteacher.org/) 보도자료

　　　　　　　　신문 주요기사 검색(https://www.bigkinds.or.kr/) 용어 검색

참고문헌(10, 11, 12장)

강원근 외(2010). **초등교육행정론**. 서울: 교육과학사.

고전(2010). 교육자치와 민주주의―민주주의·지방자치·교육자주 관점에서의 지방교육
　　　자치제도 논의―. **한국지방자치법학회 제29회 춘계학술대회(10. 4. 30.) 자료집**.

고전(2008). 2007년 교육감 주민직선 결과 및 쟁점 분석. **교육행정학연구**, 26(2). 한국교육
　　　행정학회.

고전(2007a). 지방교육자치에 관한 법률 관련 헌법소원 분석. **교육법학연구**, 19(2). 대한교
　　　육법학회.

고전(2007b). 제주특별자치도 설치에 따른 교육자치제 변화 연구. **교육행정학연구**, 25(3).
　　　한국교육행정학회.

고전(2006). 제5기 교육위원 선거결과 및 쟁점 분석". **교육행정학연구**. 24(3). 한국교육행정
　　　학회.

고전(2006). **학교행정의 이해**. 대구: 정림사.

고전·김이경(2003). **지방교육자치제도 진단 연구**. 한국교육개발원(TR-2003-8).

고전(2003). 교육위원 선출방법의 적합성 분석. **교육행정학연구**, 21(4). 한국교육행정학회.

고전(2002). **한국교원과 교원정책**. 서울: 도서출판 하우.

고전(1998). 교육위원회 구성의 원리 탐구와 실제 분석―민주성과 전문성 면에서 본 제
　　　1·2·3기 교육위원회―. **교육행정학연구**, 5(2). 한국교육정치학회.

고재천 외(2007). **초등학교 교사론**. 서울: 학지사.

김수영(2005). **신 교육행정의 이해**. 서울: 양서원.

김윤태(2006). **교육행정·경영의 이해**(수정판). 서울: 동문사.

김정한, 박종흡, 우정기, 최청일(2004). **교육행정 및 경영의 이해**. 형설출판사.

김정호(2005). **교육행정학**. 서울: MJ미디어.

김종철(1982). **교육행정의 이론과 실제**. 서울: 교육과학사.

김종철·이종재(2003). **교육행정의 이론과 실제**(상중하). 서울: 한국학술정보.

김흥주·고전·김이경(2008). **지방교육분권 성과 분석 연구**. 한국교육개발원(RR-2008-
　　　10).

남정걸(2009). **교육행정 및 교육경영**. 서울: 교육과학사.

박재윤 외(2005). **학교교육법 편람**. 서울: 교육과학사.

백현기(1964). **교육정책연구**. 서울: 교육자료사.

서울대학교 교육연구소 편(1998). **교육학 대백과 사전**. 서울: 하우동설.

윤정일 · 송기창 · 조동섭 · 김병주(2010). **교육행정학원론**. 서울: 학지사.

이성은(2010). **학교변화와 열린행정**. 서울: 교육과학사.

이형행 · 고전(2001). **교육행정론**. 서울: 양서원.

정진환(1994). **교육제도론**. 서울: 정민사.

조남두 · 권기욱 · 오영재 · 유현숙 · 조남근 · 최창섭 · 신현석(2010). **교육행정론**. 서울: 원
    미사.

조석훈 · 김용(2007). **학교와 교육법**. 서울: 교육과학사.

조성일(2006). **교육행정과 학교 학급경영**. 서울: 학이당.

주삼환 외(2007). **한국교원행정**. 서울: 태영출판사.

진동섭 외(2007). **한국 학교조직 탐구**. 서울: 학지사.

천세영 · 남미정(2004). **교사와 윤리**. 서울: 교육출판사.

표시열(2002). **교육정책과 법**. 서울: 박영사.

하갑수 · 하윤수(1999). **교육과 법률**. 부산: 세종출판사.

허영(1995). **한국헌법론**(신정판). 서울: 박영사.

日本敎育法學會 編(1993). **敎育法學辭典**. 東京: 學陽書房.

Hoy. W. K & Miskel (2001). *Educational Administration*. 6th. New York: McGraw-Hill.

찾아보기

저자 소개

▣ 고 전

제주대학교 교육대학 교수

(교육학박사, 교육행정 · 교육법 전공)

▣ 김민호

제주대학교 교육대학 교수

(교육학박사, 교육사회학(평생교육) 전공)

▣ 서명석

제주대학교 교육대학 교수

(철학박사, 교육철학 · 교육과정철학 전공)

▣ 송재홍

제주대학교 교육대학 교수

(교육학박사, 교육심리 전공)

교육학의 이해, 제2판

발 행 일 ┃ 2019년 2월 28일 초판 1쇄 발행
저　　자 ┃ 고전 · 김민호 · 서명석 · 송재홍(가나다순)
발 행 인 ┃ 구본하
발 행 처 ┃ (주)아카데미프레스
주　　소 ┃ 서울시 마포구 월드컵북로5길 33 동아빌딩 2층
전　　화 ┃ (02)3144-3765
팩　　스 ┃ (02)3142-3766
웹사이트 ┃ www.academypress.co.kr
이 메 일 ┃ info@academypress.co.kr
등록번호 ┃ 제2018-000184호

정가 20,000원 　　　　　　ISBN 979-11-964756-6-6